AFGESCHREVEN

IJspegels aan mijn snor

Tim Moore

IJspegels aan mijn snor

Arctische omzwervingen van een Lord en een lanterfant

Uitgeverij BZZTôH
's-Gravenhage, 2001

Oorspronkelijke titel: *Frost on My Moustache*
Copyright © Tim Moore, 1999
All rights reserved
© Copyright Nederlandse vertaling 2001, Uitgeverij BZZTôH bv, 's-Gravenhage
Vertaling: Wim Holleman
Illustratie omslag: Joe Magee
Ontwerp omslag: Pro Studio
Zetwerk: Elijzen, grafische producties
Drukwerk: Wilco, Amersfoort
Bindwerk: Pfaff, Woerden

ISBN 90 5501 784 1

www.bzztoh.nl

Voor Martin, mijn grootvader

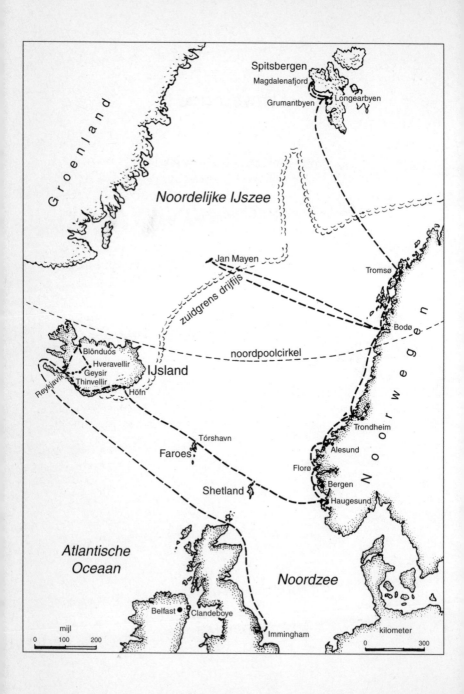

Dankwoord

Met dank aan: Birna, Kristján, Lilja en Valdís; mijn familie; Sarah Leigh; Dilli; Lindy Dufferin; Lola Armstrong; Andrew Gailey; Tim Knox; iedereen bij *Esquire*, met name Clare Gogerty; Sverre, Sissel en Per; Hilde, Marte, Eline en Christian; Agnar Guðmundsson; Helgi en Guðrun; de bemanning van de Dettifoss; Richard Beswick en Antonia Hodgson; Eleanor Garland; Philip Gwyn Jones; Rosemary Cantor; Solla Friðríksdóttir; Paul Rose; Jessica Learmond-Criqui; Thor Jakobsson.

Foto en illustraties (met originele onderschriften) met toestemming van de Markiezin van Dufferin en Ava en het fotoarchief van Clandeboye.

Speciale dank aan Teletext, in het bijzonder Tamara Bowles – een belangrijke Australische – en David Staveley: een groot man, een dapper man, en vooral een onafhankelijk man. O ja, en aan Budget Autoverhuur.

Proloog

Op het moment dat ik de pauw bij de vuilnisemmers zag rondscharrelen, realiseerde ik me dat ik in de problemen zat. In dit deel van de stad tref je een betere klasse zwerfdieren aan, dacht ik bij mezelf terwijl ik begin juni in de regen door een brede, lege straat in Holland Park liep. Twee jongetjes van een jaar of negen holden me voorbij; een van hen riep met een geaffecteerd stemmetje dat ik een stomme eikel was; allebei hadden ze het grootste plezier.

Tien minuten eerder, boven in een bus 237 in de buurt van Shepherd's Bush, had ik de twee relevante paragrafen doorgelezen van een boek dat ik de avond tevoren tot mijn lichte gêne in onze boekenkast had aangetroffen. *Who's Really Who* is het 'bijzonder geestige' biografische naslagwerk van roddelcolumnist Compton Miller over de '450 mensen in Groot-Brittannië die er *werkelijk* toe doen', althans ten tijde van publicatie, in 1983.

Het eerste fragment, ingeleid door pictogrammen die verwezen naar de begrippen 'adel', 'oud geld' en 'feestnummer', luidde als volgt:

Dufferin en Ava, Markies van, 46, miljonair, mecenas, afstammeling van een onderkoning van India, een exotisch voorbeeld van het axioma 'geld zoekt geld'. Zijn moeder, Maureen, is een van de erfgenamen van de Guinness-*brouwerijen* en zijn echtgenote, Lindy, is een erfgename van het *bankiershuis* Guinness. Hij draagt een bril, is grillig, enigszins geëxalteerd, houdt ervan feesten te geven voor artistieke vrienden in zijn huis in Holland Park – hoe buitenissiger en democratischer hoe beter. Tijdens een bal in de jaren zestig, waar ook Prinses Margaret en Lord Snowdon acte de présence gaven, droeg zijn overhemdenmaker, Michael Fish, een goud en zachtpaars lamé jasje in combinatie met een goudkleurige minirok.

De markies erfde de titel van zijn vader die in 1945 in Birma sneuvelde. Op zijn eenentwintigste verjaardag erfde hij de niet onaardige som van £192.000 en ter gelegenheid van zijn huwelijk schonk zijn moeder hem Clandeboye, een fraai landgoed in het Noord-Ierse graafschap Down. Sheridan Dufferin heeft geen erfgenaam. Lindy, een enthousiast kunstschilder, gaat zonder hem op schilderexpedities naar de Himalaja en de Amazone. Vreemd genoeg ziet men hem nooit Guinness drinken, uitsluitend champagne.

Het tweede fragment begon met pictogrammen die stonden voor de begrippen 'chic', 'oud geld' en 'feestnummer':

Dufferin en Ava, Maureen, Markiezin van, 76, dartele douairière. Met haar blonde kapsel, haar Edna Everage-bril en haar kwajongensachtige humor is ze een graag geziene gast op feesten in binnen- en buitenland. Ze is dol op practical jokes. Ooit schold ze, vermomd als slonzige dienstmeid, haar gasten tijdens het diner de huid vol in haar landhuis in Clandeboye, Noord-Ierland. Tijdens het Charleston-tijdperk had ze de gewoonte om gin uit een babyflesje te drinken, wat altijd de nodige hilariteit veroorzaakte.

Dat alles was nu niet bepaald bevorderlijk voor mijn zelfvertrouwen, terwijl ik me geestelijk voorbereidde op mijn op handen zijnde debuut in West-Londens toplocatie op het gebied van buitenissige en democratische uitspattingen. Het viel niet mee om me de enige Michael Fish die ik kende, voor te stellen in een goudkleurige minirok. Ook het moeten aanhoren van slonzige dienstmeiden die me de huid vol scholden, leek me niet bepaald de ideale inwijding van mijn carrière als graag geziene gast op feesten in binnen- en buitenland.

In de voetgangerstunnel onder de rotonde begon ik me steeds meer zorgen te maken over de komende sociale beproeving, en de wat gemelijke bureauredacteur die de tunnel aan de ene kant betrad, vertoonde nog maar weinig gelijkenis met de nerveus bibberende aspirant-redacteur die hem aan de andere kant weer verliet. Tegen de tijd dat ik op een grote, glimmend gepoetste koperen bel drukte, was ik veranderd in een dickensiaans straatschoffie met schichtige blik en grauwe wangen, en toen de deur openging verwachtte ik half en half Mrs Bridges te zullen zien die haar dikke, met meel bedekte armen ten hemel zou heffen en om de koksjongen zou gillen die me vervolgens met een grote blaasbalg van de oprijlaan zou meppen.

En inderdaad werd de deur opengedaan door een geüniformeerde dienstbode, zij het een Oost-Europese met een verlegen glimlach, die me voorging door een hal vol grote voorvaderlijke portretten. Een tweede dienstbode nam het naadloos van haar over en ging me voor naar boven, naar een studeerkamer vol oude meubelen, vaag bekend uitziende schilderijen en een schoorsteenmantel vol met de hand geschreven invitaties.

In het besef dat ik te veel hooi op mijn vork had genomen, keek ik om me heen en zag een slanke, kwieke vrouw van zo te zien ergens in de vijftig een stapel correspondentie doornemen aan een tafeltje bij het raam. De Markiezin van Dufferin en Ava. In haar eerste zin gebruikte ze twee keer het woord 'afschuwelijk'. Haar tweede zin behelsde het aanbod van een glas champagne. Haar derde zin luidde:

'Het spijt me dat we hier opgesloten zitten. Tegenwoordig gebruik ik de benedenverdieping eigenlijk nauwelijks meer – de vertrekken zijn me te statig en ze zijn zo *groot*.'

Ik was hier gekomen – zoiets meende ik me althans vaag te herinneren – om te praten over haar voorvader, de Eerste Markies Dufferin, Frederick Temple Hamilton Temple Blackwood, Knight of St Patrick, Grand Cross of the Bath, Grand Cross of St Michael and St George, geboren in Florence, Italië, in 1826, gestorven in Clandeboye, Ierland, in 1902, Gouverneur-Generaal van Canada, Onderkoning van India, Harer Majesteits Ambassadeur in Rome en Parijs.

'Ik heb je... stukje gelezen,' zei ze terwijl ze me met twinkelende ogen aankeek. 'Reuze jazzy'

Ze doelde op de korte samenvatting van mijn voornemen om de reis over te doen die de jonge lord in 1856 gemaakt had met zijn jacht, de Foam, waarmee hij van Schotland via IJsland en Noorwegen naar Spitsbergen in de Noordelijke IJszee en weer terug was gevaren.

Met haar omschrijving van mijn werkstuk verwees ze in diplomatieke bewoordingen naar de geringe wetenschappelijke diepgang ervan. 'Jazzy', een woord dat ik in deze context nog nooit serieus had horen gebruiken, was ongetwijfeld bedoeld als synoniem voor 'idioot'. Alles wat ik van Dufferin wist, was ik te weten gekomen uit het jolige reisverslag dat hij over zijn expeditie geschreven had, *Letters from High Latitudes*, namelijk:

(1) Hij was een lord.
(2) Hij wist bijna alles.
(3) Hij was onvermoeibaar.
(4) Hij leek me een aardige kerel.
(5) Hij was dol op zijn moeder.

Toen de Markiezin ('Lindy, beste kerel, Lindy') aankondigde dat we zo dadelijk gezelschap zouden krijgen van dr. Andrew Gailey, de mentor van Prins William op Eton, aan wie ze de opdracht verstrekt had om een biografie van Dufferin te schrijven, beseften we beiden dat ik spoedig keihard door de mand zou vallen. Nooit zou mijn onwetendheid meedogenlozer aan de kaak worden gesteld dan op een zo verheven podium. Ik was ook dol op mijn moeder, bedacht ik, en kon mezelf er maar ternauwernood van weerhouden haar luidkeels te hulp te roepen. 'Hoe ben je zo op dat idee gekomen?' vroeg Lindy. 'Is het je te doen om Dufferin, of om het noordpoolgebied?'

Ik zweeg even terwijl ik haar uitspraak van de familienaam tot me door liet dringen. Op een of andere manier had het idee bij me postgevat dat 'Dufferin' op aristocratische wijze samengetrokken werd tot 'Duffin'. Nu hoorde ik dat dit niet het geval was. Terwijl ik er niet aan probeerde te denken hoe belachelijk ik mezelf had kunnen maken door mijn zelfverzonnen uitspraak van de familienaam, begon ik een poging te doen om haar vraag te beantwoorden, waarbij het leek alsof mijn spraakvermogen me in de steek liet en ik steeds onsamenhangender begon te brabbelen. Als eerste zouden de bijvoeglijke naamwoorden verdwijnen; daarna waren de zelfstandige naamwoorden aan de beurt.

Ik vertelde haar dat mijn vrouw, Birna, uit IJsland afkomstig was. Toen ze toevallig in een tweedehandsboekwinkel in York een herdruk uit 1924 aantrof van *Letters from High Latitudes*, had ze zich gerealiseerd dat het een verslag was van een van de weinige buitenlanders die over haar geboorteland geschreven hadden en had het meteen gekocht.

Ik vertelde haar niet dat het onaantrekkelijk uitziende boek een jaar lang ongelezen op een boekenplank in de gang naast de badkamerdeur had gelegen, omdat de typografie, die me aan een psalmboek deed denken, en de zwaar betitelde auteur garant leken te staan voor een heleboel langdradige gewichtigdoenerij. Op een keer, toen ik me vreselijk verveelde terwijl ik zogenaamd een handdoekrekje aan het monteren was, sloeg ik het op een willekeurige plek open en werd geconfronteerd met de volgende zin:

'Ik voel me verre van goed, maar ik geef het niet op,' zei ik tegen mezelf, in navolging van Lepidus.

Maar toen, op een zaterdagochtend, kwam Birna opgewonden de badkamer binnen terwijl ik net lekker met de Badedas in de weer was en begon me een lange passage voor te lezen uit Dufferins verslag van een banket in het Gouverneurshuis in Reykjavík:

Ik was me er heel goed van bewust dat het niet meedoen met een toast, of het slechts half leegdrinken van je glas, als zeer ongemanierd beschouwd werd. Ik was vastbesloten om de gastvrijheid van mijn gastheer niet te beschamen. Desnoods was ik bereid mijn leven in de waagschaal te stellen; als ik onder tafel gedronken zou worden, dan moest dat maar; maar in het huidige tempo leek het me waarschijnlijk dat dat stadium nog vóór de tweede gang bereikt zou worden. Dus deed ik, na evenals mijn tafelgenoten zo'n dozijn glazen sherry en champagne geledigd te hebben, alsof ik niet in de gaten had dat mijn glas weer bijgevuld was. Maar die vlieger ging niet op; met volle glazen en neerslachtige gezichten wachtten ze beleefd tot ik het sein zou geven om het drinkgelag te hervatten.

Toen kwam er een wel heel doortrapte gedachte bij me op. Als ik nu eens zou proberen om de Gouverneur onder tafel te drinken? Weliswaar was ik geen wijndrinker – maar was ik niet de achterkleinzoon van mijn overgrootvader, en bovendien een Ier-

se edelman? Waren er bij ons thuis ook geen tradities van vaten rode bordeaux die de eetkamer werden binnengebracht, waarna de deur op slot ging en de sleutel uit het raam werd gegooid? Met zulke antecedenten zou ik toch in staat moeten zijn het op te nemen tegen de meest verstokte drinkebroer in IJsland. Dus met een duivelse glinstering in mijn ogen knikte ik vriendelijk naar links en naar rechts, en daar gingen we weer, het ene glas na het andere, zo'n drie kwartier lang. Eindelijk begon hun tempo wat af te nemen: ik had zowel de Gouverneur als de Voorzitter van het Universiteitsbestuur gedeeltelijk bedwongen, en ik zat nog steeds overeind... als we het misschien nog een kwartier langer konden volhouden, zou onze reputatie gevestigd zijn. Stel je je dus mijn afschuw voor toen de IJslandse arts, onder het uitroepen van zijn favoriete dogma... het sein gaf voor een verrassingsaanval, en de twintig gasten me een voor een toe begonnen te drinken. Ik dacht echt dat ik beter op de vlucht had kunnen slaan, maar ik veronderstel dat mijn ware afkomst zich deed gelden, en met een bijna griezelige kalmte beantwoordde ik hun heildronken.
Daarna begonnen de officiële toasts...

Er was iets aan deze onverwachte passage dat me onmiddellijk aansprak. Gedeeltelijk omdat ik erdoor herinnerd werd aan de heidense onmatigheid die schuilgaat achter het beschaafde stoïcisme van de IJslanders, en waarmee ik al kennis had gemaakt tijdens mijn tiental eerdere bezoeken aan het land, maar voornamelijk omdat ze op een of andere manier een aristocratisch gevoel voor understatement combineerde met de stijlfiguur van de overdrijving. Elders telt Dufferin op wat hij volgens hem gedronken heeft: drie flessen rode bordeaux; vier flessen champagne; twee flessen rijnwijn; een halve fles sherry en acht glazen jenever. Het is gewoon volslagen belachelijk, en het feit dat hij dat als intelligent man geweten moet hebben, maakte het op de een of andere manier alleen nog maar grappiger. De onthulling dat hij duidelijk niet gehinderd werd door de pedante arrogantie die zo dikwijls in verband wordt gebracht met deftige staatslieden, maakte zijn verbazingwekkende curriculum vitae des te onwaarschijnlijker.

Dat weekend las ik het complete boek, en steeds meer vragen drongen zich aan me op. Waarom was hij naar IJsland gegaan? Waar lag Spitsbergen precies? En wat te denken van Jan Mayen, een geïsoleerde actieve vulkaan in de Noordelijke IJszee die thuis leek te horen op zo'n 'Hier Zwemmen Zeemonsters'-kaart, getekend door zich vervelende middeleeuwse monniken? Zouden die plaatsen inmiddels veranderd zijn, en zo ja, in welk opzicht? Woonden er tegenwoordig geen mensen op Spitsbergen? En waarom had ik nooit van Dufferin gehoord? Ik had het idee dat ik de naam had moeten tegenkomen tijdens mijn geschiedenislessen, waarin voor mijn gevoel de Victoriaanse politiek zo'n beetje van uur tot uur behandeld was. Als feitelijk regent van eerst Canada en later India zou hij per slot van rekening toch het bewind hebben gevoerd over een redelijk indrukwekkend percentage van het totale aardoppervlak en zijn bewoners.

De ontdekking dat Dufferin, met zijn eenendertig jaar, twee jaar jonger was dan ik toen hij aan zijn expeditie begon, veranderde mijn nieuwsgierigheid in een onbekende emotie waarvan ik slechts kon aannemen dat het vastberadenheid was. Victoriaanse imperium bouwers, zo had ik me altijd voorgesteld, waren net zo oud en koud en stijf als de standbeelden die te hunner ere waren opgericht; ik had nooit iets bijzonders voor hen gevoeld en hun roemrijke daden eerder met ongeloof dan met afgunst beschouwd. Wat ik ook probeerde, ik kon met geen mogelijkheid ook maar het geringste vonkje pioniersgeest ontdekken in de slungelige grijns die mijn badkamerspiegel al besmeurde vanaf het moment dat ik tot de conclusie was gekomen dat spijbelen bij de gymnastieklessen om me in plaats daarvan bezig te houden met wat lichte vormen van vandalisme, leuker was dan het trachten uit te blinken op sportgebied. De vooroorlogse generatie Britten had het stokje dat hun bij de eeuwwisseling doorgegeven was, laten vallen; mijn generatie had het stokje weer opgepakt en het vervolgens zo ver mogelijk weg in het water gesmeten. Onze voorvaderen hadden het allemaal al eerder gedaan, en aangezien het duidelijk geen zin had om het allemaal weer opnieuw te doen, hadden wij onderpresteren en apathie tot deugden verheven.

Maar de banket-episode maakte het moeilijk om Dufferin op één lijn te stellen met zijn saaie en zelfingenomen soortgenoten. Hij was, besloot ik, anders, eigentijds, sympathiek; en toen ik dat eenmaal vastgesteld had, begon ik zijn reis naar het noordpoolgebied te beschouwen als niet alleen maar een zoveelste expeditie voor Koningin en Vaderland, maar als een uitdaging. De dr. Livingstones vormden een apart ras, gedreven door krachten die ik vermoedelijk nooit zou begrijpen. Maar Dufferin, voornaam en erudiet als hij was, beschikte tevens over een zorgeloze luchthartigheid die me bijzonder aansprak. Als hij iets kon, kon ik het ook. Als hij de ijsbergen kon bedwingen, dan kon ik mijn inertie de baas worden. Tegen de tijd dat ik de *Letters* uit had, was het 'kon' veranderd in 'zou'.

Natuurlijk zei ik daar niets over toen ik tegenover Lady Dufferin stond, terwijl ik de steel van mijn champagneflûte tussen mijn vingers liet ronddraaien. Met mijn blik op het glas gericht zei ik: 'Dus ik las het boek met plezier, en toen besloot ik in zijn voetsporen te treden en daar zelf een boek over te schrijven.' Omdat ik vaag het gevoel had dat deze verklaring misschien niet helemaal toereikend was, voegde ik eraan toe: 'Het was af en toe ook best grappig. Tijdens een banket dronken ze tegen de klippen op en toen moesten de officiële toasts nog beginnen.'

Onzichtbare handen deden de deur open en de vriend van mijn zus, Tim Knox, kwam binnen. Hij was het die deze ontmoeting gearrangeerd had, na een onwaarschijnlijke samenloop van omstandigheden die ik inmiddels ten zeerste betreurde. Mijn zus had mijn Dufferin-project, dat toen nog in de kinderschoenen stond, ter sprake gebracht en hij had gezegd, goh, was dat even grappig, want hij had net oud en nieuw gevierd bij de huidige Lady Dufferin op een of ander fantastisch landhuis genaamd Clandeboye, in de buurt van Belfast.

'Zij is de laatste van het geslacht Dufferin,' vertelde hij me toen ik hem opbelde. 'Haar man is een jaar of tien geleden overleden en ze hebben geen kinderen. Ik geloof dat ze van geboorte een Guinness is.'

Het gegeven dat zij de laatste van de dynastie was mocht dan schrijnend zijn, maar tegelijkertijd was het voor mij een stimulans. Op dat moment wist ik niet eens of er überhaupt nog Dufferins in leven waren, laat staan of ze nog op Clandeboye woonden. Op dat moment voelde ik me verbijsterd, opgetogen, triomfantelijk. Maar op dit moment begon ik te wensen dat ik nooit zo lichtzinnig was geweest om mijn uitgever te beloven dat ik hun statige landgoed zou bezoeken.

Dat had ik gedaan in de heilige overtuiging dat het er niet meer zou staan. Nadat de projectontwikkelaars er huisgehouden hadden, zou er hoogstens nog een of andere kleine, vergeten herinnering zijn overgebleven, misschien een met klimop begroeide zonnewijzer ergens in het bos. 'Dit is het enige dat ze hebben laten staan,' zou het oude vrouwtje dat me ernaartoe had gebracht, mompelen. Dan, met een dappere glimlach: 'Ik herinner me nog dat ik als klein meisje in de balzaal speelde met de Derde Markies. Hij heeft me ooit nog eens zijn piemeltje laten zien, de kleine aap.'

Tim is bouwkundig adviseur bij de National Trust, en in die hoedanigheid verkeert hij regelmatig in de hogere kringen. Hij is zo iemand die door niets van zijn stuk te brengen is; hooguit wordt hij wat onrustig als de zaken al te voorspelbaar verlopen. Hij is altijd al enigszins een buitenbeentje geweest, en als jongvolwassene wilde hij zich nog wel eens als kardinaal verkleden of zich voordoen als adellijke telg van een vooraanstaand geslacht op het Europese vasteland. Ooit werd hij over een galerij nagezeten door een opgewonden gids die hem toeriep: 'Vicomte de Talleyrand! Spreekt u ons alstublieft toe! Uwe Eminentie!' Ik bewaar mooie herinneringen aan een bezoek aan de kerk naast het huis van Jane Seymour in de buurt van Bath, waar Tim het gastenboek voorzien had van een open uitnodiging namens haar aan alle bezoekers om zich naar de serre te begeven, waar ze onthaald zouden worden op versnaperingen en een gesigneerde fles Le Jardin de Max Factor.

Hij kwam dus de studeerkamer binnenwandelen, schonk zichzelf een glas champagne in en begon onmiddellijk een hilarisch verhaal te vertellen, waarbij hij gebruik maakte van een half dozijn verschillende dialecten.

Lindy vond het prachtig. Uit het stukje in de *Who's Really Who* over wijlen haar echtgenoot had ik al de indruk gekregen dat ze een zwak had voor kleurrijke figuren en excentriek gedrag, een indruk die nog werd versterkt toen ze een pakje Golden Virginia-shag tevoorschijn haalde en een sjekkie begon te rollen.

Toen enige tijd later Andrew Gailey en zijn vrouw arriveerden, werd ik aan hen voorgesteld met de woorden: 'Andrew, dit is Tim

Moore – hij gaat een boek schrijven over de Eerste Markies, en het aardige is dat hij helemaal niets van hem af weet!'

De Gaileys begroetten me beleefd, zonder ook maar iets te laten blijken van de flinke irritatie die de meeste mensen zouden hebben gevoeld als ze zojuist tot de conclusie waren gekomen dat hun reis van tachtig kilometer heen en terug pure tijdverspilling was. Lindy had deze bijeenkomst klaarblijkelijk georganiseerd voordat ze mijn 'jazz' gelezen had, in de veronderstelling dat er op wetenschappelijk niveau gediscussieerd zou gaan worden over Dufferins centrale rol in de Syrische crisis van 1860.

We begaven ons naar een vertrek waar een tafel kreunde onder een overdaad aan damast, zilver en kristal. De wijnen, die bijna hoorbaar stonden te ademen, hadden tien centimeter lange kurken en eerbiedwaardige, door schimmel aangetaste etiketten. Het was nu volkomen duidelijk dat de Dufferindynastie nog altijd zeer welvarend was, maar de omvang van deze welvaart drong pas geleidelijk tot me door terwijl de dienstboden een opeenvolging van culinaire hoogstandjes opdienden.

'Tim – van wie zijn deze volgens jou?'

Ik zat me net wanhopig af te vragen welk couvert van het dozijn dat voor me uitgestald lag ik momenteel diende te hanteren, en toen ik van tafel opkeek, zag ik Lindy bij een dressoir staan en twee bronzen ballerina's omhooghouden.

Ik was erin geslaagd al een halfuur niets meer te zeggen, maar nu, terwijl er een stilte viel, was er geen ontkomen meer aan. Terwijl ik nog bij mezelf overlegde of het doen alsof ik mijn tong ingeslikt had een passender reactie zou zijn dan 'glanzende danseresjes', zei Tim: 'Degas?'

Natuurlijk. De vraag was niet aan mij gericht. Maar hoe het ook zij, hij zat ernaast. 'Rodin. Ik heb ze pas geleden cadeau gekregen,' zei ze achteloos, terwijl ze een van de beeldjes met een boogje naar Tim wierp. 'Vind je niet dat ze goed passen bij deze Hockney?'

En zo waren er meerdere hints, meestal gepaard gaand aan de nonchalante vermelding van duizelingwekkende bedragen. 'Sheridan en ik zagen ons twintig jaar geleden voor een afschuwelijk moeilijke beslissing geplaatst – als we geen £350.000 uitgaven aan de renovatie van het dak, zou Clandeboye feitelijk onbewoonbaar zijn.'

De gerechten volgden elkaar op. Het was een vreemde gewaarwording om te zien hoe onze gastvrouw onze verrassing en opgetogenheid deelde als de deksels van de schalen werden gelicht. Wat grappig om zelfs in je eigen huis niet te weten wat er op tafel komt. Ik nam aan dat het bij haar elke avond zo ging.

Ik was inmiddels aardig aangeschoten geraakt, en begon Lindy steeds sympathieker te vinden. Zij was zo iemand die dingen kon zeggen – en dat ook deed – als: 'Weet je, ik *ken* gewoon geen zwarten,' op zo'n ontwapenend openhartige manier dat je er eenvoudigweg geen aanstoot aan kon nemen. 'Veel mensen die ons hier zo zouden zien, zouden verontwaardigd, en waarschijnlijk heel erg boos zijn – wij hier met zijn vijven, met al dat kristal en zilver,' merkte ze op, terwijl ze ons om beurten aankeek. 'Jullie tweeën met je Eton-achtergrond, jij met je National Trust, ikzelf natuurlijk, jij... nou ja, aan jou zouden ze waarschijnlijk geen aanstoot nemen.'

Ik trok het me niet aan. Waarschijnlijk was het als compliment bedoeld. In veel opzichten deed ze me denken aan enkele van de excentriekere vriendinnen van mijn moeder – de artistiekerige achtergrond, de nadruk op de glansperiode van de jaren zeventig, de uitgekraamde vulgariteiten. Terwijl we spraken over de cursussen natuurbehoud die ze hielp organiseren op Clandeboye, zei ze: 'Ach, je weet hoe die studenten zijn, dat struint maar rond door de bossen en kwakt overal zijn sperma neer.'

De Gaileys vertrokken rond middernacht. Ze waren zo diplomatiek geweest om Dufferin niet eenmaal ter sprake te brengen. Lindy hield Tim en mij aan de praat tot twee uur 's ochtends, sjekkies rokend en absurd dure wijn drinkend. Toen, tamelijk abrupt, zette ze ons eruit, de regen in, duidelijk niet gewend aan gasten die ofwel de volgende dag vroeg op moeten om te gaan werken, ofwel geen chauffeur hebben. Tim verdween licht slingerend op zijn knetterende Vespa de donkere nacht in; bij gebrek aan taxi's zat er voor mij niets anders op dan de bijna zeven kilometer naar huis te voet af te leggen.

Nauwelijks vijf uur later, nog voor ik begonnen was de vele interessante ontwikkelingen van de vorige avond de revue te laten passeren, rinkelde de telefoon. Het was Lindy, met een uitnodiging het volgende weekend op Clandeboye door te brengen. 'Heb je een beetje intelligente reisagent?' wilde ze weten, daarmee een aanlokkelijk perspectief openend op een wereld waarin mensen niet alleen reisagenten 'hadden', maar die ook aan de kant konden schuiven wegens gebrek aan intelligentie.

Plotseling realiseerde ik me iets heel belangrijks. Het was absoluut onmogelijk om deze missie in mijn eentje te overleven.

'Kan... zou ik mijn vrouw ook mee mogen nemen?'

'O. Wil ze dat heel erg graag? Een, twee... zeven... Nou, dan zijn we met zijn twaalven. In dat geval zullen jullie op zondag weer moeten vertrekken. Mrs Armstrong zal jullie afhalen van Belfast International Airport. O, en probeer voor die tijd contact op te nemen met Andrew Gailey. Mooi zo. Dan hoef ik me over jou verder niet druk te maken.'

Op een of andere manier voelde ik me niet eens beledigd door deze tamelijk onbehouwen opmerking. Ik was al helemaal in haar ban. Ik nam aan dat dit de manier was waarop de Britse aristocratie een revolutie van de burgerij had weten te voorkomen.

Enig speurwerk in knipselmappen bracht aan het licht dat Lindy in 1964 in het huwelijk was getreden met Sheridan, de Vijfde Markies. Diverse bronnen bevestigden hun status als prominente vertegenwoordigers van de jetset van het Swingende Londen, die grote feesten hadden georganiseerd op Clandeboye, waar beroemdheden als Mick Jagger en David Hockney acte de présence hadden gegeven. Sheridan dreef een uiterst trendy kunstgalerie; Lindy genoot enige faam als fotografe en kunstschilder.

Ook las ik dat Lindy tien miljoen pond geërfd had van haar vader, en nog eens vijftien miljoen toen Sheridan in 1988 overleed op de veel te jonge leeftijd van 49 jaar. En verder kwam ik te weten dat haar schoonmoeder, Maureen, op haar negentigste nog altijd 'heel kras' was (hoewel, ook weer niet zó kras, gezien het feit dat ze inmiddels overleden was), en onlangs als overwinnaar tevoorschijn was gekomen uit een juridische strijd met haar twee dochters en Lindy, met betrekking tot de verdeling van haar eigen enorme nalatenschap.

Er waren nog meer voorbeelden van Maureens strijdlustige aard. Op het feest ter gelegenheid van de publicatie van een biografie van de kort daarvoor overleden Hertogin van Argyll in 1994, liet de douairière zich tegenover een verslaggever ontvallen: 'Het was een werkelijk vreselijk mens. Iedereen die ik kende had een hekel aan haar en noemde haar "De Duivelin". Ze was kwaadaardig, haatdragend, en ronduit afschuwelijk. Goddank dat ze er vandaag niet bij is.'

In tegenstelling daarmee beschreef een sensatieblad Lindy als 'de Howard Hughes van Noord-Ierland.' Hoewel dat moeilijk te rijmen viel met de extraverte vrouwspersoon die ik ontmoet had, leek het in elk geval een redelijk rustig weekend te beloven.

Maar Dufferin, mijn Dufferin, bleef nog altijd een raadsel. In een overlijdensbericht van Sheridans zuster, de romanschrijfster Caroline Blackwood, werd Sheridan opgevoerd als 'het soort man wiens charme, edelmoedigheid en bescheidenheid de aristocratie een goede naam bezorgen', wat min of meer overeenkwam met wat ik van de Eerste Markies wist. Ik had Lindy's advies ter harte genomen en Andrew Gailey een paar dagen later in Eton opgezocht. Hij was er inmiddels ongetwijfeld van overtuigd dat mijn amateuristische lariekoek geen enkele bedreiging vormde voor zijn erudiete biografie, en was zo vriendelijk me zijn verzamelde Dufferinalia te tonen: de aantekeningen voor zijn boek, een ongelooflijk saaie dissertatie die iemand in de jaren zeventig geschreven had, en exemplaren van de twee contemporaine biografieën die vermeld werden in de inleiding van mijn editie van de *Letters*: Sir Alfred Lyalls *Life of Lord Dufferin* en C.E.D. Blacks *The Marquess of Dufferin & Ava*.

'Hij was de uitvinder van het amusante reisverhaal,' zegt Lyall, 'en liet zich niet afschrikken door de drinkgelagen van gastvrije noorderlingen of de mist en de ijsvlakten die hem voor de kust van Spitsbergen bedreigden.' *High Latitudes*, bevestigt Black, 'werd hogelijk gewaardeerd door een grote schare lezers en beleefde vier herdrukken, terwijl het ook nog eens in het Frans en het Nederlands werd vertaald.'

Ik had me niet gerealiseerd dat het zo'n bestseller was geweest. Lezers, zegt Lyall, genoten klaarblijkelijk van Dufferins 'gewoonte om tegenslagen en ontberingen met humoristische wijsgerigheid te ondergaan, op ongedwongen wijze om te gaan met bewoners van die ruige, ongepolijste wereld en een komische draai te geven aan kleine incidenten of ergernissen... en een oprechte belangstelling voor primitieve gemeenschappen aan de dag te leggen.'

Ik begon me nu toch echt een beetje zorgen te maken. De reis naar het noordpoolgebied was duidelijk een van Dufferins minder aansprekende wapenfeiten, maar nu al werd duidelijk dat navolging ervan, zelfs van alle moderne gemakken voorzien, het uiterste van mijn geestelijke weerbaarheid zou vergen. Behalve het feit dat we van ongeveer dezelfde leeftijd waren, hadden we nauwelijks iets met elkaar gemeen. Het met humoristische wijsgerigheid ondergaan van ontberingen en het omgaan met primitieve lieden behoort niet tot mijn sterkste punten. Wat maritieme uitdagingen betreft was ik nooit verder gekomen dan een mislukte poging om rechtop te gaan staan op een drijvend luchtbed. Op een of andere manier kon ik me niet goed voorstellen dat Dufferins ouders een equivalent van deze opmerking op een schoolrapport onder ogen hadden gekregen: 'Timothy heeft zijn watervrees overwonnen en zwemt nu vrolijk rond met een zwemgordeltje om.'

In twee uur tijd flanste ik een soort biografie in elkaar.

Hij was geboren in Florence in 1826 als Frederick Temple Hamilton Temple Blackwood, en werd op vijftienjarige leeftijd Lord Dufferin na het lichtelijk lachwekkende overlijden van zijn vader als gevolg van een overdosis ten onrechte voorgeschreven morfine (een apotheker in Liverpool was blijkbaar 'in de war' geraakt door het luiden van een scheepsbel). De achterachterkleinzoon van toneelschrijver Richard Sheridan (vandaar de naam van de Vijfde Markies) genoot zijn opleiding op Eton en Oxford (waar hij gekozen werd tot Praeses van de Debatingclub en met de hakken over de sloot voor zijn examen slaagde), waarna het tijd was voor de onvermijdelijke Grand Tour naar Italië. Als gedreven en gevierd dichter (hij was slippendrager op Tennysons begrafenis) en redelijk getalenteerd tekenaar (de twee dozijn etsen in *High Latitudes* – de Foam die in het kielzog van Prins Napoleons stoomschip de Reine Hortense de onstuimige Noordelijke IJszee trotseert; een dwarsdoorsnede van een geiser – waren allemaal van zijn hand), zag hij af van een bohémienachtige carrière als liberaal politicus. Hij onderscheidde zich als diplomaat die de hoogste overzeese posten bekleedde met 'onveranderlijk succes en verbazingwekkende populariteit'. Succesvolle ambtstermijnen als Gouverneur-Generaal van Canada (1872-1878) en Onderkoning van India (1884-1889) leverden hem veelbegeerde erebaantjes op als Ambassadeur in Rome en Parijs. Toen hij zich in 1896 terugtrok op zijn Ierse landgoed (waar hij reeds een reputatie als 'verlicht landhervormer' verworven had), zou hij aanspraak hebben kunnen maken op een rustige oude dag, waarin hij zou kunnen terugzien op een uitermate welbesteed leven.

Helaas neemt het verhaal tegen het eind een rampzalige wending. In 1901, las ik, sneuvelde zijn oudste zoon in de Boerenoorlog, en in de loop van de volgende twee jaar slonk het familiefortuin als sneeuw voor de zon tijdens de nasleep van het faillissement van een financieringsmaatschappij waarvan hij president-commissaris was. Hij overleed als een gebroken man in 1902. Het was een droevig en ongepast einde dat een onverwacht diep gevoel van medeleven bij me opriep.

De avond voordat we naar Belfast vlogen, zocht ik op het Internet naar 'DUFFERIN'. Ik vond acht verwijzingen. Zeven ervan waren Canadese instellingen met adressen in een van de vele Dufferin Streets die herinnerden aan zijn duidelijk succesvolle periode als Gouverneur-Generaal. De achtste, die op het scherm verscheen met de gebruikelijke irritante traagheid van de elektronische supersnelweg, was een krijttekening.

Dit was een geweldig moment. Nergens had ik een afbeelding van hem kunnen vinden. De tekening toonde Dufferin op vierentwintigjarige leeftijd, een jongeman met fijne gelaatstrekken en een lichtelijk pruilende mond. Ik legde mijn linkerhand op het scherm om zijn hoge boord en zijn cravate af te dekken, en mijn rechterhand over de fijne, tot op zijn boord vallende haarlokken met de scheiding hoog in het midden, duidelijk bedoeld om vroegtijdig intredende kaalheid te camoufleren, en zag de elegante wenkbrauwen en welgevormde lippen van een goedverzorgde societyfiguur. De zware oogleden gaven zijn lichtelijk kwijnende, waterige blik iets zinnelijks. Ik had mijn man gevonden – en al met al mocht ik hem wel.

1

We werden van Belfast International Airport afgehaald door Lady Dufferins archivaris, Lola Armstrong. Met haar kleine gestalte en vrolijke, blozende gezicht zag ze eruit alsof ze zojuist uit een schilderij van Brueghel was gestapt. Ze was zo ongeveer de minst Lola-achtige persoon die ik ooit ontmoet had. Ik kon me haar tenminste nauwelijks voorstellen in een nachtclub in Soho, bezig met het soort dingen waar de Kinks over zongen.

Gedrieën persten we ons in de Nissan Micra van haar zoon, en terwijl we in een file voor een controlepost van de Royal Ulster Constabulary stonden, vertelde ze ons dat ze eigenlijk wiskundelerares was, maar haar baan opgegeven had om op het landgoed te gaan werken. Het was de Markiezin opgevallen hoeveel belangstelling ze had voor de geschiedenis van Clandeboye, en ze had haar gevraagd de eclectische verzameling koloniale herinneringen van de familie op orde te brengen. Dit was een niet geringe taak, zoals we spoedig zouden kunnen constateren. 'Het is zonder meer een levenswerk,' zei ze opgewekt, 'maar Lady Dufferin heeft daar alle begrip voor.'

Het was enigszins gênant dat ze onze gastvrouw zo noemde, terwijl wij – nu aan de andere kant van de feodale scheidslijn – verondersteld werden haar Lindy te noemen. Ook was het tamelijk ontnuchterend om tot de ontdekking te komen dat het uitgestrekte landgoed van Clandeboye zich zo dicht bij de vervallen dokken van Belfast bevond. Slechts tien minuten nadat we de deprimerende en verlaten scheepswerf van Harland & Woolf gepasseerd waren, sloegen we een naamloze weg in die ons door het randgebied voerde van wat duidelijk een omvangrijk en goed onderhouden landgoed was.

Duizenden jonge bomen ontsproten aan beschermende plastic omhulsels en voordat we het huis in zicht kregen, reden we langs vele, zorgvuldig onderhouden bloemperken. De horizon werd gedomineerd door het hoge wuivende groen van wat, naar ik later ontdekte, het grootste loofbos in Noord-Ierland was. Het was verbazingwekkend dat deze prominente voorpost van het Britse kolonialisme en zijn adellijke bewoners alle verwoesting die zich al dertig jaar zo vlakbij afspeelde, ongedeerd overleefd hadden.

We reden om een stallencomplex heen en stopten op een kleine binnenplaats. 'Dit is eigenlijk de zij-ingang,' zei Lola, op een bescheiden portaal wijzend. De deur ging open en een forsgebouwde butler met een rood gezicht – streepjespantalon, jacquet, alles erop en eraan – begroette ons met een minzaam knikje. 'U logeert in Simla, heb ik begrepen,' baste hij op Lurchachtige toon, voordat hij ons voorging naar een hal.

Ik zeg hal, maar in feite had het meer weg van een dependance van het *Museum of Mankind*. Het curriculum vitae van de globetrottende Eerste Markies viel hier uitgebreid te bewonderen: hangend aan de balken, tegen het metselwerk bevestigd, vastgezet op de vloer. Er waren totempalen en tomahawks, een schaalmodel van de Birmaanse stad Mandalay, een tweetal opgezette beren uit Rusland (Dufferin had de moederbeer doodgeschoten, vertelde Lola ons later, en hij had toen een verweesd jong gevonden dat hij in een opwelling van schuldgevoel mee terugnam naar Clandeboye, waar het nog jarenlang op een afgesloten binnenplaats leefde), speren, helmen, sneeuwschoenen, maliënkolders, dolken, bas-reliëfs met hiëroglyfenschrift, sarcofagen, curlingschijven, klokken en pistolen. En verder waren er talloze voorwerpen waarvan ik geen flauw idee had waar ze vandaan kwamen en waartoe ze dienden: lange stokken met gaten erin, grote ronde dingen met vreemde etnische symbolen op de zijkant geschilderd, driehoekige kistjes met vreemdgevormde handvatten.

Birna en ik stonden sprakeloos. Toen zag ik in een hoek het originele boegbeeld van de Foam, of althans de houten replica ervan, naast een schitterend schaalmodel van het schip zelf. En daaronder, misschien nog wel het boeiendst van alles, een haardkleed, gemaakt van de pels van de ijsbeer die de bemanning op Spitsbergen geschoten had, een gebeurtenis die door Dufferin tot in detail beschreven wordt. Terwijl we met open mond om ons heen keken, volgden we schoorvoetend de butler die, toen hij merkte hoe geïnteresseerd we waren, op een ingelijste foto wees die aan een pilaar hing. De foto, gedateerd 1902, het jaar waarin de Eerste Markies overleed, toonde de hal waarin we ons nu bevonden, en bevestigde wat ik al vermoed had. Er was niets veranderd. Hier was Dufferin, hier was ik, hier was de Foam. Alle puzzelstukjes begonnen op hun plaats te vallen.

Ons volg-de-butler-avontuur begon de epische proporties van een Terry Gilliam-animatie aan te nemen. Voort ging het, over een overloop die gedomineerd werd door het erboven bevestigde stuk drijfhout dat Dufferin van Spitsbergen had meegebracht, langs een poppenhuis met echt zilveren bestek op de tafeltjes, onder reusachtige familieportretten door, trappen af die we volgens mij al eerder beklommen hadden.

We kwamen langs vele deuren, voorzien van namen die ik herkende als Dufferins diplomatieke standplaatsen: Rome, Parijs enzovoorts. Simla, zo realiseerde ik me (voorzover dat woord van toepassing is op iets wat je een week later in een encyclopedie opzoekt) was de zomerhoofdstad van India in de tijd dat hij er Onderkoning was.

Lola had ons al verteld dat Clandeboye in zijn huidige staat grotendeels gebouwd was volgens het eigen ontwerp van de Eerste Markies, nadat hij zich uit het actieve leven teruggetrokken had. Terwijl we duistere wenteltrappen beklommen en gebukt door lage, stille gangen liepen, werd de hand van een enthousiaste maar warhoofdige amateur duidelijk. Hij had een passie voor natuurlijk licht gehad, en overal was gebruikgemaakt van glazen plafonds en vallichten. Geen wonder dat het £350.000 gekost had om het dak te renoveren.

Op de overloop halverwege een achteraf gelegen trappenhuis met aan de wanden de ingelijste architectonische schetsen van Dufferin, bleef de butler staan en zette onze tassen neer. 'Ik geloof dat ik verdwaald ben,' baste hij, voordat hij met een knipoog achterom keek. Net toen onze omzwerving iets weg begon te krijgen van een exodus, betraden we gebukt een laag bijgebouw en kwamen bij een kamer die voorzien was van het opschrift 'Simla'. De butler zette onze tassen in de kamer en trok zich terug.

'Hadden we hem geen fooi moeten geven?'

'Nee!' piepte Birna. 'Niet *nu*. We worden geacht het personeel een collectieve fooi te geven aan het eind van ons verblijf.'

De uitdrukking 'collectieve fooi' heeft op mij dezelfde uitwerking als 'De dam is doorgebroken!' voor valleibewoners. 'Wat? Weet je dat zeker? Hoeveel?'

'Ik weet het niet... £20?' (Nadat Birna onthuld had dat ze deze wijsheid ontleende aan een roman van Georgette Heyer, stond ik erop dat we niets zouden achterlaten.)

Een van de muren van ons, overigens goddank in het geheel niet statige onderkomen werd gedomineerd door een merkwaardig half-rond waaiervenster, dat naar later zou blijken een origineel onder-deel was van een blind raam aan de linkerkant van de prachtige, krijt-grijze, achttiende-eeuwse voorgevel van het landhuis. Op een toilet-tafel onder het venster lag een oude gids van het huis, vermoedelijk speciaal gepubliceerd voor logés, aangezien Clandeboye niet toegan-kelijk is voor het gewone volk. De gids begon met een inleiding van de hand van Lindy's Sheridan. 'De meeste gasten hebben waarschijn-lijk het gevoel dat Clandeboye een buitengewoon groot huis is,' luid-de de openingszin. Met het gevoel dat wij buitengewoon kleine mens-jes waren, gingen we op weg naar de tea die ons door Lola in het vooruitzicht was gesteld.

'Weet je wat,' onderbrak Lola mijn niet al te overtuigende poging om met het air van de eigenaar met de handen op mijn rug heen en weer te drentelen voor de brandende open haard van de grote biblio-theek. 'Terwijl we op Lady Dufferin wachten, zal ik jullie het huis laten zien.' Mocht ik het idee hebben gehad dat we tijdens onze ex-peditie naar het verloren koninkrijk Simla het hele huis hadden ge-zien, dan zou dat spoedig een misvatting blijken.

'... en dit is de derde bibliotheek,' bracht ze een halfuur later hij-gend uit. Sommige gedeelten van Lola's omvangrijke archivistische domein, zoals de 'derde bibliotheek', waren keurig op orde; aan an-dere was ze nog maar nauwelijks begonnen. In haar werkkamer in het souterrrain bevond zich een chaotische verzameling tropenhel-men, marionetten, letterkasten vol Victoriaanse drukletters en, van-zelfsprekend, correspondentie in al haar verschijningsvormen: huis-houdboekjes, brieven, gedichten. Mijn favoriete voorwerp was een

prachtig achthoekig kistje, waarop met krijt in een elegant ouder-
wets handschrift het woord 'Leeg' geschreven was.

Ook zag ik een met de hand gebonden boekje met krijttekenin-
gen liggen. 'Die zijn gemaakt door de moeder van de Eerste Markies,'
zei Lola. 'Zoals je misschien al ontdekt hebt, was zij zijn enige echte
grote liefde.' Tot die conclusie was ik inderdaad al gekomen. De brieven in *High Latitudes* zijn stuk voor stuk gericht aan Dufferins moeder, Helen Selina, Lady Dufferin. Ze was op haar zeventiende in het
huwelijk getreden met Price Blackwood, de Vierde Baron, en had
een jaar later het leven geschonken aan haar enige kind. Nadat de
baron gestorven was, ontwikkelde Lady Dufferin, die toen nog maar
drieëndertig jaar oud was, een bijna claustrofobisch hechte relatie
met haar zoon.

In sommige opzichten waren ze meer als broer en zus. 'Niet iedere zoon kan zich de eenentwintigste verjaardag van zijn moeder herinneren,' zei Dufferin later, om vervolgens melding te maken van 'haar
liefdevolle, stralende gezicht, dat de Hemel van mijn kinderjaren was,
en dat in feite altijd gebleven is'. Ze schilderden samen en lachten
samen en wandelden ongetwijfeld hand in hand door het grootste
loofbos van Noord-Ierland.

Van haar had Dufferin zijn artistieke talenten en zijn intelligentie. In 1859, na het vermoedelijk onverwachte succes van zijn boek,
schreef ze een parodiërend verslag van een cruise met haar zoon op
de Middellandse Zee, getiteld *Lispings from Low Latitudes*. Van Lady
Helen erfde hij ook het vermogen tot bestudeerde zelfspot. Toen ze
met de staatsman en latere premier Disraeli (met wie ze ooit een
relatie onderhield) over haar zusters sprak, zei ze: 'Georgy is van ons
drieën de mooiste, Carry de geestigste, en ik zou dus eigenlijk de
deugdzaamste moeten zijn, maar dat ben ik niet.'

Maar in werkelijkheid was ze dat wél. In de geschriften van haar
zoon vond ik de ene na de andere lofzang op haar deugdzaamheid –
'een van de meest liefdevolle en aanminnige mensen die de wereld
ooit gekend heeft'; 'haar hartstochtelijke genegenheid'; 'de gave van
zelfopoffering die haar in staat stelde alles over te hebben voor degenen van wie ze hield'. Alvorens naar het noordpoolgebied te vertrekken, schreef hij in zijn dagboek dat 'niemand van me zal houden
zoals zij', wat toch een beetje een klap in het gezicht moet zijn ge-

weest voor de achttienjarige bruid (komt dat u misschien bekend voor?) die hij huwde toen hij zesendertig was.

Dufferin maakte van Clandeboye een heiligdom voor zijn moeder. Hij liet vlak bij het landgoed een station bouwen aan de spoorlijn vanaf Belfast en gaf dat de naam die het vandaag de dag nog steeds draagt: Helen's Bay. Het gothische bouwsel van vier verdiepingen dat hij een paar kilometer verderop in de bossen liet neerzetten, kreeg de naam Helen's Tower; aan elke wand van de achthoekige bovenste verdieping hingen koperen plaquettes met aan haar opgedragen gedichten. Er hing ook een gedicht dat zij voor hem geschreven had ter gelegenheid van zijn eenentwintigste verjaardag, alsmede enkele gedichten die door Robert Browning en Tennyson in zijn opdracht geschreven waren ter verheerlijking van zijn moeder.

Wat nog het vreemdst was aan de toren die hij aan haar nagedachtenis wijdde, was het feit dat hij zes jaar vóór haar dood voltooid werd.

Na haar overlijden nam de obsessieve persoonsverheerlijking in intensiteit alleen nog maar toe. Later las ik dat haar dood in 1868 'met een stalen forceps zijn complete jeugd uit zijn levende lichaam losrukte', en dat hij zelfs dertig jaar later nog haar naam alleen maar kon uitspreken 'met omfloerste stem'. In ieder geval had hij samen met zijn moeder ook zijn doelloze avontuurliersleventje als jongvolwassene begraven. Vijf jaar voor haar dood was hij een werkschuwe dandy geweest; vijf jaar erna was hij Gouverneur-Generaal van Canada.

Lola voerde ons terug naar de grote bibliotheek via de keukens, waar het personeel aan ons werd voorgesteld. De kokkin en een hele serie jonge dienstbodes stelden zich in een rij op en knikten ons verlegen toe. Ik wist niet precies hoe ik geacht werd te reageren: met superieure hooghartigheid of iets in de trant van 'Heel goed... eh, ga maar door met jullie werk,' dus uiteindelijk maakte ik het hele gezelschap zwanger en zette ze vervolgens buiten de deur in de sneeuw, om de vernederende gramschap van de dorpelingen te ondergaan.

'Wat enig dat jullie er zijn!'

Dat was Lindy. Ze liet ons plaatsnemen bij de open haard in de bibliotheek, waar een uitgebreide tea op ons wachtte. 'Als je geen trek

hebt, laat je het maar staan – zo doen we dat hier,' zei Lindy opgewekt terwijl ze een naast haar zittende spaniël sandwiches voerde.

Andere gasten begonnen te arriveren en ploften ongegeneerd neer
in lederen fauteuils, waardoor ik me bewust werd van mijn eigen
lachwekkend kaarsrechte houding met samengeknepen billen. Al
spoedig bevonden zich een graaf en een gravin, een onroerend-goedmiljonair en vier andere mogelijk adellijke, maar in elk geval steen-
rijke intellectuelen in ons gezelschap. Na de nodige scherpzinnige
scherts over en weer was het duidelijk dat ze niet alleen rijk waren,
maar ook nog eens hersens hadden.

Ik herinnerde me het advies van mijn grootvader wat je het beste
kon doen als je een vooraanstaand iemand ontmoette: 'Je hoeft je
alleen maar voor te stellen hoe ze op de plee zitten te schijten.' Dat
riep weliswaar uiterst komische beelden bij me op, maar ik was bang
dat ik mijn lachen niet zou kunnen houden en dwong mezelf om in
navolging van Tim Knox een hilarische anecdote voor te bereiden
over het lichtelijk scabreuze boegbeeld van de Foam. Maar het duurde niet lang voordat een zacht inwendig stemmetje me waarschuwde dat de uitdrukking 'Tieten bloot voor de hoge heren' misschien
niet helemaal in goede aarde zou vallen.

Ik was hoe dan ook al hopeloos door de mand gevallen bij de
eerste kennismaking met de andere gasten. Toen de onroerend-goedmiljonair hoorde dat we op Strand-on-the-Green woonden ('in de
buurt van' zou bij nader inzien verstandiger zijn geweest dan 'op'),
klaarde zijn gezicht onmiddellijk op. 'O! Welk huis? Zoffany?' Zoffany House, een kolossaal herenhuis aan de rivier, werd tot voor kort
bewoond door de tv-ster Carla Lane en haar uitgebreide menagerie
zwerfdieren. Ik had ooit eens een paar woorden met haar gewisseld
via haar intercom, nadat een van onze katten verdwenen was. Ze had
er een miljoen pond voor gekregen (voor het huis, wel te verstaan).
'God, nee!' zei ik, op veel te laatdunkende toon. 'Nee,' zei Birna, wat
bedachtzamer, 'maar niet ver daarvandaan.'

'Spitsbergen?' zei een andere gast, die kennelijk op een of andere
manier een gemompelde beschrijving van mijn reisplannen had kunnen volgen. 'Nou, dan zul je ongetwijfeld weten dat Evelyn Waugh
daar ook is geweest.' Het enige wat er aan die veronderstelling klopte, was het gebruik van de toekomende tijd. 'Voorzover ik me kan

herinneren, was het de enige reis die Waugh in de jaren dertig maakte die hij niet interessant genoeg vond om er een boek over te schrijven.' Leuk om te horen.

Lindy deed haar best om ons in bescherming te nemen. Ik was haar dankbaar voor de herhaling van haar 'aardige jongeman die nergens van af weet'-toespraak. Maar desondanks liep ons onvermogen op het gebied van sprankelende conversatie in het oog. In de loop van de volgende twee dagen arriveerde er een schier eindeloze stroom societyfiguren om hulde te betuigen aan Lindy, en vrijwel allemaal waren ze zo beleefd om een zekere verwarring met betrekking tot het doel van onze aanwezigheid niet al te duidelijk te laten blijken. Sommigen behandelden ons als winnaars van een 'Wees Een Weekend Lang Een Lord'-prijsvraag. 'Oh, nu *begrijp* ik het!' zeiden ze opgelucht nadat Lindy hun had uitgelegd wat ik me ten doel had gesteld. ('Oh, nu *begrijp* ik het! Jullie stellen op sociaal en wetenschappelijk gebied helemaal niets voor en Lindy heeft jullie alleen maar uitgenodigd omdat ze zo goedhartig is.')

Met het gevoel dat we dikke dommeriken waren, trokken we ons terug op onze kamer, na opdracht te hebben gekregen ons om te kleden voor het diner. Daar wachtte ons een verrassing. Terwijl wij beneden waren, waren onze weekendtassen uitgepakt en was de inhoud ervan met wetenschappelijke precisie uitgestald. Mijn leverkleurige halfhoge schoenen waren voorzien van schoenspanners; mijn Fred Perry hing aan een zware houten hanger in de klerenkast. Mijn elektrische scheerapparaat was tijdens de reis uit elkaar gevallen; alle schilferige onderdelen lagen op volgorde van grootte uitgestald op de toilettafel onder het waaiervenster.

Het was uitermate verwarrend. Ik veronderstel dat een ware aristocraat het de gewoonste zaak van de wereld zou vinden dat een boerendeerne hun remsporen onder ogen kreeg, maar we voelden ons vanaf dat moment verplicht om elke keer als we de kamer verlieten onze armzalige bezittingen op te bergen.

Gekleed in mijn begrafenispak en gesterkt door twee flinke Bloody Mary's van het zelfbedienings-drankwagentje, ging ik vol goede moed de confrontatie met het tafelzilver en de tafelconversatie aan. Lindy was zo vriendelijk geweest om me naast Birna te zetten, maar bezeten door de geest van Dufferins hilarische bacchanaal in Reykjavík negeerde ik het veilige toevluchtsoord dat haar gezelschap me bood. Ik mengde me luidkeels in een op gedempte toon gevoerd cricketdebat aan de overkant van de tafel, en zei 'Proost!' tegen de geüniformeerde bediende die druk bezig was mijn diverse wijnglazen bij te vullen. De onroerend-goedmiljonair zat aan mijn linkerkant, en ik vroeg hem waar hij vandaan kwam. Lytham, antwoordde hij op effen toon.

'Da's ook toevallig! We zijn daar een paar jaar geleden op een bruiloft geweest.'

'O, wiens bruiloft?'

Ik interpreteerde deze onschuldige vraag als symptomatisch voor het kleine, besloten wereldje van bevoorrechte rijkdom waarin hij verkeerde. *Wiens bruiloft?* Nou vraag ik je.

'U kent ze vast niet,' zei Birna snel. Ze had zich zojuist gerealiseerd dat de conversatie onderhevig was aan strikte regels. Tijdens de eerste gang werd je geacht te praten met degene die aan de ene kant naast je zat, tijdens de tweede met degene aan de andere kant. Converseren met mensen aan de overkant van de tafel, zoals ik vol enthousiasme gedaan had, was absoluut niet de bedoeling. Op een gegeven moment wist Birna me iets in die geest toe te fluisteren.

'Doe niet zo idioot,' siste ik veel te luid terug. 'Hoe kun je dan weten aan welke kant je moet beginnen?'

'Ik geloof dat iedereen het voorbeeld van de gastvrouw volgt.' 'Lariekoek.'

Maar dat was het natuurlijk niet, en mijn dronkenschap voerde me rechtstreeks naar het stadium van berouwvolle wroeging. Ik had me verheugd op een Dufferinesk drinkgelag, maar ik had er een puinhoop van gemaakt. Mijn opvoeding had me in de steek gelaten.

Na het diner gingen we op weg naar onze kamer. Terwijl ik terneergeslagen door een lange gang strompelde, bracht Birna me in herinnering dat ik op een gegeven moment geprobeerd had de aandacht van de onroerend-goedmiljonair te trekken door hem met een lepel op zijn schouder te tikken. Ik schaamde me dood, en toen ik mijn ogen opsloeg, keek ik recht in het gezicht van de vierentwintigjarige Lord Dufferin. Het was het origineel van de tekening die ik op het Internet gevonden had.

Het enigszins vrouwelijke gezicht van de jonge lord straalde een gemoedelijke vergevingsgezindheid uit, alsof hij wilde zeggen: 'Oké, jongen, je hebt er een puinhoop van gemaakt. Maar verlaat je maar op mij, dan zorg ik wel dat alles goed komt.' Natuurlijk! Dit alles was volkomen onbelangrijk, alleen mijn reis telde maar. Kom op, Dufferin, we hebben zeeën te bedwingen! Ik voelde me ineens weer een stuk beter en wierp hem een discrete knipoog toe. Plus een wat minder discrete boer.

Er lag een boek op mijn nachtkastje. De volgende ochtend, in een poging iets van het gruis te verwijderen dat iemand gedurende de nacht stiekem in mijn ogen had gewreven, begon ik erin te lezen. Het was getiteld *Helen's Tower*, en geschreven door Harold Nicolson, estheet, diplomaat en neef van mijn Dufferin. Het jaar van publicatie was 1937. Terwijl ik het doorbladerde, stuitte ik op een interessante mededeling, die ik aan Birna voorlas. 'Het is op Clandeboye traditie dat de ochtendpap staande genuttigd wordt.'

'Nou, daar hoeven we ons geen zorgen over te maken,' verzekerde ze me. 'Er is vast nog niemand op. Ik heb mensen na tweeën naar bed horen gaan.' Dat kon wel kloppen. Toen ik op een nog later tijdstip uit mijn bed was gekomen om een tiental glazen water te drinken, had ik Lindy haar spaniël zien uitlaten in de tuin.

Na een worsteling met het bad – een angstwekkend gevaarte ter grootte van een afvalcontainer met grote koperen kranen en een hendel met het opschrift 'AFVOER' die, als je hem overhaalde, het water deed weglopen door een met een rooster afgedekt gat dat herinneringen opriep aan het ruim van de Titanic – vond ik ten slotte de ontbijtkamer. Om kwart over negen bleek iedereen al ontbeten te hebben. Het weerstandsvermogen van deze lieden was fenomenaal.

Andrew Gailey had me gewaarschuwd dat Dufferins dagboeken gekuist waren door degene die ze uitgetikt had, vermoedelijk na zijn dood, en wat ik ervan las nadat Lola me aan mijn lot had overgelaten in de kille 'tweede bibliotheek', wierp maar weinig licht op zijn karakter. Er werd met geen woord gerept over zijn beweegredenen om naar het noordpoolgebied af te reizen, ofschoon ik wel een brief vond van Fanny Russell (echtgenote van de voormalige premier Lord John Russell) waarin ze vroeg waar Reykjavík precies lag en besloot met: 'Je zult het vast wel naar je zin hebben op de noordpool,' een van onwetendheid getuigende opmerking die de uitzonderlijkheid van zijn reis in de ogen van zijn tijdgenoten alleen maar benadrukte.

Het bestrijden van die onwetendheid zou ongetwijfeld een van zijn doeleinden zijn geweest. IJsland moest nog altijd ontmythologiseerd worden. Mogelijk met de gedachte aan Fanny in zijn achterhoofd, merkte Dufferin op dat 'de meeste ontwikkelde Engelsen er heilig van overtuigd zijn dat de IJslanders een in robbenvellen gehuld, zich met walvisspek voedend ras zijn,' en 140 jaar later is dat beeld nog steeds niet helemaal verdwenen. Vóór mijn eerste bezoek aan het land vroeg mijn moeder met een verontrustend gebrek aan ironie of IJslanders nog steeds in iglo's woonden.

De dagboekaantekeningen tijdens zijn reis zijn schaars en soms surrealistisch prozaïsch. 'Ter hoogte van Kyleakin stuurde Capt. Wood ons erop uit om melk te halen.' 'Capt. Wood liet me wat melk brengen; vertelde me dat Spanje de oorlog had verklaard aan Mexico.'

Even wordt het wat beter, als hij na terugkomst van zijn reis zijn dagboek hervat. Alvorens zijn diplomatieke carrière te beginnen, bracht hij enkele jaren door als kamerheer op Windsor Castle, en ik vond een intrigerend verslag van een gezelschapsspelletje 'Oorzaak en gevolg' dat daar in februari 1857 gespeeld was:

Omar Pasja en de Hertogin van Wellington
zingen samen een duet
Gevolg: verdronken

Mr Wellesly en Miss Byng
wassen elkaars gezicht
Gevolg: verzoening

De Aartsbisschop van Canterbury en de Hertogin van Sutherland
staan op hun handen
Gevolg: ze raakten handgemeen

Colonel Vyse en Miss Butteel
flirten onder een stortbad
Gevolg: nog niet bekend

'Daar komen de jongelui!' galmde Lindy's luide stem door de hal. We hadden al gehoord dat we bezoek zouden krijgen van een half dozijn van Groot-Brittanniës aanzienlijkste jonge aristocraten; voor ons met ons diepgewortelde minderwaardigheidsgevoel was het horen van namen als 'Ned' en 'Randall' al voldoende om een zware aanval van paranoia teweeg te brengen. Birna schilderde een scenario van beschonken, lafhartige bullebakken met opzichtige rijlaarzen die om beurten elkaars bedienden afranselden. 'Nee, Ned!' zou een broze schoonheid tussenbeide komen, alvorens ruw weggeduwd te worden met de rauwe kreet: 'De brutaliteit!'

Maar van de zes yuppies die met hun loafers de rug van de ijsbeer betraden, waren er slechts twee die door hun wat branieachtige houding de indruk wekten dat ze zich zojuist onledig hadden gehouden met het onthoofden van borstbeelden en het rondstruinen over het landgoed met een kaliber 12-jachtgeweer, op zoek naar Ierse heikneuters die ze wel eens een lesje zouden leren. Afgezien van een enkele blik met daarin een vleugje 'Lindy, wie heeft die afschuwelijke lummel in vredesnaam uitgenodigd?', bleef de intimidatie die we gevreesd hadden, beperkt tot een hoop gevloek in grappige accenten en het roken van grote aantallen Silk Cut Ultra.

Het meest buitenissige gedrag werd, hoe kon het ook anders, vertoond door onze gastvrouw.

Terwijl we ons naar een ijskoude serre begaven waar een uitgebreide lunch op ons stond te wachten, begon ze een verhaal te vertellen dat draaide om het cherubijnachtig kleine penisje van een bezoekende rockster. (Jammer genoeg niet Mick Jagger.) Toen we ons na verloop van tijd naar het winderige gazon begaven waar de pavlova opgediend zou worden, duwde ze onverwacht een ongelukkige adellijke jongeling tegen de grond en liet zich schrijlings op hem neer ploffen onder het slaken van de triomfantelijke kreet: 'Ik ga de jonge Lord Durham berijden!'

De jonge Lord Durham liet zich dit alles opgeruimd welgevallen, toegeeflijk glimlachend terwijl Lindy en haar spaniël zich boven op hem uitleefden in een van de boeiendste vertoningen die ik de laatste tijd had meegemaakt. Ik was blij dat ik het niet was. Ik zou nog liever met mijn tanden besmette naalden uit een verstopte ziekenhuisafvoer halen dan het slachtoffer te worden van een dergelijk staaltje van publieksparticipatie.

Naderhand gaf ze ons een rondleiding door de bijgebouwen, beginnend bij een stallencomplex dat onlangs omgebouwd was tot banketzaal annex conferentieruimte. Lindy leek me helemaal geen ondernemerstype, maar kennelijk zijn haar luxueuze ideeën uiterst rendabel. Het landgoed omvat nu vijf golfbanen en een restaurant dat kan bogen op een Michelinster, en conferentie-arrangementen kunnen indien gewenst opgeluisterd worden door een acte de présence van Lady Dufferin in hoogsteigen persoon. Het was grappig om je voor te stellen hoe zij de hand schudde van de Verkoper van het Jaar (Personenauto's) van Mitsubishi Groot-Brittannië. 'Zelfs ik had het me niet kunnen permitteren het landgoed aan te houden zonder de commercie in huis te halen,' zei ze. Maar niemand luisterde echt naar haar. Als ze een sjekkie rolt terwijl er een vol wijnglas op haar hoofd balanceert, gaat je aandacht niet uit naar hetgeen ze te melden heeft.

We liepen door het milieuvriendelijke kassencomplex en kwamen uit bij een tunnel naast het eigen kerkje van Clandeboye. Die vormde de toegang tot de kortgeleden ontdekte ijskelder. Er volgde een nonchalante vergelijking van ijskelders.

'De onze is minder eivormig. En die van jullie?'

'Hebben we een paar jaar geleden moeten afbreken.'

Inmiddels hadden ze wel door dat ze ons niets hoefden te vragen. Een vrieskist onder de trap telt waarschijnlijk niet mee.

Birna gaf het niet op. Toen het gesprek op een of andere manier op het land van haar voorvaderen kwam, hoorde ik haar tegen de kort daarvoor bereden jonge lord zeggen dat de broer van Magnus Magnusson, de bekende quizmaster van *Mastermind*, in IJsland haar gynaecoloog was geweest. Hij lachte even en zei toen: 'Nou, ik denk dat ik je wat dat betreft kan overtroeven,' om haar vervolgens te vertellen dat George Formby ooit een van zijn grootvaders staljongens was geweest. Achteraf had ik het gevoel dat ik hem eigenlijk even apart had moeten nemen. 'Aardig verhaal, jongen. Maar probeer het de volgende keer eens zo: "Nou, ik denk dat ik je wat dat betreft kan overtroeven – ik ben de Graaf van Durham."'

We gingen op weg voor een rondleiding over het landgoed, waarbij we onder andere twee grote meren aandeden die Dufferin had laten uitgraven. Tijdens de door het mislukken van de aardappeloogst veroorzaakte hongersnood van 1846 had hij 'rottende lijken te midden van hun wegkwijnende gezinnen' aangetroffen, een aanblik die hem ertoe bracht een bedrag van £78.000 te spenderen aan het verbeteren van de omstandigheden op zijn pachthoeven. Hij introduceerde werkverschaffingsprojecten op het landgoed in tijden van hongersnood of werkeloosheid, waarvan de meest in het oog springende het uitgraven van de meren en het bouwen van Helen's Tower waren.

Maar als overtuigd voorstander van de Iers-Engelse Unie en de rechten van landeigenaars die tevens hart had voor de Ierse landarbeiders, verkeerde hij in een lastige politieke positie. Bovendien, zo had Andrew Gailey me verteld, maakte zijn romantische inborst hem minder geschikt voor het voeren van felle parlementaire debatten.

Bij het naderen van de dertigjarige leeftijd schijnt hij zich verzoend te hebben met het feit dat zijn schilder- en dichttalent toch niet groot genoeg was om er zijn verdere leven aan te wijden. Zijn omzwervingen schijnen voor hem een manier te zijn geweest om een besluit over wat hij nu verder met zijn leven zou gaan doen, voor zich uit te schuiven, een ontsnapping aan het sociale en politieke verwachtingspatroon die zijn dilettantische levensstijl een doel gaf. Gezien het feit dat mijn eigen motivatie voor het nog eens overdoen van zijn reis onder meer zijn oorsprong vond in een soortgelijke vage wens om ooit eens iets opmerkelijks te presteren, kon ik me heel goed in zijn gevoelens verplaatsen.

Twee jaar voor zijn reis naar het noordpoolgebied, op achtentwintigjarige leeftijd, was hij met de Foam (die, ondanks een twaalfkoppige bemanning, niet veel meer was dan een plezierjacht met een kwetsbare romp) de Oostzee overgestoken om met eigen ogen getuige te kunnen zijn van de Krimoorlog. Daar liet hij bijna het leven aan boord van een oorlogsschip dat 'het vuur van de Russische forten moest trekken'. Hij voer terug naar huis met als buit een jonge walrus en twee op het dek van de Foam vastgesjorde vijandelijke geschutsstukken.

Tijdens zijn reis naar het noordpoolgebied, veronderstelde ik, zouden ijsbergen en ijsberen de plaats van Russische kanonnen hebben ingenomen als de uitdagingen waaraan hij het hoofd wilde bieden. Nu hij er op een of andere manier in geslaagd was zijn kwetsbare schip in de Krimoorlog heel te houden, zou hij zijn reputatie als onverschrokken amateur-avonturier verstevigen door het door enkele van de meest meedogenloze zeeën ter wereld te loodsen. En aangezien IJsland slechts net zo ver verwijderd is van het noordelijkste puntje van Schotland als Londen, kon hij vrijwel in zijn eigen achtertuin de ontdekkingsreiziger uithangen.

De jongelui vertrokken in hun BMW-stationcars en wij gingen aan tafel voor het diner. 'Nu word je echt in het diepe gegooid,' zei Lindy, die me bij Birna vandaan wenkte om naast haar plaats te nemen.

Maar gelukkig liet ze me heel zachtjesaan naar de bodem zinken door zelf aan een stuk door het woord te voeren. Ze was ooit fotojournaliste geweest voor *Harpers*, waar ze met Don McCullin gewerkt had, maar daar was ze mee gestopt toen ze in het huwelijk trad. 'Ik was al een tamelijk bekende persoonlijkheid, maar toen ik echt *heel* beroemd werd, was het onmogelijk om nog iets van trots te voelen bij een goed verhaal of een goede foto – men was me in alles ter wille vanwege mijn beroemdheid, niet vanwege mijn talent.'

Pas later, na de nodige research, kwam ik erachter wat een waardige Dufferin ze is. Ze is alles wat hij ook was: begunstiger van een groot aantal liefdadigheidsinstellingen en culturele stichtingen, hartstochtelijk aquarellist en fotograaf, warm voorstandster van het koesteren van plaatselijk talent op het landgoed (niet alleen had ze Lola aangezocht als archivaris, ze had ook een jongeman uit het naburige dorp aangesteld als manager van haar uiterst lucratieve golfbanen, nadat hij een goede indruk op haar had gemaakt tijdens het bereiden van haar lunch in een eethuisje ergens langs de weg). En daarenboven is zij datgene wat haar voorvader niet was: een uitgeslapen tacticus op zakelijk gebied.

De volgende ochtend bracht Lola me naar de derde en laatste bibliotheek van Clandeboye, die tevens dienst deed als biljartkamer. Een kant van het vertrek werd grotendeels in beslag genomen door een grote biljarttafel; de andere kant werd gedomineerd door een afdruk van de Dufferins als eregasten bij een curlingwedstrijd in Canada in de jaren zeventig van de negentiende eeuw.

Gezeten in een comfortabele oude chesterfieldfauteuil zag ik Lola aan komen lopen met een stapel grote ingelijste foto's die genomen waren tijdens de reis naar het noordpoolgebied, waarvan ik ergens gelezen had dat ze allemaal opgeslagen waren geweest in een museum in Londen en tijdens de luchtbombardementen op de hoofdstad verloren waren gegaan. Alvorens ze op het groene laken van de biljarttafel uit te stallen, verwijderde ze zorgvuldig het zijdepapier waarin elke foto gewikkeld was. Het zuigende geluid waarmee het papier met tegenzin losliet van de lijsten gaf aanleiding tot het vermoeden dat er al in geen jaren meer naar de foto's omgekeken was – waarschijnlijk, zei Lola, niet meer sinds Dufferins tijd.

Terwijl ik mijn best deed om dat te geloven, bestudeerde ik vol verwachting de eerste foto, een portret van een tamelijk jeugdige man met een vlassig zwart ringbaardje. De horlogeketting die hij over zijn geruite zijden vest droeg, identificeerde hem als Dufferins schipper, Ebenezer Wyse.

Een week voordat de Foam op weg zou gaan naar IJsland werd de kapitein ziek. Plotseling moest Dufferin op zoek naar een vervanger, en de naam van Wyse kwam hem ter ore, vergezeld van een enthousiaste referentie die gebaseerd was op één enkel opmerkelijk wapenfeit.

In het begin van de jaren vijftig van de negentiende eeuw was er in Australië sprake geweest van een geweldige vraag naar rivierstoomboten, die bij ontstentenis van plaatselijke scheepswerven alleen vanuit Groot-Brittannië konden worden overgevaren. Een Schots consortium was bereid eenmaal een dergelijk waagstuk te financieren, in de wetenschap dat het weliswaar vrijwel gelijkstond met zelfmoord om met deze, in de bewoordingen van Dufferin 'gammele theeketels' drie oceanen over te steken en de Kaap te ronden, maar dat de in het verschiet liggende enorme winsten het risico rechtvaardigden. Er werden vijf boten op weg gestuurd; alle vijf vergingen met man en muis nog voor ze de evenaar hadden bereikt. Het vinden van een bemanning voor de zesde en laatste stoomboot was onder die omstandigheden een hele opgave. Twee kapiteins zagen er op het laatste moment toch maar van af. Uiteindelijk bood een zekere Mr Ebenezer Wyse zijn diensten aan.

Aanvankelijk verliep de reis voorspoedig, maar op zo'n 1500 kilometer ten zuiden van de Kaap wrikte een enorme golf een paar ijzeren platen van de romp los. Terwijl het water naar binnen stroomde, bracht de bemanning de reddingsboten in gereedheid. Wyse probeerde hun duidelijk te maken dat het waanzin was om op duizend mijl uit de kust in een roeiboot te stappen, maar toen de stemming dreigend begon te worden, deed hij alsof hij zich bij hun besluit neerlegde en ging naar zijn hut. Ze zouden zijn kompas en zijn chronometer nodig hebben, zei hij. Toen hij weer tevoorschijn kwam, had hij in beide handen een pistool en zwoer dat hij iedereen die ook maar in de buurt van de reddingsboten kwam, neer zou schieten.

Met kettingen om de romp geslagen, sukkelde het schip naar zijn bestemming, waar het verkocht werd voor het onvoorstelbare bedrag van £7000. Als beloning voor zijn heldhaftige rol kreeg Wyse het gouden zakhorloge met horlogeketting ten geschenke aangeboden dat op de foto te zien was.

De jongeman met het vlasbaardje die me van onder zijn flodderige pet aankeek, zag er veel te onnozel uit om zich in zo'n wanhopige situatie staande te hebben kunnen houden. Ik had me al eerder afgevraagd hoe Dufferin erin geslaagd was een twaalfkoppige bemanning zover te krijgen hem te vergezellen op zo'n riskante reis en nu, terwijl ik me de oneindig grotere gevaren van de eerdere missie van Wyse voor de geest riep, begreep ik het. Een mensenleven was goedkoop, mensen stierven jong; afgezien van het feit dat ze met deze reis een flinke gage konden verdienen, zouden ze ook nog eens de kans krijgen om terug te keren als pionierende helden of, als ze niet terugkeerden, in de herinnering voort te leven als dappere maar ten dode gedoemde avonturiers. Beter om één dag te leven als een tijger dan een leven lang als een wulk, of hoe de zegswijze dan ook precies mocht luiden.

Op de volgende foto stonden de dekknechten. Met hun bleke gezichten en hun haveloze kledij zagen ze eruit als een zootje ongeregeld. Ik begreep waarom Dufferin in zijn nopjes was geweest met een kapitein met een beproefde staat van dienst in het eigenhandig neerslaan van muiterijen.

Dan was er ook nog een foto van Dufferin zelf, terwijl hij aan dek met behulp van een sextant de positie van het schip bepaalde, zich schrap zettend, haar wapperend in de wind onder een zeemanspet, het oculair tegen een mij vertrouwd ooglid gedrukt. Het meest in het oog springende verschil met de krijttekening van zes jaar daar-

EVEN EEN KIJKJE NEMEN.

High Latitudes

voor is dat de poederdonsachtige zachtheid van zijn gezicht verdwenen is onder een baardje. Het is waarschijnlijk de enige nog bestaande foto van hem op deze leeftijd, maar desondanks kon ik me maar moeilijk op zijn beeltenis concentreren. Achter Dufferin ziedde een grijze zee waarin de Foam zich in een opvallend schuine hoek ten opzichte van de horizon bevond. Het was een vooruitzicht dat mij, als uitgesproken landrot, niet bepaald aansprak.

En dat gold al evenzeer voor een foto van de Foam die door het rimpelloze koude water van een smalle fjord in Spitsbergen gleed, terwijl er een reusachtige ijsberg met het formaat van een kathedraal onheilspellend dichtbij dreef. Deze foto was genomen vanaf een heuvelhelling, en het onaantrekkelijke panorama – steenslag, halfgesmolten sneeuw, een en al grauwheid – schreeuwde een trieste verlatenheid en onherbergzaamheid uit.

Terwijl ik mijn overhaaste belofte vervloekte om, ter verhoging van de authenticiteit, Dufferins reis zoveel mogelijk per schip na te volgen, bladerde ik de zware huishoudelijke registers door die in zijn tijd werden bijgehouden. Onder de rubriek 'Antiquiteiten en Diversen' stond:

'Opgezette Alligator, levend meegebracht door Capt. J. Hamilton' (met daarnaast met potlood genoteerd het intrigerende woord 'VERNIETIGD').

'Opgezette Walrus, meegebracht door Fred. Lord Dufferin aan boord van het jacht Foam en de saus [sic] *waarover gesproken wordt in Letters From High Latitudes.'*

'De huid en de opgezette kop van een ijsbeer, meegebracht door Fred. Lord Dufferin aan boord van het jacht Foam.'

Lola liep met ons naar de Micra, en gedrieën gingen we op weg naar het hart van het landgoed. Jachtopzieners en boerenknechten deden hekken voor ons open; de grintpaden gingen over in gras; op een gegeven moment raakten we de weg kwijt. Na twintig minuten bereikten we via een kronkelend paadje de top van een lage heuvel, en daar lag Helen's Tower.

Net zoals een groot deel van het landgoed was ook de kwetsbaar uitziende toren door Lindy behoed voor het verval. Grote stalen platen beschermden de deur tegen de attenties van de plaatselijke jeugd, die zich bij gebrek aan beter genoodzaakt had gevoeld zijn asociale driften bot te vieren door het spuiten van graffiti op het verweerde graniet.

Maar ofschoon de kleine kamertjes – op elke verdieping één, drie in totaal, met daarboven een dakterras – gerestaureerd waren om de toren bewoonbaar te maken, hing er nog altijd de sfeer van een verlaten heiligdom. De douche en de keuken op de begane grond zaten onder het stof en lagen bezaaid met dode vliegen, als een caravan na een lange winter; het rook er naar mottenballen en natte baksteen.

In het kamertje op de bovenste verdieping was de geest van Dufferin het duidelijkst aanwezig. Boven de mahoniehouten erkerbankjes bevonden zich de door vocht en ouderdom wit uitgeslagen koperen plaquettes met daarop de gedichten ter ere van zijn moeder die hij in opdracht had laten vervaardigen.

Men kon zich gemakkelijk voorstellen hoe de diepbedroefde jonge lord hier urenlang zat, verzonken in zijn eigen melancholie; door dit bouwsel zes jaar voor haar dood op te richten, had hij al enige tijd kunnen oefenen. In dit vertrek zou het enige passende geluid het trage tikken van een grote klok zijn.

De snijdende wind op het kleine dakterras deed de vloek van de mummie verwaaien. Als je op je tenen ging staan, kon je nog net het landhuis zien, en het kerkje.

'De kerk!' riep Lola. Lindy had ons gevraagd de ochtenddienst bij te wonen op een toon die nauwelijks tegenspraak duldde. We stommelden de trappen af en stapten in de Micra.

Ik verheugde me niet echt op de kerkdienst. We glipten naar binnen via de speciale ingang voor de betere standen die rechtstreeks toegang gaf tot een gereserveerde kerkbank die haaks stond op de banken voor de verzamelde lijfeigenen, waardoor het leek alsof hun verering niet alleen tot God maar ook tot ons gericht was. Terwijl we aanschoven naast Lindy en haar gezelschap, werden we gadegeslagen door zo'n vijftig paar Noord-Ierse ogen die zich enigszins spottend leken af te vragen: 'Wat moeten *jullie* hier nou?', dezelfde vraag die het leidmotief van het hele weekend was geweest.

Toen de collecteschaal doorgegeven werd, wapperden de gravinnen met briefjes van tien en twintig pond; het gerinkel van onze waterval van penny's klonk ronduit gênant. We verlieten de kerk via de achterdeur, vóór het gewone volk uit, en liepen tussen de gekanteelde heggen door naar een gereedstaande taxi. Plotseling bevonden we ons weer in de wereld van Ford Sierra GL's en *Gary Lineker's Sunday Sport on 5 Live.*

Op de luchthaven kwamen we een van de jonge lords van zaterdag tegen, die uit respect (voor onze leeftijd) overeind kwam en zei dat het hem verschrikkelijk speet, maar dat hij ons geen lift vanaf Heathrow kon geven. 'Maar we hebben een *auto,*' zei ik, op iets te schelle toon. 'Hij staat op het terrein voor langparkeerders.' Het was mijn bedoeling om dit nonchalant te laten klinken, maar dat mislukte schromelijk zodat het maar al te duidelijk was dat de daarmee gepaard gaande kosten me het hele weekend al zwaar op de maag lagen. Terreinen voor langparkeren bij luchthavens nemen in mijn lexicon van onverantwoorde verkwisting eenzelfde plaats in als verse pasta en de stomerij.

Dat geldt trouwens ook voor huurauto's, en dat maakte mijn stemming er niet vrolijker op toen ik twee weken later in een Ford Mondeo van Budget Autoverhuur in de stromende regen over de M1 reed.

2

Ik was al om half vijf opgestaan, een afschuwelijke ervaring, zo af-schuwelijk dat pas toen ik Grimsby naderde, mijn hogere hersen-functies weer begonnen te werken en ik het waarschuwingsbericht voor de scheepvaart decodeerde dat ik op het parkeerterrein van het servicestation van Leicester Forest East had gehoord. 'Humber, Tyne, Dogger: windkracht zes, toenemend tot storm, windkracht acht.' Die kolkende bruine watermassa links van me was de Hum-ber, realiseerde ik me. En op diezelfde Humber lag een eindje ver-derop, bij Immingham Docks, het IJslandse containerschip te wach-ten waarop ik me weldra zou inschepen voor de eerste etappe van mijn reis.

Ik was onderweg zo vermoeid geweest dat ik op een gegeven moment overwogen had om mijn fietshelm op te zetten om mezelf te beschermen tegen de gevolgen van een botsing, mocht ik door slaap overmand op de verkeerde rijbaan terechtkomen. Ik had er al-leen maar van afgezien omdat ik me realiseerde dat ik daardoor mijn kans om aangehouden te worden zou vergroten. Ik had toch al sterk het gevoel dat ik uit de toon viel: mijn rode anorak zag er volkomen misplaatst uit in deze glanzend nieuwe vertegenwoordigersauto, even-als de rugzakken en de gedeeltelijk gedemonteerde mountainbike waarmee de achterbank lag volgestouwd. Toen ik de auto de vorige avond gehuurd had, had de knaap achter de balie me met een aarze-lende blik van het hoofd tot de voeten opgenomen voordat hij me een document in de hand drukte met de woorden: 'En dit laat u aan de politie zien als u aangehouden wordt.'

Meer dood dan levend reed ik door de deprimerende buitenwijken van Grimsby en ik realiseerde me dat ik geen flauw idee had waar het kantoor van Budget Autoverhuur zich bevond. Het was inmiddels negen uur en mijn schip vertrok om tien uur. Terwijl de eerste tekenen van een lichte paniek zich in mijn maag deden voelen, stopte ik bij een benzinestation om de weg te vragen, waarbij ik zoiets verwachtte als: 'Ja natuurlijk, jongen, je rijdt rechtdoor tot aan de oude houtzagerij, en dan de tweede afslag links.' Maar in plaats daarvan wees de vrouw achter de kassa alleen maar naar een groot bord een meter of tien verderop met de tekst: 'Budget Autoverhuur, Arrogante Londense Kwast.'

Ik liet mijn gedachten gaan over de benauwende parameters waartussen mijn leven zich momenteel afspeelde. Om half vijf opstaan was zo ongeveer het op vijf na ergste wat me de afgelopen tien jaar was overkomen; het zo moeiteloos vinden van het filiaal van Budget was misschien het op zes na beste. Maar bij wijze van compensatie bracht Budget me vervolgens £200 in rekening omdat ik een deuk in het portier van die verdomde auto van ze zou hebben gereden, een schandelijk verzinsel waarvoor ik ze nog steeds veracht. En tot overmaat van ramp zouden over een uur of vijf alle topplaatsen op mijn lijst van beroerde ervaringen ingenomen worden door nieuwe trefwoorden.

'Wat je het beste kunt doen is bijvoorbeeld een dozijn Marsrepen eten,' riep de taxichauffeur, terwijl de voorspelde storm zijn komst aankondigde door de wagen af en toe bijna de berm in te drijven. 'Je maag vullen met iets wat je er weer uit kunt gooien.'

'Werkelijk?' zei ik, terwijl ik me afvroeg wat erger was: een dozijn Marsrepen eten alleen om alles weer uit te kunnen kotsen, of het vier dagen lang gewoon maar uit zien te zingen met je hoofd boven een emmer. 'Ze zeggen dat het ook helpt als je strak naar de horizon blijft kijken.'

'In dit weer zie je de horizon niet eens,' riep hij met een vrolijke knipoog en een duimgebaar naar de grauwe, door de wind voortgezweepte motregen.

Het beste wat ik ervan kon zeggen was dat het perfect IJslands weer was. De volgende keer dat je naar het weerbericht op de BBC kijkt, moet je eens letten op de linkerbovenhoek van de weerkaart, in het bijzonder de compacte werveling van isobaren die onveranderlijk IJsland aan het zicht onttrekt. Het is daar ongelooflijk winderig. De winters, althans in de bewoonde delen (met name de kustlijn), zijn in feite niet zo streng als de naam van het land suggereert. In New York, bijvoorbeeld, is het over het algemeen veel kouder. Maar die wind... Elke IJslander die voor het eerst in Engeland komt, verbaast zich over de paraplu's. In IJsland heeft niemand een paraplu. De ongelukkige die daar een paraplu opsteekt, wordt ongewild deelnemer aan een demonstratie die aantoont waarom Mary Poppins nooit een bezoek heeft gebracht aan Reykjavík.

Birna's grootvader, een voormalig walvisvaarder- en treilerkapitein, had zijn invloed aangewend om me een hut te bezorgen aan boord van de Dettifoss, een containerschip van 8000 ton, dat diepgevroren vis vanuit IJsland vervoerde en op de terugweg van alles en nog wat meenam. Het was een briljante zet – de Dettifoss nam normaal gesproken geen passagiers aan boord, en het enige nautische alternatief vanuit Groot-Brittannië naar IJsland was een zeer on-Dufferineske veerboot vanuit Scrabster, in het uiterste noorden van Schotland, ergens in de buurt van John O'Groats.

Waarschijnlijk omdat iemand anders het voor me georganiseerd had, was de oversteek van Groot-Brittannië naar IJsland het enige traject van mijn reisroute in navolging van Dufferin dat min of meer definitief vaststond. Daarna kwam er steeds meer ruimte voor twijfel (zou er werkelijk een militair vliegtuig zijn dat me vanuit Noorwegen naar Jan Mayen zou brengen?), het gevoel dat ik te veel hooi op mijn vork had genomen (telkens als ik iemand vertelde dat ik per mountainbike dwars door IJsland zou trekken, werd er op die mededeling met een ongelovige blik gereageerd) of, zoals in het geval van de nog niet geregelde trajecten van IJsland naar Noorwegen en van Noorwegen naar Spitsbergen, een groot vraagteken.

En dus was ik Birna's grootvader uiterst dankbaar. In theorie.

Ik hou niet van varen. Mijn langste zeereis was er een van Cherbourg naar Portsmouth geweest; de enige keer dat ik ooit op een boot gezeten had die kleiner was dan een veerboot, had ik me buitengewoon beroerd gevoeld.

Daar kwam nog bij dat ik de vorige avond zo stom was geweest om Dufferins verslag van zijn overtocht van Oban naar IJsland te herlezen. 'Ik had altijd gehoord dat de zeeën hier zwaarder zijn dan in enig ander deel van de wereld,' begint hij, en waar ik een 'maar' verwachtte, vervolgt hij met 'en die reputatie is volkomen terecht.'

Op grond daarvan was het schip waar we over de verlaten rangeerterreinen met rijen opeengestapelde roestige containers naartoe reden, bij lange na niet groot genoeg. En ook niet nieuw genoeg, zoals ik kon constateren toen de chauffeur me vlak voor het schip op de natte kade afzette.

Mijn vage fantasieën over het op peil brengen van mijn fietsconditie door vele kilometers af te leggen op het onafzienbare dek van de Dettifoss, verwaaiden over de riviermonding. De containers op het schip waren vierhoog opgestapeld, tot tegen de reling van het roestige dek, en voor de leefruimte van de bemanning en de brug bleef een oppervlak van ongeveer viereneenhalve meter bij zes dekken hoog over, helemaal aan de achterkant van het schip. Dat gaf de Dettifoss een lachwekkend, topzwaar, ark van Noach-achtig voorkomen, en plotseling herinnerde ik me de absurde beelden die ik het jaar daarvoor op de IJslandse televisie had gezien van gedeukte en slagzij makende containers die in de Noord-Atlantische Oceaan ronddobberden, na de mysterieuze schipbreuk van net zo'n soort schip als dit.

Terwijl ik op de kade mijn fiets in elkaar zette, kreeg mijn toch al wankele zelfvertrouwen een nieuwe klap te verwerken toen ik het ontmoedigende woord 'LIMASSOL' onder de naam van het schip zag staan. Waarom stond dit schip op Cyprus geregistreerd? Terwijl ik uit alle macht het steeds sterker wordende voorgevoel probeerde te onderdrukken dat ik postuum mijn opwachting zou maken in een documentaire waarin de fatale ondeugdelijkheid aan de kaak werd gesteld van schepen die onder goedkope vlag varen, ging ik op weg naar de loopplank.

Op middelbare leeftijd ontwikkelen veel IJslandse mannen zich voortijdig tot knorrige maar niet onvriendelijke ouwe knarren, en ik zag onmiddellijk dat de Bergerac-achtige figuur die me over de smalle loopplank tegemoetkwam, daar een typisch voorbeeld van was.

'Ik ben de eerste stuurman,' zei hij. 'Welkom aan boord.' Hij tilde mijn fiets met één hand op en beende de loopplank op naar het dek; ik hobbelde achter hem aan met mijn belachelijke verzameling rugzakken en plastic tassen.

'Tijdens normale zomerweekends barbecuen we hier,' zei hij, terwijl hij mijn fiets met enkele geroutineerde halve steken vastzette aan de reling, op een soort overloop die van een plastic afdak was voorzien.

'Juist,' zei ik.

'Maar dit wordt waarschijnlijk geen normaal zomerweekend.'

'Nee,' zei ik.

Terwijl we de steile trappen beklommen die de identieke dekken met elkaar verbonden, vertelde hij me dat de Dettifoss vijftien jaar oud was en oorspronkelijk Duits was geweest. 'Mijn hut,' zei hij, terwijl hij op een deur wees met het opschrift 'I. Offizier.' Toen, een dek hoger: 'Uw hut.'

Volgens het bordje op mijn deur was ik de 'Funker'. Later kwam ik erachter dat dat de telegrafist was, maar op dat moment klonk het alsof er mogelijk een beroep op me zou worden gedaan om de bemanning de LA Walk en de Mashed Potato te leren.

Ik had helemaal geen hut verwacht, laat staan eentje met een eigen douche. Ik vond het heerlijk knus, zij het in een enigszins ongezellige Oostblokstijl. Het havermoutpapkleurige formica en de agressieve tl-verlichting gaven het geheel het aanzien van een privé-ziekenhuiskamer van een lagere partijfunctionaris in een kliniek in Dresden.

Tijdens het uitpakken van mijn bagage pikte ik de eerste subtiele waarschuwingssignalen op. Je moest de laden vijf centimeter optillen voor je ze naar buiten kon trekken; elk oppervlak was voorzien van rubberen antislipmatjes; de zich op heuphoogte bevindende inbouwkooi was voorzien van een stevige anti-afrolplank. De boekenplank helde in een hoek van dertig graden achterover, en voor het geval dat nog niet afdoende mocht zijn, werden de boeken op hun plaats gehouden door een langs de voorkant gespannen riempje.

Het zou inderdaad niet afdoende blijken.

Somber daalde ik de reeks trappen af tot ik me weer op het dek bevond. Het was de laatste week van de natste junimaand van de eeuw in Engeland, en het weer was werkelijk erbarmelijk. Het tennistoernooi van Wimbledon was al begonnen, en ik droeg handschoenen en een tot mijn kin dichtgeritste anorak, en ik moest tegen de wind in leunen om mijn evenwicht te bewaren terwijl de regen me in het gezicht sloeg. (In de winkel had ik mezelf er stoutmoedig van overtuigd dat mijn rode goretex-bovenkleding me een Oasisachtige glamour verleende; nu was het maar al te duidelijk dat die me, in combinatie met mijn opzichtig gekleurde rugzak en paarse fietsschoentjes, bestempelde als het minst aantrekkelijke type groezelige, al wat oudere Interrailer zonder vrienden.)

Ik ging weer naar binnen om wat rond te neuzen, en kwam terecht bij een hut met het opschrift 'Hobbyraum' op de deur. Binnen stond een tv-toestel waarop het programma *Supermarket Sweep* werd uitgezonden. Er stonden smalle bankjes langs de wanden, die voorzien waren van afbeeldingen van de Noord-IJslandse waterval waarnaar de Dettifoss vernoemd was.

'Het is meest... grote waterval in Europa,' zei een onzekere, hoge stem. Toen ik me omdraaide zag ik een jolige, Jeltsinachtige figuur die een mollige hand naar me uitstak. 'Vijfhonderd kubieke meters water in een seconde. Ik ben de kapitein.'

Het viel me enigszins tegen dat niemand aan boord een uniform droeg, maar dat compenseerden ze door uitsluitend naar zichzelf en andere bemanningsleden te verwijzen met gebruikmaking van hun officiële rang. In vier dagen tijd kwam ik geen enkele naam te weten.

Ik bood de kapitein een fles goede whisky aan die hij accepteerde met een gretigheid die Boris zelf niet misstaan zou hebben. Maar kennelijk was het niet de alcohol die het grootste probleem vormde, te oordelen naar de vele recent aangebrachte stickers in de Hobbyraum met de tekst: 'Het gebruik of bezit van drugs aan boord van dit schip is ten strengste verboden.' De verveling van het leven aan boord in het tijdperk van geautomatiseerde navigatie en het feit dat de Dettifoss regelmatig Rotterdam aandeed, vormden naar ik veronderstelde een groter probleem. Er drongen zich onverkwikkelijke beelden aan me op van gedrogeerde dienstplichtigen in Vietnam, supporters van het Engelse voetbalelftal die onder invloed van LSD complete veerboten verbouwden, en soortgelijke scenario's uit de bepaald niet relaxte en wondere wereld van het drugsmisbruik.

Mijn blik werd getrokken door een veiligheidsposter met illustraties van allerlei mogelijke maritieme rampen. Maar de tekst was in het IJslands, en IJslands is nu niet direct een van 's werelds meest toegankelijke talen. Ik heb echt geprobeerd om de eindeloze verbuigingen onder de knie te krijgen – het woord spiegel, *spegill*, kan zijn: *um spegil*, voor de spiegel; *fra spegli*, van de spiegel; *til spegils*, naar de spiegel. Zelfs namen worden verbogen. Als je een cadeautje wilde sturen aan Egill, zou je op het pakje moeten schrijven 'Til Egils' – en als hij jou op zijn beurt een cadeautje stuurde, zou je nooit weten dat het van hem afkomstig was omdat het voorzien zou zijn van de tekst 'Frá Agli'. En ik heb ooit op een voorpagina een schitterende kop gezien die zich op het eerste gezicht liet vertalen als 'Ik Trouwde Een Zalm!', tot me verteld werd dat er in werkelijkheid stond 'Ik Trouwde Voor Zalm!' (O, dan is er niets aan de hand.)

Het schijnt te helpen als je Latijn spreekt, dat soortgelijke onzinnige verschijnselen kent (vandaar de populariteit van het Latijn als vreemde taal ten tijde van Dufferins bezoek). En gelukkig heb ik op school Latijn gehad, waardoor ik in staat ben om zonder enig probleem een schets van een Romeins heuvelfort te maken.

Het komt erop neer dat ik slechts zelden pogingen in het werk stel om IJslands te spreken. Ten eerste spreekt iedereen perfect Engels in de stijl van Björk, en ten tweede begrijpt toch nooit iemand iets van wat ik zeg. Tijdens mijn schoonmoeders verkiezingscampagne voor het presidentschap (dat had je niet gedacht, hè?) bood ik aan om voorbijgangers uit te nodigen voor koffie en wafels op haar campagnehoofdkwartier. Ik genoot zo van dit kleinschalige geronsel van stemmen dat het onderscheid me ontging tussen verheugde aanvaarding van het aanbod en ongelovige hilariteit, tot een vriendelijke oude man me duidelijk maakte dat ik in feite 'koffie en hondjes' in de aanbieding had. Geen wonder dat ze de verkiezingen verloor.

Het maakt de zaak er ook niet beter op dat er nauwelijks sprake is van culturele export. Een vriend van mij is erin geslaagd een redelijke beheersing van het Duits te verwerven door het bekijken van oorlogsfilms (dat houdt echter wel in dat zijn conversatie doorspekt is met onverwachte kreten van woede of pijn en zinnen als 'Handen boven je hoofd en weg bij dat kontroll-paneel!').

Mijn laatste excuus – en ik ben er best trots op dat ik er zoveel heb weten op te sommen – is dat IJsland energieke pogingen in het werk stelt om de zuiverheid van de landstaal, de taal der vikingen, te behouden door buitenlandse invloeden zoveel mogelijk te weren. Telkens als er weer een of ander nieuw consumentenproduct Reykjavík bereikt (meestal een jaar voordat het bij ons verkrijgbaar is, tussen haakjes, geheel in overeenstemming met hun bezeten honger naar technologie), schrijven ze een nationale prijsvraag uit om er een inheemse naam voor te bedenken. Computer is *tölva*, een combinatie van *tala*, getal, en *völva*, een profetes. Televisie is *sjónvarp*, 'het uitwerpen van beelden' (een accurate omschrijving van het merendeel der nationale programma's); cd's zijn *geisladiskar*, 'straalschijven'. Het opmerkelijke is dat de IJslandse jeugd, ondanks een zeer sterk op Amerika gerichte jeugdcultuur en bijvoorbeeld in tegenstelling tot de Franse jongeren deze ingewikkelde constructies ook daadwerkelijk gebruikt, en niet zijn toevlucht neemt tot gemakkelijk in de mond liggende en vlotte anglicismen.

En het wordt nog erger (sorry: *beter*). In de meeste Europese landen is het zo dat belangrijke woorden als politie, dokter en paspoort de taalgrens redelijk ongeschonden overschrijden; in IJsland luiden die woorden respectievelijk *lögreglan*, *læknir* en *vegabréf*. Er zijn maar weinig Scandinavische talen waarmee een onbeholpen linguïst uit de voeten kan. Ik herinner me dat ik de Australische Abba-band Björn Again interviewde en hun vroeg of ze pogingen in het werk hadden gesteld om tijdens een recente tour door Zweden de landstaal te spreken. Dat hadden ze inderdaad: aan het begin van elk optreden brulden ze gezamenlijk vooraan op het podium Benny's oude opjuttende kreet: 'We want to rock you!' die ze zorgvuldig in het Zweeds vertaald en gerepeteerd hadden. De reden dat die kreet altijd veel meer enthousiasme teweegbracht dan ze durfden hopen, werd pas duidelijk toen een plaatselijke verslaggever hun na hun laatste optreden vertelde dat ze in werkelijkheid 'We willen jullie scheren!' hadden geroepen.

'Ja, we moeten u demonstreren hoe de overlevingspakken gedragen moeten worden,' zei de kapitein terwijl ik wezenloos naar de veiligheidsposter stond te staren. Ik maakte de verschrikkelijke vergissing te denken dat hij een grapje maakte. In feite had ik zelfs nog geen reddingsvest gezien, maar ik vond het wat al te gênant om nogmaals naar de overlevingspakken te informeren. Ik kon toch moeilijk de fluitend weglopende kapitein naroepen: 'Nee, nee! Kom terug! Alstublieft! Demonstreer me hoe ik moet overleven!', nog afgezien van het feit dat er door een dergelijke uitroep volgens een of ander nautisch bijgeloof misschien wel een vloek op de reis zou komen te rusten. Het enige wat ik kon doen was proberen me van mijn padvinderscursus Overleven (gezakt) te herinneren hoe je een zwemkussen maakt door een pyjamabroek vol lucht te blazen. 'Neem me niet kwalijk, maar zou u misschien even in mijn pyjamabroek willen blazen?' was een vraag die ik liever niet aan een zeebonk wilde stellen.

Op de valreep kregen we nog te maken met een oponthoud, doordat er nog een container met staal aan boord gebracht moest worden. De bemanning zette de veiligheidshelmen weer op, en terwijl de eerste stuurman zijn overall opnieuw aantrok, vroeg ik hem naar de lading op het vaste Reykjavík-Rotterdam-Immingham-traject van de Dettifoss, ook wel bekend (bij mij) als de 'Gouden Driehoek'. Bij vertrek uit IJsland, bevestigde hij, was het schip altijd zwaarder geladen; nu waren de twee bovenste lagen lege containers zogenaamde 'reefers', koelcontainers die diepgevroren vis hadden bevat. Ik was zeer in mijn nopjes met dit stukje containerjargon, waarmee ik indruk kon maken op de jongetjes die me onvermijdelijk op de kaden zouden omringen, maar dat werd wat minder toen de eerste stuurman uitlegde dat als gevolg daarvan het schip een stuk lichter was, hoger op het water lag, en daardoor zou slingeren als een koe met gekke-koeienziekte.

En wat zat er nu in de volle containers... niet de, eh, 'reefers'? 'Wie zal het zeggen? Auto's, misschien. En het staal.' Maar ik had wel enig idee. Een van de in het oog springende kenmerken van de IJslandse cultuur is de ongelooflijke homogeniteit. Nieuwe consumentenrages worden door vrijwel de gehele bevolking overgenomen.

Een paar jaar geleden waren die belachelijke vehikels op banden van het formaat van een reuzenrad in de mode. De ene winter reed half Reykjavík erin rond; de volgende winter hadden ze allemaal plaatsgemaakt voor Toyota pick-ups. Je kunt altijd zien wanneer de vlucht uit Keflavik op Heathrow gearriveerd is: de aankomsthal begint zich te vullen met zeer lange mannen in mosgroene regenjassen en zeer lange vrouwen met van die Obergruppenführerbrilletjes met ovale glazen. Met Kerstmis geven de IJslanders elkaar allemaal exact hetzelfde cadeau. Dat merkwaardig gevormde pakket onder 100.000 Reykjavíkse kerstbomen in 1982 was een elektrisch voetbad; 1989 was het Nationale Pictionary Uitwisselingsjaar. En van tijd tot tijd is er een of andere willekeurige rage die zich een vaste plaats weet te veroveren. Voor de meeste West-Europeanen waren sportschoenen met plateauzolen een goddank kortstondige gekte; slechts bij Spice Girls en IJslanders is het beschamende verschijnsel nog altijd populair. Toen tegen het eind van de jaren tachtig de kiwi eindelijk zijn intrede deed in Reykjavík, werd de vrucht verwelkomd met een '*Beaujolais Nouveau est arrivé*'-hysterie die vandaag de dag nog steeds voortduurt, jaren nadat wij met zijn allen tot de ontdekking zijn gekomen dat ze vaag naar braaksel smaken. In IJsland zijn kiwi's nog steeds een symbool van kosmopolitische exotica, en kun je snoep en frisdrank met 'kee-vee'-smaak kopen, evenals receptenboeken voor kiwi's (iemand trek in kiwi met heilbotwangetjes?).

De 'reefers' die aan onze twee kranen hingen te schommelen, zorgden voor de eerste zijdelingse beweging. Ik wilde dat ik niet gedacht had aan containers vol muf smakende kiwi's en trok me terug in mijn hut voor een vorm van zelfmedicatie. Ik had twee merken antizeeziektepillen aangeschaft, Stugeron en Dramamine, van beide merken acht verpakkingen. Dramamine deed me bij nader inzien te veel aan drama denken, en dus nam ik een Stugerontablet in.

Ten gevolge van het oponthoud dat was ontstaan door de container met staal die op het laatste moment aan boord gehesen moest worden, lagen we tegen lunchtijd nog steeds in de haven. Ik had scheepsbeschuit verwacht met daarop plakken pemmikan (wat dat dan ook mocht zijn: ingeblikt pelikaanvlees, vermoedelijk), maar in de Spartaanse maar verder keurige kantine kreeg ik een bord met viskoekjes, aardappelen, pasta en sla voorgezet. Terwijl ik dat alles naar binnen werkte (plus een extra portie sla tegen de scheurbuik), kon ik nauwelijks vermoeden dat dat mijn laatste vaste voedsel gedurende de komende 36 uur zou zijn.

'We eten om 08.00 uur, 12.00 uur, 18.00 uur,' zei de bebaarde kok. 'En koffie met koekjes om 15.00 uur.' Met het bereiden van drie maaltijden per dag voor de elfkoppige bemanning en alle afwas daarna, had hij de zwaarste baan aan boord. Zelfs als de rest van de bemanning vrijaf had, moest de arme man Nederlandse supermarkten afstruinen om voorraden in te slaan, terwijl de anderen gingen hoerenlopen of zich lieten tatoeëren. Later zou ik erachter komen dat het arbeidspatroon van de rest van de bemanning bestond uit soms wel veertien uur onafgebroken keihard werken in havens, afgewisseld met dagen van nietsdoen en totale verveling. Het schip bestuurde zichzelf; er vielen geen bezaansschoten aan te halen of wat dan ook. De kapitein en de eerste stuurman nodigden me beiden van harte uit om naar de brug te komen als ik daar zin in had, om de monotonie van hun eenzame wachtdiensten te doorbreken.

Net toen ik klaar was met eten, werden de scheepsmotoren gestart. 'We zullen twee sleepboten nodig hebben om ons in dit weer buitengaats te brengen,' zei de eerste stuurman terwijl hij me mijn vierde kop koffie opdrong sinds ik twee uur geleden voet aan boord had gezet. Normaal gesproken kan ik slechts één kop sterke koffie per dag drinken zonder last te krijgen van bijverschijnselen die variëren van warmte-uitslag tot een soort tunnelvisie op een wereld zonder hoop, maar in Scandinavië (en IJsland in het bijzonder) is men uit sociaal oogpunt verplicht een overdosis cafeïne tot zich te nemen. In winkels en banken wordt gratis koffie geschonken; op de boot beschikte elke hut over een koffiezetapparaat. Als mijn lichaam een tempel was, dan had ik zojuist in de doopvont gepiest. De straf zou niet lang op zich laten wachten.

Om 13.20 uur, na een kortstondige paniek toen de loopplank de zee in werd geblazen, holden verfomfaaid uitziende zeelieden langs de Hobbyraum om de trossen binnen te halen, en we maakten ons los van de wal. Aanvankelijk zorgden olieopslagtanks, kranen, schoorstenen, regen, mist, wind en het smerige bruine water voor een tamelijk naargeestig decor, maar – zo wist ik mezelf op dat moment nog wijs te maken – daarin school op een of andere manier toch ook iets aantrekkelijks. Van werkelijk grote schepen gaat onherroepelijk iets ontzagwekkends uit, waarschijnlijk omdat de meesten van ons die slechts te zien krijgen op het nieuws, als ze doormidden gebroken op de bodem van de Oostzee liggen of ondersteboven op een klip voor de Shetlandeilanden. Het havengebied van Immingham bood de halfverlaten aanblik die samengaat met ultra-gemechaniseerde containersystemen (hoewel ik later las dat de haven het tegenwoordig drukker heeft dan die van Liverpool). Terwijl de sleepboten ons naar open water brachten, moest ik denken aan de scheepvaartplaatjes uit mijn jeugd. Alles was in zwart-wit, behalve de vuil-oranje hes van de loods; de misthoorns, de trossen, de sluizen en de zakelijke armzwaaien waarmee de sleepbootbemanningen afscheid van ons namen toen we het open water bereikten... En toen gebeur-de er plotseling iets met mijn evenwichtsgevoel.

'Kan sufheid veroorzaken. In dat geval geen motorvoertuigen besturen of machines bedienen,' luidde de waarschuwing op de Stu-geronverpakking. Ah, de vrolijke mantra uit mijn jeugd! Vooral in combinatie met de magische toevoeging 'vermijd het gebruik van alcohol'. Daar was het ons om te doen als we vrij verkrijgbare ge-neesmiddelen uittestten op mogelijke narcotische effecten: 'U kunt zich een beetje vreemd gaan voelen. In dat geval twee blikjes bier drinken en mond en ledematen niet gebruiken.'

Ik voelde me beslist een beetje vreemd. Ik ging op mijn kooi lig-gen en trok het gordijntje dicht, plotseling behekst door het voo-doo-achtige gedreun van de scheepsmotoren.

Slechts weinigen kunnen zich een beeld vormen van de knusheid van een zeiljachtkajuit onder dergelijke omstandigheden. Als je, na urenlang in de storm aan dek te hebben doorgebracht – door het duister turend naar die zwarte muren van water, de wind gie-rend door het want, de spanten krakend alsof het hart van het schip het elk moment kan begeven, terwijl het buiswater en de regen je in het gezicht slaan – plotseling afdaalt naar de rust en stilte van een behaaglijke, goed verlichte kleine kajuit, waar het schijnsel van de open haard op het witte, met rozenknopjes be-drukte chintz danst... de zekerheid dat je je op minstens 400 kilo-meter van de dichtstbijzijnde kust bevindt – dat alles brengt een gevoel van gerieflijkheid en veiligheid teweeg dat zich moeilijk laat beschrijven.

Toen ik voor het eerst deze beschrijving las van de 'uitdagende' eer-ste dagen van Dufferins overtocht naar IJsland, kon ik het in zoverre met hem eens zijn dat het inderdaad niet mee zou vallen een gevoel van gerieflijkheid en veiligheid te beschrijven. Je bevindt je op een nietig houten scheepje in een verschrikkelijke storm, midden op de oceaan, en er brandt nota bene een open haard in je kajuit... jezus.

Zelf voelde ik me als het ware ondergedompeld in een zee van kalmte, hoewel dat gevoel inmiddels reeds getemperd werd door lichte maar onbedwingbare hallucinaties. Ik doezelde weg, mijn geest overspoeld door beelden van blazerdragende Victorianen die zich aan dek bezighielden met een spelletje ringwerpen en mannen met zuidwesters op die armenvol kabeljauw in slijmerige bakken wierpen.

Dufferin was op 7 juni 1856 vanuit Oban vertrokken, en had koers gezet naar de Hebriden. In de buurt van Stornoway stak er een storm op, terwijl de scheepstimmerman (en kok) van de Foam bezig was het nieuwe bronzen boegbeeld, vers van de Londense smeltoven, te bevestigen. Terwijl ze in de haven lagen, nam de storm toe tot een 'regelrechte orkaan', en de volgende ochtend, toen de wind was gaan liggen, sleepte een marinevaartuig een lange sliert zwaar beschadigde en lege vissersboten binnen.

Je kunt je nauwelijks voorstellen dat deze aanblik de opvarenden vrolijk stemde toen de Foam op 11 juni het Isle of Lewis achter zich liet. De bemanning bestond uit zes matrozen, een scheepsjongen, twee koks, eerste stuurman Leverett, kapitein Wyse en een steward. Dufferin had ook zijn vriend Charles Fitzgerald meegenomen (consequent aangeduid als Fitz), een scheepsarts; zijn persoonlijke bediende, Wilson; en een IJslandse rechtenstudent, Sigurður Jonasson, die aan boord zijn schaakpartner zou zijn en hem op IJsland zou rondleiden. Aan boord bevond zich tevens een haantje dat al spoedig zou bezwijken aan zeeziekte. Toen ik om half vier groggy wakker werd, voelde ik me alsof ik spoedig het lot van het haantje zou delen. Kennelijk had iemand tijdens mijn slaap naar me staan gluren, want de gordijnjes bewogen heen en weer. Maar toen ik overeind ging zitten om de booswicht ter verantwoording te roepen, drong het plotseling tot me door: het schip ging zo tekeer dat de stijve gordijnstof heen en weer zwaaide. Ik waggelde op kolderieke wijze naar mijn patrijspoort – hele kleine schuifelpasjes, afgewisseld met dramatisch lange passen – in de verwachting dat we, net als in het geval van de Foam, het ene moment opgetild werden door vijftien meter hoge monstergolven om vervolgens bedolven te worden onder neerstortende wanden van ziedend schuim. In feite zag de zee er vanuit mijn verheven positie op het vijfde dek merkwaardig kalm uit, ondanks de zwaaiende gordijntjes en het feit dat er een boek van de plank gevallen was, wat erop leek te duiden dat het schip stampte in een hoek van meer dan dertig graden. En wat nog verwarrender was: ik voelde me prima. Zie je nou wel? Ik was gewoon een geboren zeerot.

In de loop van de volgende weken zou ik erachter komen dat er na het wakker worden eerst een periode van zo'n tien minuten volgt waarin de misselijkheid nog niet toeslaat, terwijl je gehoorgangen zich met vloeistof vullen of zoiets. Dus net toen ik op het punt stond om naar beneden te gaan voor koffie en koekjes, begon ik hevig te transpireren en te rillen – bij mij altijd het eerste symptoom van op handen zijnde onpasselijkheid, al vanaf het moment dat ik op zesjarige leeftijd de labrador van Marta Patel onderkotste achter in de Triumph 2000 TC van haar vader.

Toen viel me voor het eerst de geur op. Degene die onder invloed van lachgas ontdekte dat het geheim van het universum eruit bestond dat 'alles doordrongen was van een geur van petroleum', kan zich toentertijd niet aan boord van een groot schip hebben bevonden, anders had hij beslist 'diesel' opgeschreven.

Ik nam een slokje water. De deining werd heviger. Deining, deining, deining, diesel. Me verzettend tegen een krachtige aandrang om me over te geven, om voor de de closetpot neer te knielen, kroop ik weer in mijn kooi en ging op mijn rug liggen, niet in staat om te lezen, te drinken of te eten. Ik kwam erachter dat de misselijkheid bedwongen kon worden door mijn ogen dicht te doen en te proberen me een alternatieve verklaring voor de beweging voor de geest te halen. Maar al na enkele minuten begonnen onder invloed van de Stugeron in dergelijke verklaringen mythische monsters een rol te spelen die mijn lichaam aan stukken scheurden.

Ik moest steeds weer denken aan Dufferins snaakse commentaar op de berucht zware Atlantische zeegang. 'En die reputatie is volkomen terecht.' Kom op, zeeën, neem je gemak er eens van. Verloochen je reputatie. Luister naar me!

Ik had gedacht dat het misschien een maand zou duren; in feite was het na drie uur al zover. Ergens diep vanbinnen begon ik Dufferins onaantastbare karakter in twijfel te trekken. Voor iemand die zich ten gevolge van zeeziekte zo hondsberoerd voelde, was al die stoere, onverstoorbare onverzettelijkheid te veel van het goede. Ik onderging mijn beproeving met een teleurstellend gebrek aan bravoure, en het vertwijfelde idee dat Dufferin daar op een of andere manier schuld aan had door al te volmaakt te zijn, was mijn enige bron van troost.

Tegenslag brengt in sommige mensen het beste naar boven, in anderen de hysterische, doemdenkende lafaard. Uren na het vertrek uit Stornoway is de Foam een speelbal van de al eerder beschreven zwarte muren van water. 'Bang dat ons laatste uur geslagen had,' schrijft Dufferin, 'liet ik alles aan dek vastsjorren, het fokkezeil binnenhalen en alle overige zeilen reven.' De storm woedt een week lang onverminderd voort. Dufferin komt zijn kajuit niet uit ten gevolge van een niet nader omschreven kwaal die hem al maanden parten speelde. Fitz is geveld door een zware aanval van zeeziekte.

Tijdens het dapper herlezen van dit verslag in een poging mijn eigen fysieke ellende te rationaliseren, viel me iets op wat zowel voor enige troost als voor de nodige verontrusting zorgde.

Als arts grijpt Fitz resoluut zijn eigen miserabele toestand aan als een kans om 'het verschijnsel zeeziekte vanuit wetenschappelijk oogpunt te observeren'. Hij dient zichzelf een buitensporig scala van remedies toe – 'cognac, cyaanwaterstof, opium, gember, lamskoteletten' – alles zonder succes. Op de derde dag, geestelijk vrijwel gebroken, probeert Fitz troost te vinden bij Dufferins bediende, Wilson, die als voormalig steward op een Australische pakketboot veel ervaring had met dergelijk ongerief. Dufferin speelt luistervink:

> Ik hoorde de stem van Fitz, heel zwak inmiddels, op flemend opgewekte toon zeggen: 'Wel, Wilson, ik neem aan dat dit soort narigheid niet al te lang duurt?'
> (De Stem, als vanuit het graf): 'Dat weet ik niet, meneer.'
> Fitz: 'Maar je moet toch dikwijls zeezieke passagiers hebben meegemaakt.'
> De Stem: 'Dikwijls, meneer: *ontzettend* zeeziek.'
> Fitz: 'Wel; hoe snel herstelden ze, gemiddeld genomen?'
> De Stem: 'Sommigen herstelden helemaal niet, meneer.'
> Fitz: 'O. Maar degenen die wel herstelden?'
> De Stem: 'Ik heb een dominee en zijn vrouw meegemaakt die de hele reis ziek bleven; vijf maanden lang, meneer.'

Fitz: (Zwijgt)
De Stem: 'Soms gaan ze *dood*, meneer.'

Wat een ongelooflijke hufter. Ik las verder hoe Dufferin Wilson wat gedetailleerder beschreef.

> Van alle mensen die ik ooit ontmoet heb, is hij de meest zwart-gallige. Altijd en overal ziet hij leeuwen op de weg. Hij beschouwt het leven als niets anders dan sisyfusarbeid. Hij borstelt mijn kle-ren, dekt de tafel, ontkurkt de champagne; hij doet dit met het voorkomen van iemand die zijn executie tegemoet treedt. Ik heb hem slechts bij één gelegenheid zien glimlachen, toen hij me kwam melden dat zijn collega, de steward, door een golf bijna overboord was geslagen.

Nu zag ik het. Plotseling drong de afschuwelijke waarheid tot me door. Natuurlijk ben ik de charmante, geleerde, onbevreesde Duf-ferin niet. Maar het was nog veel erger. *Ik ben Wilson.*

High Latitudes

WILSON.

Het eeuwige pessimisme, de misantropie, het leedvermaak... zelfs, ontdekte ik terwijl ik verder las, de jeugd in West-Londen. 'De zoon van een tuinman in Chiswick... ' Ik woon in Chiswick. Dit is belachelijk. Mensen hoorden in 1850 nog helemaal niet in Chiswick te wonen. Ze hoorden te wonen in Whitechapel en Bolton en Barsetshire. Niet in Chiswick.

Hoe meer ik over Wilson las, hoe meer ik van mezelf herkende. Birna heeft zelfs een verbale vorm van stenografie ontwikkeld om mij de moeite te besparen een domper te zetten op eventuele leuke plannetjes. We waren in Praag op een schitterende herfstochtend: de gouden stad glansde in een nevelig zonlicht, de mensen verkeerden nog in een toestand van uitgelaten opwinding na hun recente Fluwelen Revolutie. Het feit dat een dagkaart voor het openbaar vervoer ongeveer een dubbeltje kostte en dat je kon eten en je een flink stuk in je kraag kon drinken voor aanzienlijk minder dan vijf pond, had genoeg moeten zijn om me vrolijk te stemmen.

We verlieten ons hotel en gingen op weg naar het Hradcany-kasteel. Allebei wilden we niet alleen graag genieten van het schitterende renaissancebouwwerk, maar ook van het weidse panorama vanaf de heuvel waarop het kasteel was gebouwd. Toch had ik zoals altijd wel weer iets te mopperen. 'Het is een eindeloze klim tegen een steile heuvel op,' zeurde ik. Dan nemen we toch een taxi, stelde Birna voor. 'Dan worden we afgezet door de chauffeur.' Dan nemen we de tram. 'Die zit vast vol met die verdomde Spaanse toeristen,' wierp ik tegen. Niet als we er rond siëstatijd heengaan, zei ze. Dit ging zo een tijdje door, waarbij ik steeds absurdere bezwaren opwierp, die zij vervolgens opgewekt weerlegde. We zullen de laatste tram terug missen. Alles zal dicht zijn wegens reparatiewerkzaamheden. We zullen door ons mineraalwater heen raken en alle winkels zullen dicht zijn en dan drinken we uit een kraan en worden ziek, net als in Minsk. Een enorm standbeeld van Stalin zal tot leven komen en alle toeristen vertrappen.

Ten slotte was ik uitgepraat. Mijn voorraad Wilsonismen was uitgeput. Ik kon geen enkel onheil, hoe obscuur ook, meer voorspellen. Terwijl we op weg gingen naar de tramhalte, hield ik de volle plastic boodschappentas omhoog waarin we gedurende de afgelopen maand waterflessen, gidsen, sandwiches en stukjes Berlijnse Muur hadden vervoerd. 'Nou, goed dan, maar je zult zien dat deze tas het begeeft,' mompelde ik, en vanaf die dag was dat Birna's standaardreactie op sputterende tegenwerpingen van mijn kant.

Wilson, Wilson. Hoe pijnlijk het ook was om mijn eigen tekortkomingen in hem weerspiegeld te zien, ik voelde me op een merkwaardige manier toch ook gerustgesteld. Sommigen, zoals Dufferin, zijn leiders; anderen, zoals Wilson en ik, geven er de voorkeur aan steunend en kreunend achter hen aan te sjokken. Net op het moment dat ik opzichtig faalde in mijn poging me met Dufferin te meten – door tegenspoed met nonchalante scherts te ondergaan – trof ik hier een verwante geest, in vergelijking met wiens armzalige, door zelfbeklag overheerste kleingeestigheid ik me alleen maar superieur kon voelen.

Helaas kwam Wilson in *High Latitudes* slechts incidenteel ter sprake, en ik kwam verder niets meer over hem te weten. 'Als zoon van een tuinman legde hij zich aanvankelijk toe op de tuinbouw; vervolgens emigreerde hij als kolonist naar de Kaap; en ten slotte werkte hij als steward aan boord van een Australische pakketboot.' Dat was alles, op biografisch gebied. O, behalve dan dat in de 'dramatis personae' aan het begin onthuld wordt dat zijn voornaam William is. En verder was er nog Dufferins geëtste portret van hem: een streng uitziende man van middelbare leeftijd met een hoge, stijve, rechte boord, die een treffende gelijkenis vertoonde met een beroemde ex-bokser van twijfelachtige reputatie.

Er kwam geen Wilson voor in de index van het exemplaar van *Helen's Tower* dat Lindy me voor de duur van mijn reis geleend had; ook kon ik me niet herinneren dat hij in de dagboeken ergens ter sprake kwam. Stond er niet iets in de aantekeningen die ik bij mijn bezoek aan Eton gemaakt had? Mogelijk, maar die had ik thuisgelaten.

Aan al deze overpeinzingen kwam spoedig een einde toen het stampen en deinen van het schip zulke dramatische vormen begon aan te nemen dat ik aan niets anders meer kon denken. Eerst was er de tergende, achtbaanachtige anticipatie als we een golf beklommen, de motoren sidderend van inspanning tot ze bijna afsloegen en het schip op het punt leek te staan terug te glijden... dan bereikten we de top van de golf en doken vervolgens met de snelheid van een Stuka naar beneden.

Op een of andere manier verviel ik gedurende de volgende anderhalf uur in een soort toestand van algehele verdoving, waaruit ik op bijzonder onaangename wijze ontwaakte doordat na een wel bijzonder woeste golf de gloeilamp naast mijn bed met een indrukwekkende knal tegen de wand kapotsloeg. Nu werden ontwerp en bouw van het schip op de proef gesteld, terwijl er vanuit het ruim een serie onrustbarende, schuivende, schrapende en dreunende geluiden weergalmde. Ik kon alleen maar hopen dat het de stuiptrekkingen waren van gemangelde duurzame verbruiksgoederen die in hun containers met elkaar in botsing kwamen. Ik stelde me een ongelukkige stuwadoor in de haven van Reykjavík voor te midden van een massa kiwipulp, doorweekte sportschoenen met plateauzolen en de verbrijzelde overblijfselen van brilletjes met ovale glazen. 'De inhoud kan tijdens het vervoer slinken,' staat er in kleine lettertjes op de verpakking van sommige ontbijtgranen, en nu wist ik waar al dat slinken vandaan kwam.

De tijd kroop voorbij. Om 18.00 uur begon de telefoon in mijn hut agressief te zoemen. Ik kwam moeizaam overeind, nam de hoorn op en hoorde het overdreven opgewekte stemgeluid van de kok.

'Etenstijd! We hebben speciaal IJslands gezouten lamsvlees!'

Het aanhoren van deze mededeling was een van de ergste van de vele onaangename dingen die me de laatste tijd overkomen waren. Het deed me denken aan wat mijn tante Bobby overkwam die, toen ze tijdens een Atlantische overtocht geveld was door een combinatie van zee- en ochtendziekte, wat geroosterd tarwebrood bestelde. Tien minuten later verscheen de Portugese steward aan haar ziekbed met een presenteerblad. 'Mevrouw,' zei hij, terwijl hij met een zwierig gebaar het deksel optilde, 'hier is uw geroosterde varkenspoot.'

Maar toch ging ik op weg naar de mess, vastbesloten om mijn gezicht te redden. Dat viel nog niet mee: de uitbundige bewegingen van het schip veranderden de trappen in een soort cakewalk, temeer doordat ik me verplicht had gevoeld mijn schoenen uit te trekken nadat ik eerder wat gemopper opgevangen had over 'schoenen' en 'buitenlander'. Het dragen van schoenen binnenshuis is een pan-Scandinavisch taboe, dat ik in een geest van welwillendheid maar toe zal schrijven aan de lange, modderige winters en niet aan een of andere onbestemde manie. Alle bemanningsleden waren in het bezit van zeer onzeemansachtige badslippers die ze aantrokken als ze van dek kwamen; ik beschikte natuurlijk alleen maar over sokken, waardoor ik een groot deel van de volgende vier dagen doorbracht met kolderieke glijpartijen ten gevolge van het stampen van het schip.

Ik ging ervan uit dat er van eten niets terecht zou komen toen ik, wankel door de gang schaatsend op weg naar de mess, zag dat het uitzicht door de patrijspoort afwisselend gevormd werd door een woeste grijze hemel en een woeste zwarte zee. In dergelijke omstandigheden verwachtte ik de bemanning bijeengekropen rond de tafel aan te treffen, elkaar bij de hand houdend, crucifixen en Björk-albums tegen de borst klemmend. De kapitein zou wankelend overeind komen, een beverige hand op mijn schouder leggen en met vastberaden maar trillende stem zeggen: 'Wij kunnen het schip niet verlaten. Maar jij, vreemdeling, jij moet jezelf in veiligheid brengen.' In plaats daarvan schepte de kok, zich met de ene voet schrap zettend tegen de koelkast en de andere tegen een deur, onbekommerd mijn soep op (het speciale gezouten lamsvlees wuifde ik weg) terwijl een drietal reusachtige, klotsende terrines op het fornuis zijn richting uit kwam schuiven.

Hij duwde me min of meer in de richting van de kapiteinstafel, waar de eerste stuurman me een hooghartige blik toewierp. Maar zijn meerdere deed zijn best om mij bij de tafelconversatie te betrekken. Als ik een vergelijking met de podiumkunsten mag trekken, dan deed de situatie me nog het meest denken aan de scène in *Carry On Up the Khyber* waarin Sid James, Joan Sims en de rest van de hofhouding van de onderkoning gewoon doorgaan met de lunch terwijl de artillerie van de opstandelingen om hen heen het paleis in puin schiet. (Met een schok realiseer ik me nu dat het personage dat door Sid James gespeeld werd, historisch gesproken op Onderkoning Lord Dufferin gebaseerd zou kunnen zijn.)

Terwijl hij maar doorwauwelde over het een of ander – voetbal, voetschimmel, voetbaden, weet ik veel – voelde ik een sterke aandrang om hem bij zijn oren te pakken en te schreeuwen: 'Kijk – zijn jullie soms allemaal blind? Kijk naar buiten! Ga in de reddingsboten! Mayday! Mayday! Blaas mijn pyjamabroek vol lucht!'

Ik hield het niet meer. Na even naar de golven op mijn soep gekeken te hebben, mompelde ik dat ik erlangs moest.

'Wablief?'

'Ik... moet weg.'

'U moet weg?'

Wanhopig probeerde ik me achter de kapitein langs te wringen, waarbij het me een zorg zou zijn als zijn buik daardoor in zijn soep terechtkwam.

'Alstublieft – ik wil naar buiten,' zei ik met schorre stem.

'U wilt naar buiten?'

'Alstublieft... laat me erlangs voordat het mis gaat.'

'Voelt u zich wel goed?'

Ten slotte kon ik me langs hem heen wringen en ik haastte me de mess uit, terwijl ik van alle kanten uitgenodigd werd om naar de brug te komen en verhalen te vertellen. 'Des te eerder ben je weer opgeknapt!' Maar het zou nog vele uren duren voordat ik in staat was om zelfs maar te overwegen mijn kooi uit te komen. Ik kwam, ik zag en ik braakte.

Ik nam het al niet zo nauw meer met de aanbeveling om de Stugerontabletten met een tussenruimte van acht uur in te nemen, en met mijn laatste tablet van die dag diende ik mezelf duidelijk een gevaarlijke overdosis toe. Binnen enkele minuten was ik weggegleden in een soort coma dat maar liefst twaalf uur zou duren (wat inhield dat ik bijna vijftien van de laatste vierentwintig uur slapend had doorgebracht), en waarin ik de eerste van vele ronduit surreële Stugeronervaringen beleefde.

Ik was in een druk gesprek gewikkeld met een of andere spierwit geschminkte variétéartiest in een zwart rokkostuum en met een Cockney-accent. Ik probeerde hem ervan te overtuigen dat hij zijn sociale geweten wat meer zou moeten laten spreken; op het hoogtepunt van de droom kondigde hij abrupt aan dat ik gelijk had, sprong overeind en liep doelbewust naar de deur, terwijl hij zei dat hij 'voor een of andere armoedzaaier een vaas ging kopen'.

Deze ervaring was voor mij des te verwarrender omdat ik nooit, maar dan ook nooit interessante dromen heb. Mijn gemiddelde droom komt er zo'n beetje op neer dat ik urenlang in een bushokje sta te wachten, en dan komt er iemand langs die lijkt op de kantine- juffrouw van school, maar het bij nader inzien toch niet is. Als ik erg zwaar getafeld had, wilde ik nog wel eens een biljet van twintig pond in het bushokje vinden.

TIM MOORE

Dus het beeld van de vaas voor die armoedzaaier stond me nog steeds helder voor de geest toen ik voorzichtig overeind ging zitten. In de loop van de nacht was de zee wat rustiger geworden, en toen ik door de patrijspoort gluurde, zag ik dat de galopperende kudden witte paarden hadden plaatsgemaakt voor een paar loslopende vale Shetlandpony's. Maar zodra ik opstond, begonnen de gordijnen natuurlijk weer te zwaaien, en de douche die ik nam (tijdens die tien minuten durende periode dat de misselijkheid nog niet toesloeg) had nog het meeste weg van een slapstickachtig optreden van het komische duo Zwaartekracht en Evenwicht.

Om 06.10 uur begaf ik me zonder schoenen op weg naar de brug. Daar trof ik alleen de eerste stuurman, die verdiept was in zijn krant. Tot mijn diepe voldoening constateerde ik dat zich een panorama van uiterst extreme weersomstandigheden voor ons ontrolde.

'Flink briesje,' zei hij zonder op te kijken van zijn krant. Ik wist hoe onwillig IJslanders zijn om toe te geven dat het weer slecht is (*'Dit?* Noem je *dit* een *sneeuwstorm?* Je moet nog heel wat leren over ons weer'), en dit vormde voor mij de bevestiging dat het inderdaad behoorlijk spookte.

'Is het niet... bar en boos?' vroeg ik voor ik met maaiende armen achteruit geworpen werd, in de richting van de kaartentafel.

'Eh... ja,' zei hij, na enig nadenken. 'Voor de prijs in IJsland van een Plymouth Voyager bouwjaar 1993 kan ik in Nederland een nieuwe kopen. Maar dan zit je natuurlijk nog met de invoerbelasting.'

Eindelijk keek hij op van de rubrieksadvertenties. Na een tijdje probeerde ik het nogmaals. 'Hoe hoog zijn de golven?' Hij wierp een onverstoorbare blik door de ruiten van de brug. 'Een meter of vijf, misschien zes. Het is windkracht zeven. Gisteren hadden we acht.'

Windkracht acht? Dat leek mij meer dan genoeg. De eerste stuurman zei dat ze zich pas bij windkracht elf enige zorgen gingen maken, maar net op dat moment kwam er een SOS-bericht binnen van de kustwacht, uitgesproken met een onverstoorbare kalmte die het op een of andere manier alleen maar alarmerender maakte. 'Mayday. Mayday. Mayday. Bakensignaal opgepikt door burgervliegtuig. Signaal zwak. Willen de schepen in de betreffende sector hun posities doorgeven?'

66

Zouden wij kunnen helpen? 'Het is meer dan veertig zeemijl,' mompelde de eerste stuurman vermoeid. 'En als je het mij vraagt, zou ik zeggen dat het baken waarschijnlijk overboord geslagen is.' Hij verdiepte zich weer in zijn krant. Ik was ontzet, tot (a) ik me realiseerde dat de omweg zou betekenen dat mijn misselijkheid nog verscheidene uren langer zou duren; en (b) een latere melding van de kustwacht hem in het gelijk stelde.

We dronken koffie. Ik vroeg hem naar zijn zeemansloopbaan.

'Op mijn vorige schip heb ik 500.000 kilometer gevaren onder IJslandse vlag. Het was heel moeilijk om die vlag te strijken. Dus nu hang ik hem alleen thuis nog maar uit.'

Het registreren van schepen in Limassol had iets te maken met goedkope verzekeringen, zei hij, en met het creëren van de mogelijkheid om met niet-IJslandse bemanningen te varen, hoewel dat nog niet voorgekomen was. Als natie met een vermoedelijk ongeëvenaarde zeevaarttraditie – de visvangst zorgt nog altijd voor driekwart van IJslands nationale inkomen – zou dat een soort hoogverraad betekenen.

'Wat is er met uw oude schip gebeurd?'

'O,' zei hij met een nonchalant schouderophalen, 'dat is vorig jaar voor de zuidkust van Engeland gezonken.'

Ik wou maar dat hij dat niet gezegd had, vooral niet op die achteloze 'dat soort dingen gebeurt nu eenmaal'-toon.

'Maar het... het was geen containerschip,' zei ik met onvaste stem.

'Nee, nee. Een aluminiumcarrier.'

En even later: 'Maar in maart is er een containerschip gezonken tussen de Færøer en IJsland. De eerste stuurman van dat schip kwam om het leven toen hij van de brug viel terwijl het schip zonk, en een andere opvarende kreeg in zee olie binnen en stierf daaraan.'

Hij kreeg de smaak nu pas goed te pakken, als een tweede Wilson, zich niet bewust van de vertwijfelde noodsignalen die mijn eigen baken uitzond.

'En dit jaar is er nog een containerschip aan de grond gelopen op de zuidkust van IJsland. Een van de redders is daarbij om het leven gekomen. Als het weer beter wordt, kunnen we het wrak bij aankomst misschien nog zien. Het ligt nog steeds op het strand,' zei hij opgewekt. 'Kom – ik zal u iets laten zien.'

Ik volgde hem bleek en zwijgend naar de kaartentafel. 'Hier – op deze kaarten... Ziet u die kruisjes?' Hij liet zijn wijsvinger over de compacte massa kruisjes glijden aan weerszijden van de potloodlijn die onze huidige koers aangaf. Het waren er *duizenden*. Ik had zomaar het idee dat het hier geen afgedankte bakens betrof of plaatsen waar zich beroemde weekdierveldslagen hadden voltrokken. 'Ja – dat zijn...' en hier keek hij me plotseling aan met een waanzinnige Peter Cushing-blik in zijn ogen, 'scheepswrakken! Allemaal!'

Het probleem was de whisky, zoveel was me nu wel duidelijk.

Toen de kapitein de vorige dag mijn gebottelde presentje in ontvangst nam, had hij iets vaags gemompeld in de trant van: 'Ach, dat had u echt niet hoeven doen,' waarop ik met luide, zalvende stem geantwoord had: 'Natuurlijk wel – u bent tenslotte de gezagvoerder.' Toen ik na die pluimstrijkerij de Hobbyraum verliet, hingen de eerste stuurman en de halve bemanning buiten in de gang rond. Een van hen had me met samengeknepen lippen en licht hoofdschuddend een blik toegeworpen die duidelijk zei: 'Oeoeoeh, u bent tenslotte de gezagvoerder, oeoeoeh, stoere grote-bootkapitein.' In mijn interpretatie duidde die blik op een samenzwering van de bemanning, waarvan de afloop maar al te gemakkelijk te construeren viel.

'Wel, wel, kijk eens wie we hier hebben, Ragnar. Volgens mij zou het wel eens de kleine whiskyjongen van de kapitein kunnen zijn, ja? Zeg, beste kerel, wat zou je zeggen van een slaapmutsje voor het naar bed gaan? Braaf zo, kleine whiskyjongen. Laten we je wat te drinken geven.' En terwijl grote, ruwe handen me achterover in de stoel drukten en de hals van de volle whiskyfles mijn trillende mond naderde, zou ik in een schaarsverlichte hoek van het vertrek de laffe gestalte van de kapitein zien, bewaakt door twee stokers met besmeurde gezichten en over elkaar geslagen armen, zijn ogen wijdopen, zachtjes het hoofd schuddend bij wijze van zwijgende, onmachtige verontschuldiging.

Hoe zou Dufferin zich erdoorheen geslagen hebben als de zaken uit de hand waren gelopen? Ik herinnerde me dat ik me verbaasd had over een dagboekaantekening die ik op Clandeboye gelezen had, een van de laatste die hij geschreven had voor hij uit Oban vertrok: 'De bemanning zingend en luidruchtig; Leverett heeft de wind er niet genoeg onder; heb ze zelf tot de orde geroepen.' Dat riep het beeld op van een bulderbast, een butler-koeionerende bullebak, maar toch kon ik me hem nauwelijks voorstellen als iemand die zich wel zou weten te redden als de zaken echt uit de hand liepen. Zijn portret met het hemd met de stroken bestempelde hem toch min of meer als een watje.

Maar hij was natuurlijk wel een diplomaat, een crisisbezweerder, een charmeur. Waarschijnlijk had hij de bemanning tot de orde geroepen door gezellig een spelletje Oorzaak en gevolg met ze te spelen:

Mr Leverett en Mr Wyse
Scheren een walrus
Gevolg: algehele verzoening.

Hoe dan ook, de eerste stuurman was deze ochtend uitzonderlijk joviaal. 'We noemen de kapitein "Smiler", omdat hij altijd vrolijk glimlacht. De meeste mensen die altijd maar glimlachen hebben niet veel hersens, maar dat geldt niet voor hem. Hij is heel goed in het organiseren van de containers, in het tevreden houden van de bemanning – en hij is een goed zeeman. Meer kun je niet wensen.' De kapitein had duidelijk de allerhoogste prijs moeten betalen voor het aannemen van mijn besmette gave, en dit was zijn grafschrift.

De eerste stuurman was zelfs in zo'n goed humeur dat hij, na me de grondbeginselen van het navigeren te hebben bijgebracht (het is allemaal volledig geautomatiseerd – je tikt een paar coördinaten in en de automatische piloot, die met een satelliet in verbinding staat, doet de rest) naar de wc ging en mij drie lange minuten in mijn eentje op de brug achterliet.

Uitgeput door deze verantwoordelijkheid en de effecten van een opnieuw te vroeg ingenomen Stugeron, ging ik even later terug naar mijn kajuit, waar ik weer twee uur lang ten prooi was aan de meest waanzinnige droombeelden. Dit was belachelijk. Het had iets weg van een winterslaap, maar dan zonder al het eten vooraf. En wat nog erger was, de tijd – of althans de afstand – leek stil te staan. Toen ik wakker werd, ging ik terug naar de brug, waar ik te horen kreeg dat we ter hoogte van Aberdeen voeren. Aberdeen? Na vierentwintig uur? De eerste stuurman zei dat onze snelheid negen knopen bedroeg,

wat me schrikbarend traag leek, hoewel ik natuurlijk geen flauw be-
nul had wat dat feitelijk inhield. Misschien doen raketten wel dertien knopen. Ik heb geen idee.

Maar in elk geval was de deining zodanig afgenomen dat ik het
erop waagde naar de mess te gaan, waar ik gedurende de twee minuten dat ik de misselijkheid op een afstand wist te houden, haastig
zoveel mogelijk stukken gebakken vis naar binnen werkte. Behalve
aan de Stugeron was ik nu verslaafd aan een tweede middel om braken te voorkomen – het staren naar de horizon. Terwijl ik op mijn
schelvis aanviel, bleek het daarvoor noodzakelijke uitzicht door de
patrijspoort geblokkeerd door de omvangrijke gestalte van de al wat
oudere echtgenote van de tweede machinist. (Wat deed die aan boord?
Daar ben ik nooit achter gekomen.) Onverschrokken staarde ik dwars
door haar heen, zonder me iets aan te trekken van haar niet-begrijpende, vervolgens medelijdende en ten slotte doodsbange blikken.

De brug, met zijn ongeëvenaarde uitzicht op de horizon, werd
mijn favoriete verblijfplaats, ook al omdat het, afgezien van mijn
kajuit waar ik plat op mijn kooi kon gaan liggen, de enige plek was
waar ik erin slaagde het gevoel van misselijkheid min of meer te beperken tot een permanent beklemmend gevoel op mijn ribbenkast.
Tijdens die eerste dagen leek het alsof de eerste stuurman de enige
was die ik ooit op de brug zag, en misschien omdat ik het gevoel had
dat mijn overleven in een vreemde, afschrikwekkende omgeving afhing van deze bedachtzame en attente man, merkte ik dat er zich iets
merkwaardigs begon voor te doen. Ik raakte langzamerhand verliefd
op hem.

Misschien was het wat psychologen het 'Stockholmsyndroom'
noemen, naar de gegijzelden tijdens een Zweedse vliegtuigkaping die
een absurde dankbaarheid en ontzag aan de dag legden voor de mannen die over hun leven of dood beschikten. Misschien was het ook
wel schuldgevoel vanwege de whisky voor de kapitein. Of misschien
wilde ik wel gewoon oprecht mijn vrouw en kinderen in de steek
laten en de rest van mijn leven doorbrengen met een grote, stoere,
knappe man.

Met zijn vrijwel onberispelijke Engels was de eerste stuurman de
archetypische afstammeling van de Latijnsprekende boerenknechten die Dufferin tegen het lijf was gelopen. De enige Engelse uit-

drukking die ik hem ooit verkeerd hoorde uitspreken was 'summer solstice', zonnewende, waarvan de helft van de bevolking van het Verenigd Koninkrijk vermoedelijk zou denken dat het de naam van een cocktail was. Toen we een of andere geografisch herkenningspunt ter hoogte van John O'Groats passeerden, vroeg hij me of dat niet voorkwam in Macbeth. Beschaamd antwoordde ik dat ik dat echt niet zou weten, waarop hij aan een indrukwekkende en geloofwaardige verhandeling over genoemd onderwerp begon. Daarna begon hij aan de sagen.

Tot aan de twintigste eeuw bevond IJsland zich in een zodanig geïsoleerde positie dat de taal nog steeds nauwelijks verschilt van die der vikingvoorvaderen. Kinderen van tien jaar oud kunnen de oorspronkelijke teksten van de sagen lezen, en doen dat ook, ondanks de openhartige (en, om helemaal eerlijk te zijn, verlekkerde) beschrijvingen van massamoord en gedetailleerde individuele uitspattingen.

In dat licht gezien was het misschien niet zo verbazingwekkend dat de eerste stuurman al snel overstapte van de Vuurdood van Njáll op de walkuriaanse glorie van Margaret Thatcher. Hoe je ook over haar denkt, je kunt niet ontkennen dat men in grote delen van Europa nog altijd een heilig ontzag voor haar koestert.

Hij viel ten prooi aan een lichte vorm van opwinding toen hij zijn ernstige ontevredenheid met de IJslandse president, die bijna een jaar geleden gekozen was, onder woorden bracht. Opwinding, omdat me eindelijk de gelegenheid geboden werd om op nonchalante toon te onthullen dat de kandidaat die nipt op de derde plaats geëindigd was, niemand minder was dan mijn schoonmoeder.

Het zou voor de eerste stuurman een koud kunstje zijn geweest om hierop te reageren met wat vaag gebrom en geknik ten teken van zijn bewondering voor haar en zijn afkeuring van het onrecht dat haar ten deel was gevallen, maar het strekte hem tot eer dat hij, als niet-Engelsman, dat beneden zijn waardigheid achtte. 'Ik heb niet op haar gestemd,' was het enige wat hij zei. (In feite had mijn eigen enthousiasme over een mogelijke goede afloop een flinke knauw gekregen toen Birna me er tijdens de verkiezingscampagne op wees dat ik, als echtgenoot van de oudste dochter van het staatshoofd, de Prinses Di van IJsland zou zijn. Als Elton John op mijn begrafenis had gezongen, zou de bevolking hem waarschijnlijk de opdracht hebben gegeven om 'Vaarwel, Engelse Hufter' te componeren.)

De eerste stuurman verdiepte zich weer in de rubrieksadvertenties. Vóór Björk en het dag en nacht doorgaande stappen, was het
beeld dat buitenlanders van IJsland hadden, dat van een vissersvolk
met zuidwesters op, die het toevoegen van een scheut levertraan aan
het badwater als toppunt van decadentie beschouwden. Zoals bij de
meeste stereotypen sloeg dat nergens op, maar ik ben ervan overtuigd dat de sluimerende herinnering daaraan een gedeeltelijke verklaring vormt voor het ongebreidelde consumptiegedrag dat IJsland
de laatste twintig jaar in zijn greep heeft.

IJslanders die Groot-Brittannië bezoeken, geven per hoofd van
de bevolking meer uit dan welke andere nationaliteit ook. Het land
heeft het hoogste percentage Internetgebruikers. IJsland kende al elektrisch roterende reclameborden, van hologrammen voorziene betaal-
pasjes (niettegenstaande een te verwaarlozen criminaliteit), in plastic verpakte hooibalen, bussen met harmonicaverbinding en step
aerobics jaren voordat ik die in Engeland zag.

Het is een aandoenlijk naoorlogs, nog niet door cynisme ange-
tast 'alles wat nieuw is, is goed'-futurisme. Meisjes in Groot-Brittannië dromen allang niet meer van een carrière als stewardess. Toen
Icelandair een paar jaar geleden een advertentie plaatste voor een
handvol cabinepersoneel, solliciteerde een kwart van 's lands in aanmerking komende vrouwelijke bevolking.

Enerzijds zijn IJslanders geobsedeerd door wat buitenstaanders
van hen denken, waardoor ze aan onzinnige evenementen als de ver-
kiezing van Miss World of de Sterkste Man ter Wereld buitensporig
veel belang hechten. Tijdens de drie uur durende uitzending van het
Eurovisie Songfestival kun je in de straten van Reykjavík een kanon
afschieten.

Anderzijds gaat hun onschuld gepaard met een tamelijk agressieve neiging anderen de loef af te steken. Het ongelooflijke, net-
vliesbedreigende vuurwerkspektakel ter gelegenheid van de jaar-
wisseling is daar misschien wel het mooiste voorbeeld van. In een
halfuur tijd gaan er voldoende krónur in rook op om een compleet
gezondheidscentrum te bouwen of een honderd meter hoge bronzen viking of wat dan ook (elk jaar komt de kleine antivuurwerk-
lobby weer met zo'n treffende vergelijking). Het is een moment

waarop IJslanders samenkomen om te zeggen: 'Kijk, wereld – wij besteden twintig dollar per persoon aan dat stomme geknal en geknetter, en weten jullie waarom? Omdat wij ons dat kunnen permitteren! Zo is dat, en niet anders! Als je dat maar weet! Knal! Flits! Weg!'

Op cultureel, politiek, en naar ik vrees ook op raciaal gebied zijn IJslanders geobsedeerd door een grenzeloos en vurig onafhankelijkheidsbesef dat grenst aan arrogantie. De oorspronkelijke IJslanders waren Noorse edelen die liever het onbekende tegemoet voeren dan trouw te betonen aan een koning die ze niet erkenden of respecteerden, en die waanzinnig koppige trots bestaat vandaag de dag nog steeds. Vrijwel alle IJslanders zijn rechtstreekse afstammelingen van die hooghartige edelen, en als je pech hebt, halen sommigen de documentatie te voorschijn om het te bewijzen.

Gedeeltelijk ten gevolge van hun visserijpolitiek, maar voornamelijk door hun vastbeslotenheid om zich nooit, maar dan ook nooit te laten knechten, zullen de IJslanders zich in nog geen biljoen jaar aansluiten bij de Europese Unie – de president (boe!) heeft in het openbaar de politiek van de Europese Unie vergeleken met die van de Sovjet-Unie. IJsland maakt slechts deel uit van de wegkwijnende EFTA, de Europese Vrijhandelsassociatie. Nu Groot-Brittannië, Oostenrijk en de meeste andere oorspronkelijke leden zich daaruit teruggetrokken hebben, omvat deze organisatie momenteel nog IJsland, Noorwegen, Zwitserland en Liechtenstein, dus dat zegt wel voldoende over het belang ervan.

Elke avond – en naar het schijnt ook op gezette tijden overdag – zendt de staatstelevisiezender een pompeuze orkestrale versie van het volkslied uit, met op de achtergrond bulderende zeeën, onafzienbare lavavlaktes en andere beelden van de majestueuze pracht van hun land. En buitenlanders die in IJsland kinderen verwekken, zijn tegenwoordig wettelijk verplicht gebruik te maken van het IJslandse naamgevingssysteem, waarbij de achternaam van een kind bestaat uit de voornaam van de vader, gevolgd door de toevoeging 'son' of 'dóttir', afhankelijk van het geslacht. Dat is geen enkel probleem als je Richard of David of Mandel of zo heet, maar Timothyson heeft het naar mijn idee toch niet helemaal, en een Garysdóttir vraagt als het ware om pesterij op school.

Natuurlijk valt dit, evenals de compromisloze verdediging van hun taal, grotendeels toe te schrijven aan de behoefte van een klein land om zijn eigen identiteit te bewaren in een steeds kleiner wordende wereld, enzovoorts. In dit licht bezien was ik bijzonder voorzichtig met het ter sprake brengen van de Kabeljauwoorlog van 1972, het territoriale visserijgeschil tussen Groot-Brittannië en IJsland, dat wij verloren omdat onze strijdkrachten besloten dat het uitschakelen van enkele patrouilleboten van de IJslandse kustwacht door middel van polarisraketten door de rest van de wereld misschien niet helemaal begrepen zou worden.

In Groot-Brittannië mocht de Kabeljauwoorlog dan wel als een soort grap worden beschouwd, in het van vis afhankelijke IJsland was het wel degelijk een uiterst serieuze aangelegenheid. Het was in elk geval geen onderwerp dat ik ter sprake zou brengen tijdens mijn conversaties met de eerste stuurman. Hij was duidelijk een overtuigd patriot, die elke zomervakantie zijn vrouw meesleepte op een 300 kilometer lange trektocht over de gletsjers, kliffen en ijzige estuaria in het vrijwel onbewoonde noordwesten van zijn geboorteland. Hij had me al eerder op tamelijk bitse wijze de les gelezen toen ik opperde dat de IJslanders een zeer trots volk waren, zo trots dat ze misschien niet tegen grappen over zichzelf konden, dat ze misschien wat moeite hadden met kritiek. 'Als de feiten correct zijn, is er geen probleem. Maar veel mensen schrijven niet de correcte feiten.'

Inwendig was ik ineengekrompen. Tijdens mijn eerste bezoek aan het land had ik aan den lijve ondervonden dat IJslanders zich alle mogelijke moeite getroosten om buitenlandse onwetendheid en spotternij aan de kaak te stellen.

In 1988 was ik voor mijn journalistieke inkomsten geheel afhankelijk van een kleine, wekelijkse column in het kwijnende tijdschrift *Record Mirror*, waarin ik de televisieprogramma's van de afgelopen week de revue liet passeren. Dit onderwerp mocht zich bepaald niet verheugen in de fanatieke belangstelling van het lezerspubliek van het tijdschrift, dat uit een afnemend aantal club-dj's bestond. Terwijl ik voor het eerst de kerst doorbracht bij Birna's familie in Reykjavík, bedacht ik in een speelse bui dat mijn minuscule, maar gretige lezersschare het misschien wel leuk zou vinden om eens iets anders voorgeschoteld te krijgen dan mijn onbenullige kritieken op de Channel 4-

programma's die op minderheden gericht waren en daardoor een gemakkelijk doelwit vormden, die ze elke week zo gretig verslonden.

Door middel van een recensie van het IJslandse televisieaanbod kon ik ze in plaats daarvan een onbenullige kritiek voorschotelen op een op een minderheid gerichte en daardoor een gemakkelijk doelwit vormende nationale televisiezender.

Bij het lezen van mijn drie spraakmakende alinea's zouden ze kreten van ongeloof slaken als ik korte metten maakte met een televisieregime dat zo onmenselijk autoritair was dat tot halverwege de jaren tachtig elke donderdag en heel de maanden juni en juli in het hele land de schermen op zwart gingen, als bolwerk tegen decadentie en vercommercialisering. De tranen van woede op hun wangen zouden spoedig gezelschap krijgen van tranen van het lachen als ik de onverklaarbare nationale obsessie met *Taggart* en dat afschuwelijke programma van Jim Davidson, *Home James*, beschreef, en de draak stak met het onbenullige amateurisme van de met ballpoints zwaaiende weermannen.

Twee weken na het verschijnen van de recensie ontving Birna een grote gewatteerde envelop met het poststempel van Reykjavík. Behalve een kort, in het IJslands gesteld briefje van haar moeder, bevatte de envelop een exemplaar van een van de meest verkochte dagbladen van het land, met daarin een artikel dat een flink deel van pagina 3 in beslag nam en rijkelijk doorspekt was met drie woorden die ik onmiddellijk herkende. Niet omdat ik het IJslands nu ineens zo goed beheerste, maar omdat het de woorden 'Record', 'Mirror' en 'Moore' betrof.

Voor alle duidelijkheid: de *Record Mirror* had indertijd een oplage van ongeveer 15.000, en het blad stelde zo weinig voor dat het binnen een jaar zou worden opgeheven. Het is onwaarschijnlijk dat er meer dan een paar honderd exemplaren naar het buitenland werden verstuurd; en daarvan waren er dan misschien twintig voor Scandinavië bestemd.

Toch had een of andere loslopende IJslandse dj met goede journalistieke connecties de verslagen van de clubscene in Manchester en de advertenties voor stroboscooplampen gelaten voor wat ze waren en zich gestort op een tv-recensie van 200 woorden ergens op een van de laatste pagina's.

Terwijl Birna vertaalde, drong de gruwelijke werkelijkheid langzaam tot me door. De kop van het artikel luidde vrij vertaald zo ongeveer: 'Kabeljauw-Stelende Buitenlandse Ploert In Complot Om IJslandse Cultuur Te Ondermijnen'. Na geduldig de ongeveer vijftien elementaire feitelijke onjuistheden te hebben opgesomd die ik op een of andere manier in mijn drie alinea's had weten te verwerken, werd de toon van het artikel steeds verontwaardigder en gaf de schrijver zich over aan het soort doemdag-paranoia dat gewoonlijk geassocieerd wordt met fanatieke Eurosceptici.

Ik maakte me oprecht zorgen toen ik me, een halfjaar later, opnieuw bij de douane van Keflavik meldde. Tot op de dag van vandaag wordt er over die zaak met geen woord meer gesproken. Niet met mij, in elk geval. Het is maar goed dat Birna's moeder de presidentsverkiezingen niet gewonnen had. Dat zou van mij beslist geen prinses Di hebben gemaakt, eerder een soort Mark Thatcher.

Ik dacht dat het misschien verstandiger was om over de Kabeljauwoorlog te discussiëren met de tweede stuurman, een Pepsi drinkende jongeman met een oorringetje. Maar men vergeet niet snel in een land waar het grootste deel van de interessante geschiedenis 1000 jaar geleden plaatsvond.

'Weet u wel dat dat de enige oorlog is die uw Britse marine ooit verloren heeft? Ik was een keer op vakantie in Ierland, in een pub, en toen de kroegbaas erachter kwam dat ik bij de IJslandse kustwacht had gezeten, kreeg ik de hele avond vrij drinken omdat we de Engelsen verslagen hadden.'

Net zoals mij altijd overkomt als ik in Frankrijk ben en de hele avond vrij kan drinken omdat wij de Duitsers hebben verslagen, dacht ik.

'Maar nu hebben we een nieuwe kabeljauwoorlog – met Noorwegen.'

Daar had ik over gehoord. Een IJslandse trawler zou zonder vergunning in omstreden wateren hebben gevist. De Noorse marine had hardhandig gereageerd door het vaartuig te enteren en het op sleeptouw te nemen naar een 600 kilometer verderop gelegen Noorse haven. Ze weigerden de trawler te laten gaan voordat er een enorme boete betaald was. Er broeide een ernstig diplomatiek conflict.

'Maar de IJslanders namen wraak – en hoe!' Zijn stem klonk nu iets te luid. 'Toen ze in Noorwegen aan de ketting lagen, gooiden ze lijnen uit en begonnen te vissen, en op elke vis die ze vingen, schreven ze met een grote viltstift "IJSLAND" voordat ze hem weer terug in het water gooiden!'

Ik bracht de Kabeljauwoorlog verder niet meer ter sprake.

Ik had me al min of meer neergelegd bij het vooruitzicht van nog drie dagen slopende zeeziekte, en voelde me dus enigszins in verwarring gebracht toen mijn patrijspoort de volgende ochtend het beeld te zien gaf van twee mathematisch volmaakte halve cirkels in perfecte horizontale balans, de ene hemelsblauw, de andere zeegroen. De vorige avond laat waren we door de Pentland Firth gevaren, waar we een fraai uitzicht hadden op John O'Groats en zijn tegenhanger op de Orkneys, the Old Man of Hoy. De golven kwamen tot bedaren en de sterke stroming bezorgde ons een ongehoorde snelheid van wel twintig knopen. Toen we weer in open water kwamen, was de wind tijdelijk aangewakkerd, maar nu was de zee volkomen glad. Na zesendertig uur lang vrijwel niets gegeten te hebben, verslond ik aan het ontbijt een schaamteloze hoeveelheid voedingsmiddelen die nog maar enkele uren geleden een hoofdrol zouden hebben vertolkt in het circus van zeeziekteverwekkers: zure haring, dikke pap en kalfstong uit blik.

Plotseling zag mijn bestaan er weer een stuk zonniger uit en ik ging opgewekt op weg om het schip te verkennen. Maar de onzinnige indeling – elk van de zeven kleine dekken was vrijwel identiek aan de andere – maakte dat er niet bepaald gemakkelijk op. Na een kort bezoek aan de Hobbyraum besloot ik eerst even terug te gaan naar mijn hut en beklom welgemoed de eindeloze serie trappen naar mijn dek. De deur van mijn hut stond open. En daar, op een stoel, verdiept in een krant, zat de oude zeeman wiens omvangrijke echtgenote ik in de mess met mijn starende blik ernstig in verlegenheid had gebracht.

Ach, dat moet kunnen, dacht ik. Zeelieden hebben voor elkaar geen geheimen en zo. We wierpen elkaar een wat ongemakkelijke blik toe en om een of andere reden besloot ik dat ik het beste gewoon langs hem heen naar mijn badkamer kon lopen. Dat bleek bij nader inzien een minder geslaagd idee, want toen ik de deur van de badkamer opendeed, werd ik geconfronteerd met het markante beeld van zijn omvangrijke echtgenote die zich juist op het toilet liet zakken. Ik wist niet hoe snel ik moest maken dat ik wegkwam, langs de oude zeeman heen, de trap op naar mijn eigen hut op het dek erboven, ondertussen aan een stuk door onzinnige verontschuldigingen mompelend.

Dit voorval verminderde mijn zwerflust in aanzienlijke mate, met als gevolg dat ik de fitnessruimte aan boord, met onder meer een hometrainer waarop ik in elk geval voor de vorm wat had kunnen fietsen, pas zou ontdekken twee uur nadat we de haven van Reykjavík waren binnengelopen. Maar hoe dan ook, het feit dat het schip nauwelijks meer stampte en slingerde, droeg aanzienlijk bij aan de verbetering van mijn levenskwaliteit. Ik kon op mijn gemak aan mijn bureautje zitten en complete containers optakelen door de enorme gaten in mijn lachwekkend onvolledige reisplan. Ik kon me vooroverbuigen om mijn schoenen aan te trekken.

Ik voelde me zelfs goed genoeg om mijn schuchtere flirt met de eerste stuurman te hervatten. Terwijl ik mijn min of meer vaste plaats tegenover hem innam – aan 'onze' tafel – flapte ik eruit: 'U bent ook een snelle eter – ik bedoel, volgens mij eet u sneller dan wie dan ook... met wie ik ooit... gegeten heb.' Als dit zo doorging, zou ik straks nog gaan blozen en 'Gossie!' zeggen.

Om 13.15 uur de volgende middag kregen we IJsland in zicht, in de ogenschijnlijk zwevende vorm van de Myrdalsjökull Gletsjer. Het was een schitterend gezicht, maar dat geldt voor de gehele kustlijn van IJsland. Gletsjers, roze aan de horizon, wit op middellange afstand, bruin op een kilometer afstand en blauw van dichtbij, vormen een ontzagwekkend schouwspel. Het eerste wat Dufferin te zien kreeg, was de Vatnajökull, Europa's grootste gletsjer die de zuidoostelijke hoek van het land domineert. Hij was er helemaal opgewonden van geraakt. De Foam, die onderweg in die verschrikkelijke storm terecht was gekomen, had er tien dagen over gedaan; de Dettifoss had er maar vier voor nodig gehad.

'Dat is dus IJsland,' zei de tweede stuurman.

Hij had zich tijdens zijn nachtdienst beziggehouden met het nauwgezet componeren, met behulp van pixels, van de initialen van zijn IJslandse voetbalclub, KR, op het radarscherm (de kapitein deed het later voorkomen alsof hij verontwaardigd was over deze lichtzinnige en mogelijkerwijs gevaarlijke handelwijze, om vervolgens zelf een poging te doen om door het toevoegen van een paar letters de naam van zijn eigen favoriete club, Akranes, te vormen).

'U gaat zich daar vanavond natuurlijk amuseren.' Het klonk merkwaardig verbitterd. 'U weet dat ze Reykjavík "het Bangkok van het Noorden" noemen?'

Nou, nee. Ik had wel een heleboel – laten we eerlijk zijn – bespottelijke media-onzin gehoord en gelezen over Reykjavík, dat het nieuwe Londen zou zijn. Om helemaal eerlijk te zijn hadden Birna en ik zelf een klein rolletje in die farce gespeeld door een artikeltje te schrijven voor de *Evening Standard* over het feit dat IJsland opgestoten werd in de vaart der volkeren doordat (1) er nogal wat buitenlanders naar Reykjavík kwamen om er een nummertje te maken en dronken te worden en (2) Scary Spice zich verloofd had met een IJslandse knaap. Maar dit soort rages is geen lang leven beschoren. Een week later las ik: 'Stockholm is het nieuwe Reykjavík.' Het aardige, vriendelijke stadje Reykjavík omschrijven als het nieuwe Londen is net zoiets als het betitelen van Lego als de nieuwste seksuele attractie.

'Bangkok?'

'Ja,' vervolgde hij zuur, 'de meisjes daar gaan graag met buitenlandse mannen mee. In Reykjavík kun je gratis een nummertje maken – zolang je maar geen IJslands spreekt.' Ik bedacht dat dat voor mij destijds inderdaad het geval was gebleken, hoewel ik beteuterd en tamelijk teleurgesteld gereageerd zou hebben als mijn vrouw een rekening bij me had ingediend.

Dit was de vergiftigde oogst die ik bij wijze van terechte straf moest binnenhalen. Ik had per slot van rekening zelf bijgedragen aan het creëren van de mythe van arrogante buitenlanders die massaal de Atlantische Oceaan overvlogen voor een gemakkelijke wip. Verder scheen er ook nog sprake te zijn geweest van een of ander incident waarbij de vriendin van de beste vriend van de tweede stuurman en een Canadese knaap betrokken waren.

Net op het moment dat ik tot de conclusie kwam dat dit koekje van eigen deeg me toch niet zo goed smaakte, kreeg de eerste stuurman gelukkig een orka in het oog. Nadat ik erin geslaagd was een gehaaste foto te maken van een vin en een deel van een grote, gladde, zwart-witte flank voordat die weer in het water verdwenen, verbaasde ik me hardop over de welwillendheid van het dier om zich zo vlak bij ons schip te vertonen.

'Dat was geen welwillendheid. Er moet iets mis zijn geweest. Ik denk dat we hem misschien geraakt hebben.' Terwijl ik me probeerde voor te stellen wat er gebeurd zou zijn als dit een cruise was geweest met als doel het observeren van walvissen, deden zich nog twee verbazingwekkende gebeurtenissen voor. Eerst kwamen de ongelooflijke silhouetten van de Westmann Eilanden in zicht. En vervolgens kwam de zon tevoorschijn.

In het lage, heldere avondzonlicht staken de eilanden tegen de horizon af als afgebrokkelde stukjes chocoladetaart met groene suikerglazuur. Net als alles aan het IJslandse landschap maakten de scherpe contouren en de gladde, met gras begroeide oppervlaktes een uitzonderlijk frisse en ongerepte indruk. De tijd heeft IJslands scherpe kanten niet verzacht. Het hele land lijkt zo uit het middelpunt der aarde te zijn gekomen. Dat geldt in het bijzonder voor de Westmann Eilanden, die alle dertien op jonger dan 10.000 jaar worden geschat. Sinds de jaren zestig hebben er in het gebied twee grote erupties plaatsgevonden. Bij de eerste ontstond het eiland Surtsey; de tweede, in 1973, maakte het grootste eiland, Heimæy, vrijwel onbewoonbaar.

Vijf maanden lang braakte de krater van Eldfell as en lava uit (de grond is op vele plaatsen nog altijd handwarm), waardoor de toegang tot de haven van de stad, het voornaamste bestaansmiddel, bijna afgesloten werd. Gelukkig kwam de lavastroom net op tijd tot stilstand, met als gevolg dat de haven nu veel meer beschutting biedt tegen de zee. De andere kant van de medaille is dat het binnenlopen van grote schepen als het onze een tamelijk riskante aangelegenheid is.

'Ze hebben wel bijzonder veel geluk gehad,' merkte ik op tegen de eerste stuurman terwijl we toekeken hoe de havenloods van Heimæy vanuit een snelle sleepboot die onberekenbare capriolen maakte, in een luikgat vlak boven de waterlijn van de Dettifoss sprong; een manoeuvre waarbij je naar ik schat een kans van een op tien loopt om het leven erbij in te schieten.

'Als u de verwoesting van een halve stad geluk wilt noemen.'

'Maar er waren geen slachtoffers?'

'Eentje maar – een dief die terugging naar een huis dat aan de lava prijsgegeven was en omkwam door het inademen van giftige dampen,' zei hij met grimmige voldoening.

De gletsjers op het vasteland met hun nevelige toppen die het roze zonlicht weerspiegelden, vormden een adembenemend schouwspel. Ik schoot een filmrolletje vol, gedeeltelijk om de visuele pracht vast te leggen, maar voornamelijk als oprecht huldeblijk aan het begrip vaste grond. Terwijl we behoedzaam manoeuvreerden tussen een klif vol slapende papegaaiduikers en de lage, onheilspellende lavabanken, zagen we dat op de kaden grote aantallen met vis gevoede schooljongens stonden te zwaaien, die naar de Westmann Eilanden waren gekomen voor een nationaal schoolvoetbaltoernooi.

Hun opgewekte gezichten en rode wangen; de keurige, bontgeschilderde houten huizen met hun rode of blauwe daken en bijna astroturfgroene gazons; de roeibootjes die in ons kielzog dobberden in het schilderachtige haventje... En toch klopte er iets niet. Als je een klein stukje omhoog en naar links keek, doemden daar de onheilspellende zwarte uitstulpingen en de opzichtige, giftig-oranjegele kraters van het lavaveld op. Het was een absurde juxtapositie, zoiets als Stratford-upon-Avon op Uranus.

Ik liep de loopplank af in een niet echt overtuigende imitatie van een zeeman die hard toe is aan zijn verlof na een negen maanden durende reis rond Kaap Hoorn, en stapte doelbewust de tamelijk onaantrekkelijke containerkade op, in de hoop een diepe affiniteit te voelen met Lord Dufferins woorden bij aankomst in Reykjavík: 'We zijn op Thule geland!' Maar in plaats daarvan deed een schreeuw vanaf het dek me weer haastig terugkeren aan boord. 'Alstublieft! Paspoort! Douane!' Als zeldzame niet-IJslander, die ook nog eens op zo'n onorthodoxe wijze arriveerde, werd ik door twee gretige, geüniformeerde beambten gesommeerd een landingskaart in te vullen van een dusdanig antiek model dat het wel iets weghad van een distributiekaart. 'In paspoort bewaren. Inleveren bij vertrek uit Scandinavië.' Er werd nooit meer naar de kaart gevraagd, en hij zit nog altijd schuldbewust in mijn paspoort. De overvalcommando's van de IJslandse immigratiedienst kammen vermoedelijk vandaag de dag nog steeds de gletsjers uit.

Opnieuw liep ik de loopplank af naar de verlaten kade, met wat minder gewichtigdoenerij ditmaal, meer als een Buzz Aldrin dan als een Neil Armstrong.

De plaatselijke jeugd, zo kreeg ik al snel in de gaten, had wel leukere dingen te doen dan naar schepen te zwaaien. Of liever gezegd één leuker ding, namelijk uren aan een stuk in de splinternieuwe Mitsubishi's van hun ouders op en neer rijden over de hoofdweg (die, in een stad van 5300 inwoners, niet veel meer dan een straat is). Een van de bijverschijnselen van de eruptie was het vrijkomen van een enorme voorraad eersteklas grondlava, en de eilandbewoners, die door de visvangst welvarend geworden waren, gebruikten deze gretig om prachtige nieuwe wegen aan te leggen die nergens naartoe gaan om vervolgens fraaie auto's te kopen die ze niet nodig hebben.

Ze reden naar de haven, keerden daar, reden terug door de stad, naar de krater waar de weg doodliep, keerden daar weer, reden terug naar de stad, enzovoorts. Niet voor het laatst gedurende mijn reis werd ik herinnerd aan het computerspel *Sim City*, en de gehoorzame cyberforensjes die rustig 650 kilometer de woestijn in rijden tot het punt waar de weg ophoudt, zolang je maar zorgt dat er een weg naartoe loopt. Het kwam me allemaal nogal werktuiglijk en vreugdeloos voor. In Dufferins tijd zouden ze zich waarschijnlijk vermaakt hebben met Latijnse vervoegingen.

De welvaart heeft deze kleine eilandgemeenschap van nog andere moderne gemakken voorzien, zoals 's werelds meest geavanceerde geldautomaat (waarbij het begrip wereld opgevat dient te worden als alle Barclays-geldautomaten in West-Londen). Het apparaat herkende mijn pasje automatisch als Brits en trakteerde me op een fraaie kleurenafbeelding van de Union Jack, gevolgd door glasheldere beelden – een bewegende hand, een Escher-achtige serie snorrende tandraderen – waarna onze verbinding op het scherm culmineerde in de triomfantelijke mededeling:'Geen verbinding met creditcardmaatschappij mogelijk!' Vooral dat uitroepteken vond ik erg geslaagd.

Ik maakte me plotseling zorgen dat ik hier achtergelaten zou worden en zag af van een tocht naar de krater. In plaats daarvan volgde ik de aanbeveling van de eerste stuurman en beklom een van de steile heuvels die uitzicht boden op de haven. 'Ik ga altijd naar de tv-mast – het is misschien twintig minuten.'

In een veel te late poging om iets aan mijn cardiovasculaire conditie te doen, besloot ik tegen de heuvel op te hollen. Toen ik me volledig buiten adem genoodzaakt zag mijn poging op te geven terwijl de tv-mast nog niet meer was dan een verre, hoge naald, bracht ik mezelf in herinnering dat het natuurlijk pure dwaasheid zou zijn om een ander element van mijn voorbereidingprogramma voor de fietstocht dwars door IJsland te verwaarlozen – het in ruime mate aanleggen van vet- en caloriereserves. De kok had biefstuk en frites beloofd, voor we weer zouden vertrekken.

Met trillende benen en zwoegende longen, die merkwaardigerwijs als een soort kieuwen verplaatst leken te zijn naar een plek vlak onder mijn oren, wankelde ik omlaag naar de containerkades via een roestend kerkhof van hefkranen van Britse makelij. De bemanning van de Dettifoss was nog steeds bezig met het aan wal takelen van lege reefers, en er was niemand in de mess. Maar er stond een groot bord biefstuk met frites op me te wachten, tot mijn aangename verrassing vergezeld van een meer dan welkom glas rode wijn.

Terwijl ik me dit feestmaal goed liet smaken, begon ik – voor het eerst – de details van mijn reisplannen na de Dettifoss te overdenken. Het was nu 21.00 uur, hetgeen erop duidde dat we op een of ander godvergeten vroeg tijdstip in Reykjavík af zouden meren, wat des te vervelender was omdat Dilli, de jongste van Birna's vier broers en degene die min of meer geronseld was om samen met mij dwars door zijn geboorteland te fietsen, gezegd had dat we diezelfde dag nog moesten vertrekken.

Een van de machinisten kwam de mess binnen net op het moment dat ik met een flinke boer mijn vuile eetgerei in de gootsteen deponeerde. 'Oh eh... zou u me kunnen zeggen hoe laat we in Reykjavík afmeren?'

'Ongeveer vier uur morgenochtend. Mag ik u ook iets vragen?'

'Ja zeker,' zei ik, terwijl ik met smaak mijn laatste slok wijn achteroversloeg.

'Heeft u misschien mijn bord biefstuk met frites en een glas rode wijn gezien?'

3

Alles was anders toen ik de volgende ochtend wakker werd. Rust en stilte; verblindend heldere zonneschijn. (Van dat eerste lag meer dan voldoende in het verschiet, maar het laatste zou ik meer gewaardeerd hebben als ik geweten had dat het de laatste zonneschijn was die ik in weken te zien zou krijgen.) We hadden afgemeerd, kennelijk al uren geleden, en na een langdurige zoektocht vond ik ten slotte mijn fiets terug. Nadat ik hem met de nodige moeite bevrijd had van de stevige knopen van de eerste officier, liep ik ermee de loopplank af en vierde mijn aankomst in het eigenlijke IJsland door spectaculair onderuit te gaan op de goddank verlaten kade.

De pijn vlamde door mijn rechterbeen. Ik had mijn enkel verzwikt. Ik stapte op, half hopend bij de eerste pedaalomwenteling een afschuwelijke pijnscheut te voelen, waardoor er van mijn fietstrektocht geen sprake meer zou kunnen zijn. Maar ik voelde bijna niets. Ik haalde mijn schouders op, wierp nog een laatste blik op de verlaten Dettifoss, en begaf me op weg door de diepe, koude schaduwen van rijen opeengestapelde containers.

'De stad bestaat uit een verzameling houten schuurtjes van één verdieping... gebouwd langs het lavastrand, en aan weerszijden geflankeerd door een buitenwijk van plaggenhutten... geen boom of struik verzacht de treurigheid van het landschap,' schreef Dufferin na in Reykjavík aan land te zijn gegaan. Het is een opmerkelijk openhartig oordeel over een krottenstad die vermoedelijk net zo'n troosteloze indruk maakte als de verwaarloosde hofsteden tijdens de door de aardappelziekte veroorzaakte Grote Hongersnood.

Toch moet het hem tevens voorgekomen zijn als een arm-maar-eerlijk toevluchtsoord na de verstikkende vervuiling van de Industriële Revolutie, een plek waar oud geld en adellijke afkomst nog niet verdrongen waren door aanmatigende parvenu's. En een plek waar kennis boven al het andere gerespecteerd werd, wat nog steeds het geval is. In IJsland worden per hoofd van de bevolking meer boeken gelezen en geschreven dan waar ook ter wereld.

Die mengeling van raciale en culturele zuiverheid in een natie van arme-maar-eerlijke autodidacten was voor Victorianen onweerstaanbaar, niettegenstaande de IJslandse voorkeur voor de school, die het drinkgelag als middel ter ontspanning propageert (met het literaire equivalent van een gegeneerd kuchje verdoezelt Dufferins biograaf Black het banket-incident, er onmiddellijk aan toevoegend dat Dufferin in zijn latere leven vrijwel niets meer dronk).

Hoewel hij vóór bladzijde 100 weer van het eiland vertrekt, was Dufferin duidelijk zeer voor IJsland geporteerd. Voortborduurend op zijn ervaringen met onder de modder zittende keuterboertjes die uit plaggenhutten tevoorschijn kwamen om hem in het Latijn aan te spreken, noteert Black dat 'recente statistieken aantonen dat *alle* IJslandse kinderen van tien jaar oud kunnen lezen, en dat landlieden niet alleen belezen zijn in de IJslandse literatuur, maar ook vloeiend vreemde talen kunnen lezen... het zijn de fatsoenlijkste, onschuldigste, meest onbedorven mensen ter wereld'.

Dufferin en andere ecotoeristen van de eerste generatie – met name de fanatieke propagandist van de huisindustrie William Morris, die enkele sagen vertaalde en in de jaren zeventig van de negentiende eeuw tweemaal een bezoek aan het eiland bracht – zochten in IJsland een tegengif voor de verwarrende vervuiling, de drukke bedrijvigheid en het cynisme van het Spoorwegtijdperk. Net zoals al die Duitsers en Fransen die vandaag de dag over de IJslandse gletsjers sneeuwscooteren, gekomen zijn om de smog en het melanoom van hun gebruikelijke overvolle mediterrane vakantieoorden te ontlopen. Net als zij, maar op een of andere manier minder irritant, was Dufferin naar IJsland gekomen op een nostalgische, 'empirische' persoonlijke zoektocht.

Mijn eigen motivatie voor dit bepaalde deel van de reis was fundamenteler. Ik heb al eerder de dikwijls (maar niet altijd) onuitge-

sproken onderstelling aangeroerd dat de IJslandse Mens de belicha-
ming is van het menselijk ideaal. Hij combineert een indrukwekkend fysiek met een intellectuele gevoeligheid voor kunst en taal –
hij is, kortom, zacht, sterk, en heel, heel lang. Het is zonder meer
betreurenswaardig om een dergelijk volbloedras verzwakt te zien
worden door gemuteerde minderwaardige genen, en op gezette tijden worden mijn gebrek aan vitaliteit, mijn ontoereikend fysiek en
mijn voorkeur voor niet-intellectuele activiteiten allemaal toegeschre-
ven aan door kruising ontstane genetische defecten. Toen Birna's familie en vrienden hoorden dat ze zwanger was van een buitenlander,
werd ik onderworpen aan een discreet maar grondig sociaal-medisch
onderzoek, waarbij nog net niet de omvang van mijn schedel gemeten werd.

Ik had me al geruime tijd geleden verzoend met mijn lot als ziekelijke, zwakke, minderwaardig sperma producerende buitenlander,
en me erbij neergelegd dat niets wat ik eventueel ooit zou presteren,
mijn aanzien kon verbeteren. Maar nu werd me een kans geboden
om voorgoed een eind te maken aan de fluistercampagne. Vanaf het
moment dat ik aangekondigd had van plan te zijn het onherbergzame binnenland van IJsland per fiets te doorkruisen, was Birna's familie me met andere ogen gaan bekijken. Dat zou een echte prestatie
zijn, een man van welk geloof of ras dan ook waardig. Als ik alle
ontberingen die hun woeste land voor me in petto had, kon doorstaan, zou me dat bijna tot ere-IJslander maken. (Maar aangezien
het wel duidelijk was dat ik zou falen, konden ze maar beter mijn
jongste zwager meesturen om te zorgen dat ik weer veilig thuiskwam.)

IJsland bevindt zich in de uithoek van Europa, en Reykjavík is
's werelds noordelijkste hoofdstad. Als onherbergzaam vulkanisch
maanlandschap heeft het sinds de tijd van Lord Dufferin nauwelijks
veranderingen ondergaan. Het wegenstelsel is nog altijd lachwekkend
ontoereikend, waardoor veel dorpen en steden onbereikbaar zijn voor
wie niet beschikt over een auto met vierwielaandrijving. Een uiterst
geringe bevolkingsdichtheid houdt in dat je urenlang kunt rijden
zonder ook maar een enkel levend wezen tegen te komen. Urenlang
rijden... dagenlang fietsen.

Maar Reykjavík vormt daarop een uitzondering. Slechts weinig
Europese hoofdsteden kunnen in zo'n kort tijdsbestek zo enorm ge-

groeid en veranderd zijn. Bij de volkstelling van 1801 telde de stad slechts 307 inwoners; een jaar voor Dufferins bezoek waren het er 1354. Nu zijn het er 110.000, bijna de helft van de totale bevolking.

Dufferin besteedde zijn enkele dagen durend verblijf in de stad aan het kopen van pony's, het spreken van Latijn en het zich door Sigurður laten voorstellen aan de plaatselijke beau monde. Met de jonge rechtenstudent als tolk, flirt hij met een achttienjarig Reykjavíks meisje en brengt een bezoek aan Bessastaðir, door hem beschreven als 'onuitsprekelijk desolaat... een ouderwetse boerenhoeve' en tegenwoordig de presidentiële ambtswoning. (Boe!)

In de meeste huizen bevinden de kale, met mos bespikkelde lavablokken zich nog in hun oorspronkelijke oneffen staat [hij zou een prima makelaar zijn geweest]. In plaats van hout, zijn de daksparren van walvisribben gemaakt. Hetzelfde vertrek doet maar al te vaak dienst als zowel eet-, zit- en slaapkamer voor het hele gezin; een gat in het dak is de enige schoorsteen, en een paardenschedel de meest comfortabele fauteuil waarin men een vreemdeling kan laten plaatsnemen... de bedden zijn niet meer dan kisten die zijn gevuld met veren en zeewier.

Paardenschedels bij wijze van stoelen? Is er geen vergissing in het spel? Maar die onwaarschijnlijkheid wordt al spoedig naar de achtergrond verdrongen door het nog veel onwaarschijnlijker verhaal van het beruchte Gouverneursbanket. Dufferin, Fitz en Sigurður arriveren om 15.30 uur bij het Gouverneurshuis, waar ze verwelkomd worden door de Gouverneur, de Bisschop, de Opperrechter '&c &c, sommigen van hen in uniform, en allemaal met zondagse gezichten'. Gedurende de daaropvolgende acht uur wordt elke gast kennelijk verondersteld meer dan tien flessen wijn te drinken; niettemin is Dufferin in staat de avond af te ronden met een eindeloze oratie in het Latijn.

Er werd uitgebreid geklonken – iedereen sprak door elkaar heen – er volgde een soort dans rond de tafel – een hartelijke omhelzing door de Gouverneur – en ten slotte stilte, daglicht en frisse lucht terwijl we de straat in stommelden. Naar bed gaan was onmogelijk. Het was elf uur op onze horloges, en net zo licht als midden op de dag. Er waren geen deurkloppers om te stelen en geen nachtwakers om het hoofddeksel over de oren te trekken. Wat viel er verder nog te doen?

Niet veel, in feite. Op een of andere manier weten ze een apothekers-vrouw (over eufemismen gesproken!) te overreden om hen binnen te laten, waarna ze in haar salon Ierse volksdansen uitvoeren in het gezelschap van een aantal Franse officieren van Prins Napoleons stoomschip de Reine Hortense, dat een paar dagen na Dufferin was gearriveerd. Vervolgens besluit het Foam-contingent een eindje te gaan varen in een kleine jol, ze stranden op een eilandje in de haven, waar ze met hun dronken hoofd aan land gaan en papegaaiduikers aanzien voor konijnen. Het klinkt ongelooflijk, maar enkele uren later vertrekken ze op hun pony's voor hun trektocht dwars door IJsland.

De kade ging geleidelijk over in een enorme snelweg met aan weerskanten plompe flatgebouwen uit de jaren zeventig en enigszins rommelig aandoende industrieterreinen. Temidden van wat in het plattelandsidioom de 'betonnen lavavelden' heten, raakte ik onver-mijdelijk de weg kwijt.

Ik krijg vast problemen door dit te zeggen, maar Reykjavík is niet mooi. Ja, het oude centrum, met zijn vrolijke eendenvijver en Victo-riaanse veranda's, is keurig onderhouden en gezellig (hoewel de hui-dige burgemeester het voor elkaar gekregen heeft zelfs dat gedeelte-lijk te verzieken door de bouw van een afzichtelijk barakachtig stad-huis). Maar je hoeft je maar honderd meter in welke richting dan ook te begeven en je bevindt je in een soort Legoland-voorstad, waar je verloren tussen de kleurrijke maar zielloze huizen rondslentert of je het hemd van je lijf laat blazen in een onderdoorgang waar de wind doorheen giert.

En het is zo *groot*. Te oordelen naar aantal en formaat van de saaie meerbaans snelwegen en rotondes, zou je denken dat je de buiten-wijken van Chicago binnenrijdt, niet een stad waarvan het inwoner-tal in het niet valt bij dat van Norwich. (Nog zo'n aardig statistisch gegeven is dat Ealing meer inwoners heeft dan heel IJsland.)

Vanaf het balkon van het huis van Birna's ouders aan de uiterste oostrand van de stad strekt Reykjavík zich voor je uit als een soort noords São Paulo, met zijn ontelbare buitenwijken en werven. Het kost je ruim vier uur om van de ene kant van de stad naar de andere te lopen, en hier stond ik nu, verdwaald in een stad waar ik in de loop der jaren bij elkaar misschien wel zo'n zes maanden heb doorgebracht.

Dit alles maakt Reykjavíks veronderstelde status als speelplaats voor popsterren des te verwarrender. Ik kan IJsland onvoorwaardelijk aanbevelen als vakantiebestemming voor hen die op zoek zijn naar ongerepte wildernis, de tot nederigheid stemmende macht van de natuur, enzovoorts. En ja, ondanks zijn boomloze, door wind geteisterde saaiheid, heeft Reykjavík door de vriendelijkheid van de bevolking toch ook wel weer iets weg van een dorpsgemeenschap. Het naamgevingssysteem houdt in dat in het telefoonboek de mensen ook met hun voornaam vermeld staan, wat me altijd weer vrolijk stemt. Kinderen spelen rond middernacht nog rustig alleen op straat; als je met een IJslander uitgaat, worden er op elke honderd meter wel zo'n zeven bekenden begroet (waar ik persoonlijk gek van zou worden, maar goed). En elke keer als er een vlucht van Icelandair in Keflavik landt, zegt de stewardess: 'Velkomin heim', wat uiteraard 'Welkom thuis' betekent.

Ik neem aan dat al die onderlinge gemoedelijkheid waarschijnlijk onontkoombaar is als je al duizend jaar met elkaar zit opgescheept. In Dufferins tijd was het in elk geval niet anders. Hij vindt de IJslanders niet alleen godvruchtig en onbedorven, enzovoorts, maar gezien het feit dat hem, zodra hij op straat ook maar even de pas inhoudt, voortdurend koffie en biscuitjes worden aangeboden, bijna gênant gastvrij.

Maar graag geziene gasten op feesten in binnen- en buitenland hebben geen boodschap aan vrolijke armzwaaien en gezellige kletspraatjes in de rij voor de reparatiewerkplaats voor elektrische voetbaden. Het enige wat zij willen is een opwindend nieuw podium waarop ze met hun buitenissige decadentie kunnen pronken, en op grond daarvan zullen ze zich in Reykjavík niet thuis voelen. Het spijt me. Het is er te kleinsteeds, en bovendien veel te winderig. Ja, de mensen zijn slank en lang en mooi, maar ze dragen stomme schoenen en brillen. En het bier kost vijf pond per halve liter. Drugs schijnen in verbazingwekkende overvloed verkrijgbaar te zijn, maar als je in een park in trance raakt, loop je een goede kans dood te vriezen.

De nachtclubs zijn ongeveer net zo trendy als die in Norwich, maar het zijn er wel veel meer.

Een vrijdagavond uit in Reykjavík kan heel onderhoudend zijn, als je het tenminste leuk vindt om minderjarige jongelui dronken te zien worden en met elkaar op de vuist te zien gaan. Ongeacht het jaargetijde, wat voor weer het ook is, ze zijn er altijd, met zijn duizenden. Ze drinken zelfgestookte drank uit colaflessen, dragen veel te weinig kleren, roepen met schelle stem 'fuck you' en stappen op hun sportschoenen met plateauzolen rond door het braaksel. Het begint rond middernacht en eindigt pas om een uur of vier. Maar ach, als je de zelfgestookte drank verandert in Diamond White, het aanvangstijdstip in 20.00 uur, en de sportschoenen met plateauzolen vergeet, zou je je net zo goed in Rotherham kunnen bevinden, of – zoals ik nog zou ondervinden – in willekeurig welke andere stad in Scandinavië.

Het noordse drinkgedrag is voor buitenstaanders tamelijk onbegrijpelijk. Als je Scandinaviërs voorstelt om op woensdagavond iets te gaan drinken, zullen ze na het nodige geaarzel uitleggen dat ze graag zouden willen, maar dat ze donderdag moeten werken. Van sociaal drinken is nauwelijks sprake, maar van asociaal drinken des te meer. De mensen onthouden zich de hele week, en drinken zich dan op vrijdag een zodanig stuk in hun kraag dat ze op zaterdagochtend wakker worden met twee blauwe ogen, een verkeerslicht en minstens één persoon van het andere geslacht. (Ik wilde zeggen 'niet noodzakelijkerwijs van het andere geslacht', maar, in strijd met het tolerante imago van de Scandinaviërs, houden de IJslanders er zeer 'traditionele' opvattingen op na op het gebied van levenskeuzen als vegetarisme en homoseksualiteit.)

Dufferins ervaring duidt erop dat het drinkgelag in IJsland al meer dan een eeuw lang een levensstijl is. Waarom? De meningen zijn verdeeld in twee kampen:

(1) Keihard Werken/Keihard Ontspannen: de meeste IJslanders hebben twee banen; ik heb ergens gelezen dat Björk als tiener gelijktijdig in een visfabriek, een platenwinkel en een clandestiene nachtclub werkte. Deze theorie wordt ondersteund door het ongelooflijke aanbod aan uitgaansgelegenheden in Reykjavík: twee fulltime toneelgezelschappen, een operagebouw, een concertzaal, zes megabiosco-

pen, twee overdekte winkelcentra, een dozijn musea en galerieën, een half dozijn zwembaden.

(2) IJslanders Zijn Allemaal Gestoord: deze theorie wordt ondersteund door een enquête waaruit bleek dat 53 procent van de IJslanders in trollen gelooft.

Uiteindelijk kostte het me ruim een uur om de acht kilometer (inclusief stomme omweg) naar het huis van mijn schoonfamilie af te leggen. Hun grote woning in een buitenwijk vormde een geruststellend, maar niet bepaald heroïsch doel. 'We zijn op Thule geland!' heeft een zekere heroïek; dat kun je moeilijk zeggen van 'Ik ben naar Birna's ouderlijk huis gefietst!' De enige die thuis was, was Dilli, mijn gids, gangmaker en medisch verzorger tijdens het fietstraject van mijn expeditie. 'Alles goed?' mompelde hij toen hij de deur voor me opendeed. 'De reis, en zo?'

Dilli en ik schijnen altijd te converseren op de manier van verlegen tieners.

'Ja, nou ja, in het begin was het min of meer een nachtmerrie, maar later ging het wel wat beter. Kijk – ik heb wat bier meegebracht.'

De oorsprong van Dilli's naam ligt in een moedervlek op zijn buik – de eigenlijke betekenis is 'Vlekje', wat voldoende zou moeten zijn om iemand op te zadelen met een bovengemiddeld problematische puberteit, alsmede een gebrekkig gevoel van eigenwaarde en een chronisch onderpresteren in het latere beroepsleven. Zijn echte naam is Kristján, maar voor het geval hij het in zijn hoofd mocht halen met die naam aangesproken te willen worden, hebben wij onze oudste zoon ook zo genoemd.

Hoe dan ook, Vlekje was erin geslaagd die handicap te boven te komen. Hij had zojuist zijn studie medicijnen afgerond en stond op het punt als ziekenhuisarts te beginnen. Ik was hem bijzonder dankbaar voor zijn aanbod om me te vergezellen, me realiserend dat ik me in voortreffelijke handen zou bevinden indien, of liever gezegd *wanneer* mijn door het zadel geteisterde achterste zou openbarsten. We vormden een goed team: hij was dr. Fitz en Sigurður; ik was Wilson. Nu hadden we alleen nog maar een Dufferin nodig.

Niettegenstaande Dilli's niet aan twijfel onderhevige kwaliteiten op medisch gebied, geloof ik niet dat het al te beledigend is om te suggereren dat hij op praktisch gebied in de meeste andere opzichten net zo'n onbenul is als ik. Ik herinner me nog maar al te goed het boodschappenlijstje dat hij me ooit gegeven had toen hij en twee vrienden zich wilden voorzien van de nodige proviand voor het drie dagen durende Reading-festival. Op de tweede en derde plaats van het beknopte lijstje stonden vermeld 'gin' en 'chips'; de eerste en laatste plaats werden beide ingenomen door 'Fanta'.

Een even grote bron van bezorgdheid vormde onze gedeelde onwetendheid wat betreft de kunst van het fietsonderhoud. In de fietsenwinkel had ik uitstekende voorlichting gekregen over welke onderdelen het kwetsbaarst waren op de lavaweggetjes in het binnenland van IJsland, maar noch Dilli noch ik had ook maar enig idee wat we aan moesten met de grote rinkelende zak vol gereedschap die ze meegegeven hadden om de grote rinkelende zak vol reserveonderdelen te monteren. Dilli dacht dat de spakenspanner een draadtang was. Ik dacht dat de draadtang een flesopener was. We waren meer probleemmakers dan probleemoplossers.

Birna had onze expeditie al bestempeld als *Beavis en Butt-head Doen IJsland*, en door onze chaotische voorbereiding kreeg de hele onderneming een nog hoger Laurel & Hardy-gehalte. Plotseling zag ik het beeld voor ogen van twee mannen die IJsland niet per fiets doorkruisten, maar op zo'n met handkracht voortbewogen spoorweglorrie, slechts gekleed in houten tonnen die met touwen aan onze schouders hingen.

Op één dag, en vermoedelijk met een gigantische kater, was Dufferin erin geslaagd een stoet van achttien paarden te organiseren, elk beladen met 125 pond uitrusting en proviand: '... uiteindelijk was alles naar behoren verdeeld – geweren, buskruit, kogels, theeketels, rijst, tenten, bedden, gedroogde soep etc.' Om nog maar niet te spreken van het rondhollen door Reykjavík om afscheidsgeschenken uit te wisselen met de notabelen – een tekening van een dode soldaat in de Krim voor de Gouverneur ('Ach, dat had u nou *echt* niet hoeven doen'); een poolvos van de Franse Consul.

In hetzelfde tijdsbestek slaagden Dilli en ik erin om vijf pakjes gedroogde vruchten, twee repen chocola en een fietsbroek aan te schaffen. En de chocola aten we buiten de winkel al op.

En dus propten we om 20.30 uur, toen de stralende ochtendzon uiteraard allang had plaatsgemaakt voor een gestage druilerige motregen, alles lukraak in onze fietstassen en zetten ons slingerend in beweging, weg van de bewoonde wereld. Birna's ouders zwaaiden ons uit; de uitdrukking op hun gezichten een mengeling van bemoediging, medeleven en geamuseerdheid, ongeveer hetzelfde soort uitdrukking die je ziet op de gezichten van de toeschouwers als Eddie 'The Eagle' Edwards afzet boven aan de skischans. 'Geniet van de ontberingen!' riep mijn schoonvader Helgi ons na.

Van genieten was nog maar bar weinig sprake toen we om 00.30 uur in de regen – maar in elk geval niet in het donker – in Thingvellir arriveerden. Ik was vanaf de Dettifoss zonder bagage naar het huis van mijn schoonouders gefietst – mijn bagage werd later per auto opgehaald – en nu, met alle spullen bij ons, bleek al heel snel dat onze fietsen veel te zwaar beladen waren. Doordat ik op mijn glimmende Karrimor-fietstassen voor en achter ook nog eens respectievelijk een slaapzak en een tent had bevestigd, had ik het gevoel dat ik naar de markt fietste met een uit de kluiten gewassen big op het stuur en zijn prijswinnende vader op de bagagedrager. Er moest uiterst omzichtig gemanoeuvreerd worden – elke poging om het stuur meer dan pakweg twee graden te draaien had tot gevolg dat het zwaartepunt van de fiets zich verplaatste naar een punt ergens in Maleisië, waardoor je onherroepelijk met fiets en al onderuitging. Daarbij kwam ook aan het licht dat ik de fiets zonder hulp niet overeind kon krijgen.

Mijn concentratie werd bovendien verstoord door een knagend gevoel van twijfel, de overtuiging dat ik iets belangrijks vergeten was. Ten slotte realiseerde ik me wat het was: ik had helemaal niet getraind. Telkens wanneer ik naar de multifunctionele LCD-afstandsmeter op het stuur keek, werd ik geconfronteerd met beschuldigende cijfertjes die mijn gebrek aan fitness- en fietstraining schrijnend weerspiegelden. Terwijl we in de richting van de ringweg reden, gaf de meter aan 1.15 (uren); 20,2 (kilometers). Daarvan waren er acht afgelegd op weg van de Dettifoss naar het huis van mijn schoonouders. De rest was grotendeels op de meter gebracht door twee keer heen en terug naar Richmond te fietsen en naar Ealing te rijden om de huurauto op te halen.

Dat alles had tot gevolg dat er van Dilli's zorgvuldig geplande schema om het tempo geleidelijk aan op te voeren, niets terechtkwam en ik me na minder dan een uur al volkomen gebroken voelde. (Hijzelf, tien jaar jonger dan ik en aanzienlijk fitter, had in dit stadium nog geen centje last.) We hadden gepland om het reisdoel van onze eerste dag, Thingvellir, een afstand van nog geen vijftig kilometer, in misschien iets meer dan twee uur te bereiken; het was inmiddels duidelijk dat we er twee keer zo lang over zouden doen. (Het oorspronkelijke plan was geweest om de eerste avond ruim het dubbele van die afstand af te leggen – naar Geysir, waar Dufferin rechtsomkeert maakte – een tocht waar we uiteindelijk tweeënhalve dag over zouden doen.)

Maar wat er ook gebeurde, het kon alleen nog maar erger worden. Dilli moest op zondag terug zijn voor zijn eerste werkdag in het ziekenhuis; het was nu dinsdag, of in feite al bijna woensdag, en er was nog bijna 300 kilometer af te leggen. Geen van beiden waren we eerlijk of moedig genoeg om erop te wijzen dat de geplande route absoluut onhaalbaar was – het soort onbezonnen en desperate dwaasheid, bedacht ik nu, dat Scott en Oates noodlottig geworden was.

In plaats daarvan probeerde ik me te concentreren op de omgeving, wat niet meeviel in de hardnekkige, claustrofobische mist. In een poging de grilligheid van het klimaat te beschrijven, had de eerste stuurman me verteld: 'In IJsland hebben we geen weer, alleen maar weersomstandigheden.' 'Het regent niet echt,' riep Dilli in een vergeefse poging me een hart onder de riem te steken. 'We zijn alleen maar nat omdat we in een wolk zitten.'

Als gevolg daarvan zag ik helemaal niets meer – niet de majesteitelijke natuur zoals die door Dufferin uitgebreid beschreven was bij het naderen van Thingvellir, niet Dilli's snel verdwijnende achterwiel, zelfs niet de boer die uiterst behulpzaam probeerde de modder van de zijkant van mijn fietshelm te verwijderen met de achterwielen van zijn passerende tractor.

Misschien is dit het moment om uit te leggen dat het IJslandse rijgedrag beïnvloed wordt door allerlei verkeerswetenschappelijke studies die van overheidswege worden uitgevoerd. De langstlopende daarvan is een onderzoek naar de effecten van de middelpuntvliedende kracht op rotondes: chauffeurs die in staat zijn de uitzonderlijke gegevens aan te leveren met betrekking tot het met hoge snelheid naderen, oprijden, nemen, en weer verlaten van de rotonde mogen, als blijk van respect, het hendeltje van de richtingaanwijzer van hun stuurkolom verwijderen. Andere enthousiast geadopteerde experimenten betreffen diverse ontwerpen voor springschansen (bij ons beter bekend als verkeersdrempels) en een landelijk proefproject om de exacte hoek te bepalen waaronder een voertuig op het parkeerterrein van een supermarkt zoveel mogelijk nuttige ruimte in beslag kan nemen. Chauffeurs die bij al deze experimenten hoog scoren, strijden onderling om de allerhoogste eer – een kans om over IJslands ringweg te scheuren in een grote pick-up, en de speciaal voor dat doel verlengde zijspiegels te richten op de ellebogen van buitenlandse fietsers.

Birna's broer Aggi – dat klinkt als een harteloze bijnaam in de trant van Stinkerd of Bolle, maar in werkelijkheid een onschuldig verkleinwoord is van Agnar (dat Verwijfde Vetzak betekent) – is antropoloog, en zit nooit verlegen om een theorie met betrekking tot de eigenaardige karaktertrekken van een volk. Volgens zijn theorie is het IJslandse rijgedrag een uitdrukking van onafhankelijkheid. Na eeuwenlang onder het koloniale juk van eerst Noorwegen en daarna Denemarken gezucht te hebben, een traumatische ervaring voor zo'n trots volk, grijpen ze nu gretig elke gelegenheid aan om hun vrije wil te doen gelden. Richting aangeven houdt in dat je je onderwerpt aan een oekaze die voorschrijft dat je anderen laat weten wat je van plan bent. *Ik* weet waar ik heen ga, denkt de IJslandse chauffeur terwijl hij je snijdt, maar wat gaat *jou* dat aan, Stalin? Waarna je beiden in een fjord duikelt.

En zo gaat het eigenlijk met alles. Ik heb gezien hoe kleuters, met zonnehoedjes op, hun ineenkrimpende grootouders bestookten met geïmproviseerde vuurspuwende bazooka's; en het terugkeren naar eenmaal aangestoken vuurwerk is een uiterst populaire oudejaarsavondtraditie.

Maar afgezien daarvan is de speciale antipathie tegen fietsen gedeeltelijk te wijten aan het feit dat de meeste berijders Duitsers zijn. Dat mag eigenlijk niet voldoende reden zijn om hen zo in het verdomhoekje te plaatsen, maar in IJsland is het een gemeenplaats – en ik heb maar weinig aanwijzingen voor het tegendeel gezien – dat Duitse toeristen hun vakantie serieus nemen. Naar IJsland gaan betekent een survivaltocht in de wildernis waarbij je geheel op jezelf aangewezen bent, en dus brengen ze al hun eigen voedsel, kleding, toiletpapier, enzovoorts mee. Terreinwagens brengen zelfs hun eigen benzine mee, in op het dak vastgesjorde jerrycans. Het komt erop neer dat ze nauwelijks een bijdrage leveren aan de nationale economie, wat de oorzaak is van een diepgewortelde nationale wrok.

De eerste stuurman aan boord van de Dettifoss had me een verhaal verteld over een paar Duitse kampeerders die een van zijn vrienden, een boer, gevraagd hadden of ze hun schoenen in een schuurtje te drogen mochten leggen. Hij vond het goed, maar toen hij terugkwam hadden ze ook hun vochtige slaapzakken opgehangen. Waar het me om gaat is niet het verhaal zelf – dat was zo onschuldig dat ik bleef wachten op de clou, dat ze in de melkbussen hadden gepoept of de stier hadden gecastreerd met een houten haringhamer of iets dergelijks – maar de felheid waarmee de gewoonlijk zo gemoedelijke eerste stuurman het vertelde. Bij het uitspreken van de woorden 'natte slaapzakken' vertrok zijn gezicht tot de boosaardige grimas die Mexicaanse bandieten meestal produceren vlak voordat ze op de vloer van de cantina spuwen.

Aangezien het een IJslandse zomer was, klaarde het weer iets op naarmate de avond verstreek. Af en toe zag ik door de dunner wordende regenwolken het vage silhouet van een boer die vee bijeendreef, spelende kinderen, wegwerkers die een stuk weg aan het asfalteren waren. Geen van deze activiteiten kwam me als vreemd voor, totdat ik per ongeluk mijn multifunctionele afstandsmeter indrukte bij een poging om een schaap te vermijden, en de tijd op het schermpje verscheen: 23.02.

Het permanente daglicht van een IJslandse zomer doet vreemde dingen met een mens. Gedurende mijn drie voorgaande bezoeken in de zomer bleef ik meestal tot drie uur 's ochtends op en had voldoende aan vijf uur slaap. In de winter daarentegen, wanneer er alleen tussen ruwweg elf uur 's ochtends en twee uur 's middags sprake is van enig daglicht, terwijl het de overige 21 uur aardedonker is, houd ik in wezen een winterslaap: om tien uur naar bed om dertien uur later, nog steeds moe, weer wakker te worden. Maar het was een vreemd idee dat zelfs de plaatselijke bevolking kennelijk hetzelfde deed.

Deze belachelijke situatie heeft ook zijn voordelen. Tijdens mijn tocht kon ik – of liever gezegd moest ik, gezien mijn onvermogen om vóór twaalf uur 's middags op gang te komen – de gebruikelijke reistijden negeren; ik kon pas 's middags vertrekken om 's ochtends om één uur aan te komen. Met de vierentwintig uur die een etmaal duurde, kon naar eigen goeddunken geschoven worden. Dat had ik ook al ervaren aan boord van de Dettifoss – de bemanningsleden die elkaar aflosten op de brug werden geacht op welk tijdstip dan ook een paar uur onder zeil te gaan, wat de verklaring zou kunnen zijn voor het feit dat ze het kennelijk heel gewoon vonden om midden in de nacht mijn hut binnen te stormen om te zeggen dat ik moest komen kijken naar een of ander bijzonder knoestig stuk drijfhout dat ze door hun verrekijker hadden gezien.

Maar ik raakte nooit echt gewend aan dat onsamenhangende patroon. Tijdens de nachten die we in de tent doorbrachten, werd ik meerdere malen wakker in het constante licht, en probeerde me dan opnieuw te oriënteren door op mijn horloge te kijken. 'O, niets aan de hand, 04.10.' 'O, niets aan de hand, 04.20.' 'O, niets... o. Het is lunchtijd.'

Het liep tegen middernacht. Ik begon achterop te raken. Bij de zeldzame gelegenheden dat ik dicht genoeg bij Dilli in de buurt bleef om vrijwel buiten adem verbaal contact te kunnen onderhouden (en mijn gezicht te laten besproeien door de van zijn achterwiel afkomstige modderspatten), bedachten we ter versterking van het moreel een spelletje waarbij we gebruikmaakten van de weinige voorwerpen die in onze wolk zichtbaar waren. Zoals de meeste mensen wel ervaren zullen hebben, is het onmogelijk om langzaam een kudde koeien of schapen te passeren zonder uiteindelijk te bezwijken voor de onweerstaanbare aandrang de dieren te vergasten op een stupide Old Macdonald-interpretatie van het voor die diersoort typerende geluid. Zo gezegd, zo gedaan, maar nadat één keer luid blaten een totale schapenpaniek teweeg had gebracht, drongen zich plotseling opwindende mogelijkheden aan ons op. We maakten ons niet druk om de kwaliteit van de nagebootste dierengeluiden, maar probeerden elkaar nu de loef af te steken door zoveel mogelijk dieren met een schreeuw de stuipen op het lijf te jagen. Eén punt voor een enkel schaap dat zich, niet onder de indruk, omdraaide en op zijn gemak in de nevel verdween; tien punten voor een meerdere soorten omvattende massale aftocht.

Toen onze toch al overbelaste longen dit tijdverdrijf begonnen te boycotten, begonnen we regelmatige pauzes in te lassen 'om onze voortgang te evalueren'. We spraken af dat we dat om de tien kilometer zouden doen, dat wil zeggen om de acht kilometer, en daarna om de zes kilometer. Ik begon nu ernstig verzwakt te raken, een toestand die zich aankondigde doordat mijn onderbewuste Stugeron-flashbacks van grote borden vette frites begon te produceren.

Toen Dilli me mededeelde dat we, na bijna drie uur, de Vlakte van Thingvellir naderden, vermoedde ik vaag dat dit ongeveer de plek moest zijn waar Dufferin gedurende enige tijd de helft van zijn gezelschap was kwijtgeraakt.

Ze waren om twaalf uur 's middags uit Reykjavík vertrokken, terwijl de thermometer een onwaarschijnlijk tropische temperatuur van 27 ° C aangaf. Het plan was om naar Geysir te rijden en daarna terug te keren, twee dagen heen en twee dagen terug, alvorens nieuwe proviand in te slaan en door het binnenland op weg te gaan naar de noordkust, waar de Foam op hen zou wachten. Daarom bleef het grootste deel van de bemanning in Reykjavík aan boord; zij zouden uitvaren zodra Dufferin uit Geysir vertrok.

De stoet klepperde behoedzaam door de met hout geplaveide straten. Dufferin constateerde tot zijn verbazing dat de in de stad geboren en getogen bemanningsleden die hem op deze tocht zouden vergezellen, nauwelijks rijervaring hadden. Wilson deelde zijn heer op sombere toon mede dat de kok, die nog nooit gereden had, zo verstijfd van angst op zijn paard zat dat 'ik ernstig vrees dat hij de rit niet zal overleven.'

Maar ondanks die dramatische voorspelling is het niet de kok die de achterhoede vormt van de achttien man sterke groep. De nacht daarvoor had Wilson, dronken neem ik aan, aan dek boven op een kippenhok geslapen en was wakker geworden met een stijve nek, zijn gezicht 'onbeweeglijk gefixeerd boven zijn linkerschouder'. Nu, een eind achter de rest aan rijdend, 'ten prooi aan een diepe melancholie', droeg hij ter bescherming, veronderstel ik, een 'enorme helm van robbenvel, een zeemansbroek, een felrode trui en met kattenbont afgezette kaplaarzen'. O, wat een hopeloze hanswort, giechelen we allemaal. Maar dan: 'Hij sjokte voort in zijn gebruikelijke gemoedstoestand van chronische neerslachtigheid, met mijn geweer op zijn rug en een paar telescopen over zijn schouder.'

Tot op dat moment had ik slechts medelijden gevoeld voor Dufferin, die zich alle mogelijke moeite moest getroosten om er bij zijn dikwijls gedemoraliseerde bemanning de moed in te houden in weerwil van de sombere voorspellingen van zijn bediende. Maar nu, voor het eerst, begon ik vraagtekens te plaatsen bij Dufferins voortdurende leedvermaak ten koste van Wilson. De arme kerel zit min of meer achterstevoren op een paard omdat hij zijn nek niet meer kan bewegen, en dan laat je hem je geweer en 'een paar telescopen' dragen. Oké, je besluit dat je beslist een lading telescopen mee moet nemen, en oké, jij bent de baas, laat ze desnoods meeslepen door je half invalide bediende. Maar ga hem dan vervolgens niet belachelijk lopen maken omdat hij er zo stom uitziet met al die spullen om zijn nek.

Ik nam aan dat Dufferins befaamde paternalisme inhield dat hij zijn personeel, ondanks het feit dat hij er de draak mee stak, bovengemiddeld betaalde, maar te oordelen naar Wilsons Spartaanse voorkomen op de ets die Dufferin van hem gemaakt had, zou dat misschien een schrale troost zijn geweest. Ik zou me heel goed kunnen voorstellen dat Wilson, in elk geval qua naam van Schotse afkomst, mijn zuinige levensstijl deelde. Het kostte me moeite om te bedenken waaraan hij het geld dat Dufferin hem betaalde, zou moeten besteden, hoewel het voorval met het kippenhok me deed vermoeden dat port en grog wel eens grote uitgavenposten zouden kunnen zijn. De pafferige, stugge man die op pagina 34 van *High Latitudes* uitdrukkingloos in de verte staarde, zag eruit als iemand die de fles maar moeilijk kon laten staan; hij had het gezicht van een kroegloper. Maar Dufferins incidentele plagerijen konden er niet de enige oorzaak van zijn dat hem elke vorm van opgewektheid en levenslust ontbrak. De meeste groeven in dat gezicht waren oud en diep, en terwijl ik me datzelfde gezicht weer voor de geest haalde, wist ik plotseling alles over de geschiedenis van William Wilson voor hij bij Dufferin in dienst getreden was. De waarheid, zo besloot ik nu, was een tragedie van geknakte ambities en versmade liefde, van zware klappen en druppels die de emmer deden overlopen.

1815: Geboren in Chiswick. Zijn vader, een tuinman, tempert Wilsons jeugdige uitbundigheid met een dagelijks herhaalde spreuk. 'De zware regens komen en vernietigen de jonge knoppen,' sist hij elke avond, 'en dan komt de zon die de bladeren doet verdorren. Vrees de regen, mijn jongen, en vrees ook de zon.' 'En zoek uitsluitend vertroosting in de drank,' mompelt zijn invalide moeder, een voormalige voedster.

1826: William komt in aanmerking voor een beurs voor de Middlesex County School. Terwijl hij vrolijk naar huis holt, componeert hij een gedicht waarin hij zijn ouders het heuglijke nieuws zal mededelen, maar als hij bij de regel 'leerling van de wijze Minerva' is aangekomen, verslikt zijn moeder zich in een slok gin en stikt in haar eigen slijm. Zijn vader meldt hem onmiddellijk aan als tuinmanshulpje op Chiswick House.

1832: William, een geboren hovenier, creëert een hybride tulp van verbazingwekkende schoonheid, waarvoor hij door zijn vader beloond wordt met een fikse aframmeling vanwege het 'zich bemoeien met Gods werk'. Pas wanneer hij hopeloos verliefd wordt op de vrouw die de scepter zwaait over de keukens van zijn meester, doet hij de gelofte om zijn ontdekking openbaar te maken, waarna hij op een stuk grond zijn nieuwe bollen plant in een patroon dat bij het uitkomen de mededeling 'I WORSHIP THE DUKE'S COOK' zal vormen. Maar twee van de bollen in de voorlaatste letter komen niet uit, waardoor de O een C wordt. Er volgt een onderzoek: William emigreert naar de Kaap.

1840: Wilson, die zich inmiddels een heldenstatus verworven heeft onder de stammen van de open vlakte nadat hij hun geleerd heeft zich met landbouw in leven te houden, waardoor er een einde is gekomen aan hongersnood en lijden die hun levens al generaties lang beheersen, gaat er een tijdje tussenuit. Na twee jaar komt hij weer boven water met een ontwerp voor een revolutionaire machtsverdelingsconstructie waarin volgens zijn in het diepste geheim ingewonnen informatie zowel Boeren, Britten als Zoeloes zich zullen kunnen vinden. De meest vooraanstaande intellectuelen van de Kaap komen samen op zijn modelboerderij bij Durban voor de eerste openbare voorlezing van zijn proeve van een grondwet, maar terwijl hij zijn keel schraapt komt er een horde krijsende inboorlingen aanstormen door de boomgaard. Hun uitgelaten enthousiasme wordt verkeerd geïnterpreteerd, nieuwe en oude raciale wonden worden weer opengereten en de in zijn kinderschoenen staande natie wordt ondergedompeld in anderhalve eeuw van oorlog en onderdrukking. Wilson wordt schuldig bevonden aan opruiing en naar Australië gedeporteerd, en zijn ongelezen grondwet wordt publiekelijk verbrand.

1848: Gedurende de vijf jaar dat Wilson werkzaam is als steward op een pakketboot, wordt zijn baanbrekende handboek op het gebied van schaakopeningen opgegeten door een albatros. Zijn prototype van een verbrandingsmotor, dat aan dek gestouwd was, smelt door de inslag van een bolbliksem, en een geheimzinnige passagier met een geitensikje maakt zich uit de voeten met Wilsons manuscript van *David Copperfield*. Ondanks al deze tegenslagen vindt Wilson opnieuw het geluk met een ziekelijke weduwe die eersteklas reist. Zij stelt voor onmiddellijk te trouwen; de kapitein voltrekt de huwelijksceremonie. In een uitgelaten stemming, teweeggebracht door de liefde en de champagne, daagt zijn nieuwe echtgenote hem die avond uit voor een wedstrijdje hardlopen langs de railing van het bovendek. Hij probeert haar tegen te houden; ze glijdt uit en de kapitein verschijnt net op het moment dat ze overboord valt en in de golven verdwijnt. Een vertwijfelde Wilson probeert de situatie uit te leggen, maar zodra de omvang van haar vermogen aan het licht komt, wordt hij onder arrest geplaatst en in zijn hut opgesloten. Als het schip afmeert in Perth, is de hut leeg en staat de patrijspoort open. Men gaat ervan uit dat Wilson de eer aan zichzelf heeft gehouden.

1851: Na twee jaar lang van de aardbodem verdwenen te zijn geweest, wordt een vervuilde en beschonken Wilson kotsend in een goot achter het Hogerhuis aangetroffen door Lord Dufferin, die met zijn kenmerkende filantropische instelling aanbiedt hem te helpen. Binnen een halfuur biedt hij Wilson een betrekking aan. 'Dank u wel, meneer,' zegt hij steunend, 'maar zou u me één ding willen beloven?' Dufferin glimlacht minzaam. 'Zou u me willen beloven dat ik nooit van mijn leven meer op een schip hoef te werken?'

Maar het valt niet mee om sympathie te blijven voelen voor een figuur als Wilson. Toen Dufferin, Fitz, Sigurður en Wilson zich afscheidden van de anderen en die anderen vervolgens niet kwamen opdagen op de afgesproken ontmoetingsplaats waar ze hun kamp zouden opslaan, was het Wilson die de gretige hypothese opperde dat de kok, zoals hij al voorspeld had, het niet overleefd had – het oponthoud zou veroorzaakt zijn doordat zijn collega's halt moesten houden om hem langs de kant van de weg te begraven. Met het nat-

te, glimmende wegdek dansend voor mijn ogen, vond ik het een tamelijk verontrustende parallel.

Enige tijd later, ik zou echt niet kunnen zeggen hoe lang precies,
bereikten we de oever van het Thingvellirmeer, dat me in mijn om
calorieën schreeuwende, door kramp geteisterde toestand voorkwam
als de zee, compleet met eilandjes voor de kust en rotsige kliffen.
Gedurende korte tijd was ik er heilig van overtuigd dat Dilli een ongelooflijk stomme navigatiefout had gemaakt, tot hij me met rede en
gedroogde abrikozen weer langzaam bij mijn positieven bracht. De
47,3 kilometer hadden me bijna kapotgemaakt, en ik probeerde uit
alle macht het ontmoedigende besef te verdringen dat er hierna vrijwel geen fatsoenlijke wegen meer zouden zijn, en dat we spoedig een
gemiddelde afstand van bijna honderd kilometer per dag zouden
moeten afleggen naar de volgende stopplaats of anders dood zouden
vriezen in een ijswoestenij. Dat zou twaalf uur fietsen per dag betekenen. Op die eerste dag hadden we de fietsen tegen heuvels op geduwd als de snelheidsmeter nog slechts negen kilometer per uur aangaf. De volgende dag zouden we van geluk mogen spreken als we zes
kilometer per uur op het vlakke deel van de route haalden.

Twee sukkels die in de regen een tent opzetten: niet bepaald een
garantie voor een snelle en geruisloze procedure. Het licht deed ons
vergeten dat het één uur 's ochtends was, totdat onsamenhangende,
protesterende geluiden van die strekking uit een naburige tent ons
eraan herinnerden dat er onder al die keurige nylontentjes om ons
heen mensen, althans kampeerders, schuilgingen. De protesten namen in aantal toe toen het me in ons piepkleine, doorzakkende koe-
peltentje niet lukte om me in gepaste stilte uit mijn kleren te wur-
men.

Aanvankelijk had ik me zorgen gemaakt dat mijn één geheel vormende Karrimor-fietsonderkleding – een soort bodystocking van
zwart nauwsluitend lycra – de indruk zou kunnen wekken dat ik
wist waarmee ik bezig was. Terwijl ik op de grond liggend probeerde
het kledingstuk tot onder mijn bekken af te stropen, realiseerde ik
me dat dit ook wel klopte, maar alleen als ik me in een strandhokje
had bevonden met een gelijkgestemde groep sadomasochistische
Edwardiaanse badgasten. Sanitaire stops langs de kant van de weg
zouden gedenkwaardige gebeurtenissen worden – of ik me nu in een

drukke winkelstraat of in een arctische woestenij bevond, de enige manier om een bepaalde mate van hygiëne te garanderen, was door me vrijwel geheel te ontkleden.

Deze situatie droeg ook bij aan mijn besluit om het douchen nog maar even uit te stellen, een besluit dat vergemakkelijkt werd door de ontdekking dat er geen douches waren. Er was zelfs geen warm water, wat verbazingwekkend is gezien het feit dat dit in IJsland in principe gratis is. De geologische jeugd van het land houdt in dat er zich vlak onder het aardoppervlak een overvloed aan hete geothermische bronnen bevindt. Het water, bijna op kooktemperatuur, wordt via pijpleidingen door Reykjavík rondgepompt, zodat alle huizen over warm stromend water beschikken. Vaak lopen de leidingen onder de oprijlaan door om 's winters het ijs te doen smelten. Een van de gemeentelijke zwembaden verbruikt 1,3 miljard liter per dag.

Maar het moet wel gezegd worden dat dit water een kenmerkende geur heeft, die je kunt omschrijven als puur natuurlijk en stimulerend als je voor de IJslandse VVV werkt, of als afschuwelijk naar rotte eieren stinkend als dat niet het geval is.

Als je voor het eerst een IJslandse douche neemt, slaat de schrik je om het hart; je denkt aanvankelijk dat het rioolwater naar boven gekomen is en het duurt even voor je eraan gewend bent te baden in een vloeistof waarvan je sieraden zwart uitslaan. Aan de andere kant, bedacht ik terwijl ik uitgeput op mijn slaapzak neerplofte, betekent het ook dat je ongestraft scheten kunt laten tijdens de afwas.

Klam, naar zweet riekend en aanmerkelijk vroeger dan we gehoopt hadden, werden we gewekt door een klap op de ingezakte luifel van onze tent. De campingbeheerder kwam zijn geld ophalen, waarbij hij Dilli tegen zich in het harnas joeg door ervan uit te gaan dat we Duitsers waren, en mij door ervan uit te gaan dat we op huwelijksreis waren. Het weer was nog steeds tamelijk beroerd, maar de wolken bevonden zich nu in elk geval bóven ons, zodat ik eindelijk kon genieten van het overweldigende natuurschoon waarvan Dufferin zo onder de indruk was geweest. 'Ik kon nauwelijks een woord uitbrengen van opgetogenheid en verbazing; Fitz was al evenzeer onder de indruk, en wat Wilson betreft, die zag eruit alsof hij dacht dat we het uiteinde van de wereld hadden bereikt.'

Vlak achter ons kampeerterrein bevond zich de angstaanjagende Almannagjá, de 'allemanskloof', een woeste, rafelige, kilometers lange scheur in het lavaveld, die als een geluidloze schreeuw de vlakte doorsnijdt. Terwijl we ons voorzichtig een weg baanden tussen de kleinere scheurtjes in de grond die overgingen in een ondoordringbare duisternis, stortten we bijna in de vrijwel loodrechte vijftig meter diepe kloof. Zelfs op drie meter afstand zie je hem niet, zo naadloos is de aansluiting met de bodem aan de overkant van de kloof, die zich soms op zes, soms op dertig meter afstand bevindt. Hier bevond zich de navel van het land, de tektonische wonde die het Europese IJsland scheidde van het Amerikaanse IJsland.

De scherpe, nog vers uitziende rafelranden wekken de indruk dat de onvoorstelbare oerkrachten die het land uit elkaar hadden doen scheuren, nog slechts een paar jaar geleden hun werk hadden gedaan. (In feite was de hele vlakte zo'n zeventig jaar voor Dufferins bezoek door een enorme aardbeving een meter gezakt.) Deze illusie wordt deels veroorzaakt door het feit dat de wind en het klimaat de verzachtende effecten van plantengroei tenietdoen, en deels door het feit dat het landschap nog zo jong is – op een geologische tijdschaal bestond IJsland vanochtend nog niet eens.

De zintuigen werden nog eens extra gescherpt door het volledig ontbreken van waarschuwingsborden. In IJsland wordt een gezond respect voor de geologische en klimatologische uitersten van het land als vanzelfsprekend beschouwd. Als men zou proberen elk gevaar van een waarschuwingsbord te voorzien, zou het land failliet gaan. 'Gevaar – reusachtig verborgen gat in de grond', 'Waarschuwing – voorlopig geen winkels of benzinestations of levende wezens meer – en o ja, u bent zojuist in een geiser gevallen'. Daar gaat het in IJsland nou precies om – de confrontatie met de elementen, en daaruit volgend het besef van de nietigheid van de mens. Als je op het Engelse platteland niet uitkijkt waar je loopt, trap je in een koeienvlaai; hier verdwijn je in een gletsjerspleet. Als je op het Engelse platteland verdwaalt, arriveer je te laat in de pub voor de laatste bestelling; hier vries je dood op een onbekende berg en knagen de trollen duizend jaar lang aan je gebleekte gebeente totdat een aardbeving je een fatsoenlijke begrafenis bezorgt.

Bij het aanschouwen van de Almannagjá stond Dufferin bij wijze

THINGVELLIR.

High Latitudes

van uitzondering sprakeloos, hij kon er althans geen woorden voor vinden. Geheel in overeenstemming met de typisch Victoriaanse neiging om uit te leggen en te beschrijven, neemt hij zijn toevlucht tot een serie schetsen, voorzien van toevoegingen als 'toen de kern of het merg van de lava nog in vloeibare toestand verkeerde'. Het geheel deed nog het meest denken aan een werkstuk van een middelbare-schoolleerling.

Naar mijn mening kun je de betekenis die Thingvellir voor de IJslanders heeft slechts werkelijk begrijpen als je bereid bent het mysterie te aanvaarden rond de onvoorstelbaar woeste krachten die het hebben gecreëerd. In het jaar 930 kozen de eerste vikingkolonisten deze adembenemende plek als zetel voor hun wetgevende vergadering, de Althing, waarvan IJslanders je zullen vertellen dat het het oudste democratisch gekozen parlement ter wereld is. Als je een IJslander werkelijk wilt irriteren, moet je hem vragen of het niet zo is dat vanwege een korte onderbreking, toen de regerende Denen het IJslandse parlement naar huis stuurden, de Tynwald van het eiland Man in feite het oudste *onafgebroken functionerende* democratisch gekozen lichaam is. Je zou misschien ook kunnen informeren naar de gruwelijke bloedbaden waardoor de levendige debatten regelmatig werden onderbroken, of naar de Poel des Doods, een dichtbijgelegen waterval waar ontrouwe echtgenotes naar beneden werden geworpen. Maar hoe het ook zij, het belangrijkste punt is dat het IJslandse woord voor parlement '*thing*' is, verreweg de best denkbare naam. En in Noorwegen heet het parlement de Storting – het Grote Ding. Zou dat ook niet iets voor Engeland zijn? The Houses of Big Thing. Member of Big Thing. Ik vind dat we het maar eens moesten proberen.

Terwijl de regen inmiddels met bakken uit de hemel viel, propten we onze drijfnatte tent en groeiende voorraad niet meer droog te krijgen kledingstukken in vuilniszakken en gingen op weg om in de nabijgelegen winkel annex cafetaria te ontbijten. Voor het eerst geconfronteerd met de schrikbarende prijzen van IJslandse levensmiddelen – twee pond voor een pakje biscuit – slaagden we erin zo deerniswekkend verpauperd over te komen ('Hoeveel kost dit stuk chocola? O. En dat stuk? Kunnen we misschien nog wat koffie krijgen zonder eh, er apart voor te hoeven betalen?') dat ze twintig kronen van de rekening aftrokken. Nog steeds hongerig zetten we koers richting Laugarvatn en onze eerste echte test: een inleiding tot de genoegens van het fietsen over een modderig lavapad vol groeven en gaten.

De meesten van ons zullen zich ervan bewust zijn dat wind en heuvels voor een fietser lelijke woorden zijn, maar gedurende de volgende drie uur voegden Dilli en ik daar een ontzaglijke verscheidenheid aan meer traditionele vloeken en scheldwoorden aan toe. Veertig minuten zwoegen tegen een of andere meedogenloze helling op werd beloond met een steile afdaling vol haarspeldbochten, waarbij je voortdurend af moest remmen en dientengevolge steeds weg dreigde te slippen op de gladde ondergrond. Als je ook maar een heel klein puimsteenkiezeltje raakte, maakte de fiets een zwieper alsof je zojuist over een nat stuk zeep was gereden; telkens als ik er op de een of andere manier in slaagde een grotere kiezel te ontwijken, voelde ik als het ware Odins ijzige omhelzing.

Ik kon maar moeilijk wennen aan het regelmatige, verontrustende geluid waarmee steentjes tegen het frame sloegen (en, minder hoorbaar, tegen mijn kuiten en in mijn gezicht). Het klonk aldoor alsof een of ander essentieel fietsonderdeel het begaf, en meestal klopte dat ook wel. De bouten van de bagagedrager boven mijn voorwiel waren losgetrild, wat leidde tot een spannend 'airbag'-moment waarbij de vuilniszak met natte bagage die erop rustte, een rol speelde. Na een niet thuis te brengen maar uiterst verontrustend zwiepend geluid, alsof er een olietanker losbrak van zijn stalen meertrossen, begonnen mijn achterremblokjes plotseling tegen de velg aan te lopen, een demoraliserende verspilling van energie waarvan ik in mijn onbenul geen flauw idee had hoe dat te verhelpen. Vervolgens begaf een of ander essentieel onderdeeltje van de derailleur het, waardoor ik geen gebruik meer kon maken van wat de man in de winkel neerbuigend het 'ouwewijvenblad' had genoemd – de lichtste versnelling, die hoogstens gebruikt zou worden door een invalide die van plan was om tegen de gevel van een hoog gebouw op te fietsen, zei hij. Man in de winkel, je bent een slecht mens.

Dilli, die later nog het nodige te stellen zou krijgen met een dolende slaapzak, had minder last van mechanische narigheid, maar desondanks was ik vastbesloten om hem niet van me te laten wegrijden, zoals hij de vorige dag zo dikwijls had gedaan. Om een of andere reden die me nog steeds niet duidelijk is, heb ik de laatste jaren een zekere fascinatie voor de Tour de France ontwikkeld, en met behulp van het daarin gebruikelijke jargon pepte ik mezelf op: Dilli was de jonge veelbelovende coureur die aan het peloton ontsnapt was; ik was de 'controleur' die namens mijn rivaliserende ploeg meegestuurd was om hem uit te putten door alleen maar in zijn wiel te blijven zitten. Ik mocht dan al een dagje ouder worden en iets te zwaar zijn, maar evengoed was ik altijd nog een prof die wist dat het ploegbelang vóór alles ging. Ik bleef hardnekkig aan zijn achterwiel hangen, ondanks het ontzettend zware parcours en zijn moordende tempo.

Bijkomend voordeel van deze fantasie was dat ik hem zonder gewetenswroeging de meeste wind, regen en insecten kon laten opvangen, en dat ik zijn urine kon testen op de aanwezigheid van verboden stimulerende middelen.

Toen we in Laugarvatn arriveerden, inmiddels zo doorweekt dat mijn handschoenen, ondanks mijn verwoede pogingen om me achter Dilli te verschuilen, twee keer zo zwaar waren geworden, overwogen we onze opties. De camping van Geysir bevond zich op een of andere desolate vlakte dertig kilometer verderop. Het zomerhuisje van de familie, met zijn douche en bedden en elektriciteit, gelegen in een enclave van soortgelijke optrekjes met een winkel, een zwembad en een bar op het terrein, was slechts half zover weg. Dilli's knieën begonnen hoorbaar te klikken, en voegden zo een achtergrondritme toe aan mijn symfonie van onsamenhangend gevloek en dierlijk gekreun. Ik zou graag hebben gezegd dat het een moeilijke beslissing was.

Druiste het in tegen het ethos van mijn reis? Was het vals spelen? In sommige opzichten wel, en ook in alle andere opzichten. Maar Dufferin was ermee begonnen. Hij had bedienden en dragers en achttien paarden. Het enige wat ik op hem vóór had, waren goretex-kleding en een middeltje in vier verfrissende vruchtensmaken tegen het ongerief van winderigheid.

En bovendien was het zomerhuisje gebouwd in het noorden en omdat het te breed was om over IJslands ringweg te mogen worden vervoerd, was het per oplegger getransporteerd via de beruchte

Kjölurpas die onze ultieme uitdaging zou zijn. En dus... moesten we er slapen... om te zien wat voor soort huis over die pas... ach, je begrijpt het wel.

We toastten op onze tekortkomingen met hotdogs – *pylsur* – die we kochten in het winkeltje van het benzinestation. Scandinaviërs zouden je er waarschijnlijk maar al te graag van willen overtuigen dat hun nationale gerechten smorgasbordachtige zeedelicatessen zijn met fantasierijke garneringen. Maar in vrijwel alle winkels die je binnengaat – en het hoeven niet eens levensmiddelenwinkels te zijn, maar bijvoorbeeld kranten- en tijdschriftenwinkels en kruidenierswinkels – zie je op de toonbank een geribbeld stalen apparaat dat eruitziet als een soort toastrekje, en achter de toonbank een bonte verzameling op borsthoogte geplaatste vijftienlitercontainers waaronder een soort condoomachtige doseeruiers uitsteken, als infusen voor zieke buitenaardse wezens. Dat zijn respectievelijk de tijdelijke behuizing voor opgewarmde *pylsur* die wachten op klanten, en de sauscontainers met behulp waarvan ze op smaak worden gebracht. Voor niet veel meer dan een pond per stuk – en halleluja, soms nog minder – zouden *pylsur* een hoofdschotel voor me worden in landen waar een brood zoiets als £2.50 kost. Later zou ik erachter komen dat de Noren graag zuurkool op hun *pylsur* hebben; de Denen willen hun worstjes het liefst felrood. Het IJslandse model is een betrekkelijk sobere variant: rauwe ui, gebakken ui, ketchup, mosterd en remoulade.

Remoulade, voor diegenen die het verschijnsel niet kennen, is een wonderbaarlijke mayonaise-achtige saus die per gram meer verzadigde vetzuren bevat dan enig andere aan de mensheid bekende substantie. We hadden er graag wat van meegenomen als het ideale kettingsmeermiddel annex calorierijk energiedrankje, maar het spul was niet vloeibaar genoeg voor onze bidons en bovendien zou ons gezichtsvermogen beperkt worden als de door het spul veroorzaakte overmatige talgafscheiding vrijelijk van onze bezwete voorhoofden in onze ogen zou druipen.

Terwijl ik luidruchtig de eerste *pylsur* verorberde van de ongeveer honderd die er de komende negen weken nog zouden volgen, kon zelfs de aanblik van een negenjarig jongetje dat met zijn blote handen tientallen vliegen platdrukte tegen de etalageruit, waarna hij zijn met zwarte krenten bespikkelde handpalmen aan zijn goedkeurend knikkende ouders liet zien, mijn plotselinge opgewektheid niet temperen. En dat was maar goed ook, zo bleek al spoedig, want de volgende vijftien kilometer tot aan het zomerhuisje waren de zwaarste waarmee we geconfronteerd zouden worden. Er werden voorbereidingen getroffen om de weg te asfalteren, wat om een of andere reden inhield dat reusachtige tankwagens een dunne modderoplossing uitstortten op een ondergrond die bestond uit keien van schedelformaat.

De mogelijkheden om te genieten van het landschap werden nog altijd beperkt door de nevel. Ik wist van eerdere bezoeken aan het zomerhuisje dat de vergezichten rond Laugarvatn majestueus waren – de zilverbesneeuwde achterkant van de nog altijd actieve Hekla in de verte, de volmaakte Fuji-achtige kegel van Skjaldbreiður, de diepe kloof van Bruaráskört. Dat alles was onzichtbaar, en mijn uitzicht bleef beperkt tot de smoezelige lagere gedeelten van de omringende heuvels – zwarte rots met hier en daar een onregelmatige baan van niet gesmolten sneeuw, als de flanken van een orka – en de diepe kloof in Dilli's strakke fietsbroek.

Ik heb me er altijd al over verbaasd hoe voetballers zichzelf in de gewenste conditie brengen om exact negentig minuten rond te kunnen hollen. Als er ook maar tien minuten blessuretijd bij komt, storten ze met hevige krampaanvallen ter aarde en moeten elkaars tenen achterover duwen. En dus was het prettig om te merken dat ik er, met heel wat minder conditietraining, vanaf de eerste dag op een of andere manier in slaagde mijn beperkte fysieke krachten zodanig te verdelen dat ik er precies het einde van ons dagtraject mee haalde. Elke avond kon ik letterlijk geen meter verder meer fietsen. Zodoende had ik, toen we op het terrein waar het zomerhuisje zich bevond een verkeerde afslag namen waardoor we 200 meter terug moesten fietsen, alleen nog maar energie om Dilli een hartgrondige vloek na te roepen voordat ik me bijna letterlijk uit het zadel liet storten en mijn zwaarbeladen fiets verder wankelend over het oranje modderpad voortduwde.

Maar toen we eindelijk bij het huisje arriveerden, huilde ik bijna van opluchting. Het klinkt nu pathetisch, en zelfs toen klonk het niet bepaald heldhaftig, maar de weinig indrukwekkende statistische

gegevens van onze tocht tot op heden – tien uur in het zadel, verdeeld over twee dagen, en 96 kilometer afgelegd, ongeveer dezelfde
afstand die dronken studenten in nachtjaponnen achteruitfietsend
op tandems afleggen tussen Londen en Brighton tijdens het jaarlijkse liefdadigheidsevenement – vielen niet te rijmen met de bijna hal-
lucinerende vermoeidheid en hevige pijnscheuten die ik eraan over
had gehouden.

Afgezien van de gebruikelijke pijn in kuiten en knieën, deden de
gewaarwordingen in mijn rug en schouders vermoeden dat ik in mijn
verstrooidheid onder dat stomme tricot van me een tractorchassis
gedragen had. Mijn achterwerk deed zeer – natuurlijk deed mijn achterwerk zeer. Maar in feite was de verwachte zadelpijn zo constant
geweest dat ik in staat was geweest die te sublimeren en mijn geest
bezig te houden met voorstellingen van de veranderende vorm en
consistentie van het zadel, zoals gesuggereerd door de ongecorrigeerde
gegevens die doorgeseind werden door mijn geteisterde kontneuro-
nen. Tegen het einde van de eerste dag bezat het zadel nog de margi-
nale elasticiteit van een Tupperware lunchtrommeltje; tijdens de laatste kilometers naar het zomerhuisje was het een steen – niet zo'n
gezellige, gladgesleten ronde straatkei, maar zo'n rechthoekige, zware, roodbruine metselsteen met scherpe hoeken en in het midden
drie cilindrische gaten.

Onwennig inspecteerden we de schatten van het zomerhuisje, als
de apen aan het begin van *2001*, waarbij we ongelovig de knusse grenenhouten slaapbanken bevoelden en erachter probeerden te komen
hoe moderne gemakken die we ons nog vaag herinnerden, zoals radiatoren, oven, televisie en douche, ook al weer precies werkten. Pas
na een uur in het kleine buitenbadje – verwarmd door geothermisch
water van zo'n 42 ° C – in het gezelschap van onze complete voorraad alcohol (twee blikjes bier en een miniatuurflesje cognac de man)
begonnen we ons weer een beetje mens te voelen. We trokken de
keukenkastjes open en flansten een voedzaam ratjetoe van pasta en
biscuit in elkaar met gebruikmaking van de voedingsmiddelen die
bedoeld waren om de eerstvolgende gasten van de familie een lang
weekend door te helpen.

Toen we onze buiken vol gegeten hadden, lieten we ons uitgeteld
op de L-vormige bank vallen. Dilli keek naar een aflevering van *I,*

Claudius terwijl ik afwezig een plattegrond bestudeerde die afgedrukt stond op de zijkant van een van onze plastic tassen, afkomstig uit een staatsdrankwinkel. Plotseling schoot ik ontzet overeind: uit de plattegrond bleek dat er zich geen enkele drankwinkel op onze route bevond. Ik begon te tellen: er waren er in het hele land maar 24. Terwijl ik mijn vermoeidheid vergat, voelde ik een gerechtvaardigde woede in me oplaaien. Het was toch een godgeklaagd schandaal. Een land, bijna even groot als Engeland, met maar 24 drankwinkels! Geen wonder dat ik er zwervers per taxi had zien arriveren.

Omdat we veel te lang bleven liggen in onze comfortabele bedden en er een eeuwigheid over deden om onze nog vochtige kleren en kampeerspullen van de radiators te verzamelen, vertrokken we de volgende middag pas om 13.20 uur. Maar de weg liep naar beneden en met de wind in de rug, wat goddank vrijwel de hele dag het geval zou blijven – toen we hem op een gegeven moment een tijdje tegen kregen, moesten we nog behoorlijk doortrappen om een heuvel af te dalen – kregen we al spoedig de damppluimen van Geysir in zicht. De lucht klaarde enigszins op, waardoor we vergast werden op het grootse schouwspel dat ik me herinnerde van mijn eerste bezoek, tien jaar geleden. De weg doorkruist een uitgestrekte, vriendelijke groene vlakte, aan weerszijden geflankeerd door grimmige, onaanlokkelijke Tolkieneske bergpieken zonder ook maar een sprietje begroeiing op hun onherbergzame flanken. Ik herinnerde me dat diezelfde aanblik Dufferin ertoe had gebracht te fantaseren dat deze omgeving een passend tehuis zou vormen voor mythische dieren en goudgelokte prinsessen. Natuurlijk kon hij in de heldere hemelsblauwe lucht die hem bij zijn bezoek ten deel viel, ook de 'drie besneeuwde toppen van de Hekla' zien, wat voor hem aanleiding vormde om onder het motto *Dat Noem Ik Nog Eens Lava* voor de vuist weg een bloemlezing ten beste te geven van 's lands favoriete uitbarstingen. Hekla staat op nummer twee met de eruptie van 1766, waarbij een zwerfsteen van bijna twee meter doorsnee 35 kilometer weg werd geslingerd. (Tijdens diezelfde eruptie werd er zoveel as uitgebraakt dat Dufferin opmerkt dat 'op een plek 200 kilometer verderop, een omhooggehouden vel wit papier vanaf korte afstand niet van zwart te onderscheiden viel', wat me een nogal onwaarschijnlijk experiment lijkt.)

Maar wij konden de Hekla helemaal niet zien, dus het feit dat hij al geruime tijd op de nominatie staat voor een stevig partijtje zwerfsteenwerpen (een paar jaar geleden siepelde er wat lava uit) scheen ver van ons bed en irrelevant. Wat me opviel terwijl we langzaamaan dichter in de buurt van de bergen kwamen, was een brede paarse strook die in de lengterichting over de lagere gedeelten van de overigens kale bergen liep, en daar een volkomen misplaatste indruk maakte, alsof je Thor in een tutu zag. En toen realiseerde ik me wat het was.

Elke natie heeft zijn taboes. Je zegt geen 'Vietnam' tegen een Amerikaan; je zegt geen 'Kim Philby' tegen een Brit; je zegt geen 'Vichy-regering' tegen een Fransman (althans niet al te vaak). In IJsland echter moet de tactloze buitenlander nog meer op zijn hoede zijn. Het is een van de weinige plaatsen ter wereld waar men de verleiding, hoe gering ook, om grapjes over erosie te maken, moet weerstaan.

Tijdens een voor die tijd kenmerkende vastberaden en langdurige zoektocht naar brandstof voor de winter, zo'n 1000 jaar geleden, vatte het kleine contingent kolonisten in IJsland het plan op om vrijwel het gehele bosareaal van een land dat niet eens zoveel kleiner is dan Engeland, af te branden. De bovengrond, niet langer bijeengehouden door de boomwortels, werd weggeblazen door de immer woedende Noord-Atlantische stormen. Nu worden IJslands gothische grijze pieken en boomloze valleien aangevreten nog voordat ze zelfs maar hun geologische puberteit bereikt hebben.

In een poging om de schuld, veroorzaakt door de vurige excessen van hun heidense voorouders, te delgen, hebben de IJslanders een bijna hysterisch anti-erosieprogramma op poten gezet en hier, zachtjes wuivend in een kronkelend paars lint, bevond zich het hoofdbestanddeel van dat programma. De lupine.

Dilli had het wel eens eerder gehad over die bizarre aanplanten, maar ik had niet geloofd dat het een serieuze zaak was. Dilli vertelde me op ernstige toon dat een landelijk wetenschappelijk onderzoek had aangetoond dat de lupine een zich snel verspreidende plant is, die zich voortreffelijk kan handhaven op de kale vulkanische slakkenhellingen van de uitlopers van het gebergte, uitstekend losse grond bijeen weet te houden en een geweldige stikstofleverancier is. Na als tuinplant uit de mode te zijn geraakt, was dit de ultieme wraak van de lupine: Redder van het Land der Vikingen.

Nader wetenschappelijk onderzoek toonde aan dat de lupine in feite al vanaf het moment dat de laatste vikinghelm in Scandinavië aan de wilgen werd gehangen, had staan popelen om een groot historisch onrecht te herstellen. De plant was klaarblijkelijk genoemd naar het Latijnse adjectief voor wolfachtig, vanwege 'een geloof dat de plant op vraatzuchtige wijze de grond uitputte'. De dappere underdog, jarenlang gebukt gaand onder een groot onrecht, had eindelijk de kans op eerherstel gekregen door precies datgene te revitaliseren waarvan zijn middeleeuwse lasteraars gezegd hadden dat hij het uitputte. Het leek me een typisch IJslandse oplossing.

We reden op ons gemak verder naar Geysir, dat sinds mijn eerste bezoek in 1988 bijna meer veranderingen heeft ondergaan dan in de ruim honderd jaar volgend op Dufferins bezoek. Toen ik er voor het eerst kwam, was er slechts een benzinestation waar ze onnatuurlijk felgekleurde ansichtkaarten uit de jaren vijftig verkochten. De kleine groepjes onversaagde, pionierende toeristen liepen brandwonden op wanneer de niet met versperringen afgezette geisers begonnen te spuiten. Nu bevinden er zich een groot chaletachtig hotel, een grote cafetaria, een souvenirsupermarkt en eindeloze stromen Duitsers die per touringcar de 'Gouden Cirkel' doen – Geysir, de Gullfoss-waterval en Reykjavík.

Om helemaal eerlijk te zijn: Geysir is niet zo heel erg interessant. Zelfs Dufferin was niet dolenthousiast. Goed, het was aardig om te zien hoe de kok 'een rustig borrelend geisertje tot kampketel transformeerde, een bakoven in de warme, zachte klei uitgroef, een fornuis improviseerde op een naburige geiseropening', en 's nachts om één uur in de zon aan tafel ging om de resultaten van zijn inspanningen te verorberen. Maar vervolgens werd er geschaakt, op de plaatselijke fauna geschoten, en 'het kamp, de gidsen, de pony's en een paar verbijsterde inboorlingen gefotografeerd' terwijl men wachtte tot de Grote Geiser begon te spuiten.

Het met zwavel dooraderde aardoppervlak verleent de hele omgeving een vergiftigd, onvruchtbaar aanzien, en de natuurverschijnselen waaraan Geysir zijn naam ontleent zijn niet bijzonder indrukwekkend. Er zijn twee werkende geisers, waarvan de kleinste, Strokkur, ongeveer om de vijf minuten een vijftien meter hoge straal opspuit, wat Dufferin er niet van weerhield om een lading turfplaggen in de verkalkte opening te gooien om het proces te bespoedigen. De Grote Geiser, in zijn tijd goed voor een straal van zestig meter hoog, is na een twee eeuwen durend bombardement van turfplaggen, stenen en onfortuinlijke bediendes zo impotent geworden, dat er aan het eind van de jaren tachtig vijftig kilo zeeppoeder voor nodig was om een halfhartige ejaculatie teweeg te brengen, en dus heeft men het opgegeven.

Afgezien van de lichte opwinding die zich van je meester maakt bij het aanschouwen van dat ene geisertje dat zijn hete lading uitstort over een groep stompzinnige toeristen (in het hoogseizoen loopt er elke dag wel één toerist min of meer ernstige brandwonden op), verschilt een bezoek aan Geysir nauwelijks van een bezoek aan Cheddar of Paisley of Cortina, een tamelijk zinloze pelgrimstocht naar een bepaalde plek, alleen maar omdat de naam verbonden is met een internationaal verschijnsel. Tot mijn teleurstelling zijn sommige van de bekoorlijke stille poelen zelfs voorzien van waarschuwingsborden en touwafzettingen, met name die ene met de verleidelijk blauwe tint van een grot op Capri, die blijkbaar elk jaar dorstige honden het leven kost. Ook heeft bittere ervaring me geleerd dat het onmogelijk is de erupties op film vast te leggen zonder een flink eind verderop te gaan staan.

Ik wist het, maar toch kon ik de verleiding niet weerstaan om me bij de multinationale brigade te voegen die zich rond het spuitgat van de actieve geiser verdrong, camera's in de aanslag, vingers op de ontspanknoppen. Wat er gebeurt is het volgende: iedereen drukt af als de geiser zijn oninteressante voorbereidende boertje laat, wordt vervolgens volkomen verrast door de daaropvolgende krachtige straal en gaat er, gedesoriënteerd door de stoom, in paniek halsoverkop vandoor. Ik zou nooit kunnen geloven dat de mensen er keer op keer weer intrappen als ikzelf niet nog hardleerser dan de meesten zou zijn geweest. Ik geloof dat ik aanspraak kan maken op een ongeëvenaarde fotocollectie van onscherpe, in stoom gehulde mannelijke Beierse ruggen.

Dufferin en zijn gezelschap wachtten drie lange dagen tot de Grote Geiser zijn kunstje zou vertonen, en begonnen op een gegeven moment de bergen en omringende vlaktes te verkennen op zoek naar alternatief amusement. Fitz sloot een zo hechte vriendschap met een plaatselijk gezin dat ze hem uitnodigden om een nacht te blijven logeren, wat uitmondde in een scène die ongetwijfeld de nodige broekgeisers tot uitbarsting zal hebben gebracht toen *High Latitudes* gepubliceerd werd:

Toen we van tafel opstonden, stelde de jonge vrouw des huizes door middel van gebarentaal voor me naar mijn slaapvertrek te begeleiden; met in de ene hand een groot bord *skyr* [een yoghurtachtig kwarkgerecht dat volgens Dufferin 'mits goed bereid zeer smakelijk' is] en in de andere een fles brandewijn, ging ze me voor naar de plek waar ik de nacht zou doorbrengen. Met angstige voorgevoelens keek ik toe hoe ze het bord *skyr* naast mijn bed neerzette en de fles brandewijn onder het kussen legde – ik wist dat ik geacht werd beide vóór de ochtend genuttigd te hebben. Ik stond net op het punt een beleefde buiging naar haar te maken en haar een zeer goede nacht toe te wensen, toen ze naar me toe kwam en er met onweerstaanbare gratie op stond me uit mijn jas te helpen, en vervolgens mijn schoenen en kousen uit te trekken. In dit uiterst kritieke stadium van de gebeurtenissen ging ik er vanzelfsprekend van uit dat ze hiermee haar aandeel in de handeling zou besluiten... Geen sprake van. Voor ik wist wat me overkwam, zat ik in een stoel, in mijn onderhemd, zonder broek, terwijl mijn schone kleedster bezig was de gekreukte kledingstukken keurig op te vouwen. Vervolgens hielp ze me, alsof het de gewoonste zaak van de wereld was, in bed, stopte me in, en na me de nodige lieve woordjes in het IJslands toegevoegd te hebben, gaf ze me een stevige kus en trok zich terug.

Op de vierde dag spuit de geiser eindelijk, maar de straal is niet hoger dan een meter of twintig, nauwelijks indrukwekkender dan de tien keer per uur spuitende Strokkur. 'Ik geloof niet dat het schouwspel zo fraai was als sommige anderen hebben gezien,' noteert Duf

High Latitudes   EEN IJSLANDSE DAME.

ferin kortaf, alvorens uit te leggen, in de vorm van de inmiddels vertrouwde middelbare-schooldiagrammen, wat er eigenlijk had moeten gebeuren.

De volgende dag, na de lichte opwinding die veroorzaakt was door
een bezoek van Prins Napoleon en zijn uitgebreide gevolg, keert
Dufferins gezelschap terug naar Reykjavík. Onderweg wordt Dufferin 'heftig omhelsd, gezoend en bijna van mijn paard getrokken
door een aangeschoten boer'; Wilson maakt een 'enorme smak van
zijn paard'. Opnieuw had het er alle schijn van dat ik meer kans maakte
de ervaring van Dufferins bediende te delen dan die van Dufferin
zelf.

De winkel van Geysir was de laatste commerciële buitenpost vóór
Kjölur, en dus de laatste vóór IJslands noordkust. Opnieuw bracht
een misplaatst gevoel voor zuinigheid ons ertoe onze proviandering
te beperken tot de aanschaf van een grote en ongelooflijk goedkope

plak chocolade van een pond. Die bleek werkelijk afschuwelijk te smaken. Ik zou zeggen dat het keukenchocolade was, maar dat zou inhouden dat er een aanzienlijke markt voor bestond, van mensen die graag willen dat hun cakes en taarten naar lijnzaadolie en reuzel smaken. Hoeveel we ook in onze protesterende monden propten, de plak leek maar niet kleiner te worden. Samen met de afschuwelijke ingevroren slijmerige pruimen, werd dit het leidmotief van de volgende dagen, waarbij de beschimmelde wortel niet voor onze neus hing maar achter ons, ons voortjagend, voort, voort, noordwaarts, op weg naar verse levensmiddelen en bier.

(Tussen haakjes, we namen ook een foldertje mee over vijf leuke manieren om berggras te eten, voor het geval de nood echt aan de man kwam of we last zouden krijgen van scheurbuik. Gelukkig was dat niet het geval, want toen ik na terugkeer in Engeland het foldertje las, vroeg ik me af hoe het ons ooit gelukt zou zijn een oven voor te verwarmen tot 200 ° C.)

4

Het korte ritje naar Gullfoss – de Gouden Waterval – markeerde ons vaarwel aan Dufferin. Bij terugkeer in Reykjavík komt hij tot de ontdekking dat zijn bemanning zich tijdens zijn afwezigheid bezondigd heeft aan wat wel eens het enige voorbeeld in de geschiedenis zou kunnen zijn van een door indigestie veroorzaakte muiterij.

Ten prooi aan 'dyspepsie en de fatale nasleep daarvan', namen ze hun toevlucht tot een wanhoopsdaad. Ze begaven zich met zijn allen naar het achterdek en eisten van mijn trouwe steward niet alleen toegang tot de medicijnkast van de afwezige Dokter, maar ook dat hij hun in eigen persoon de medicamenten zou toedienen waarop hij de hand zou weten te leggen.

Maar ik ben er niet zo zeker van of deze bepaalde episode wel zo grappig was als het klinkt, want in een merkwaardig grimmige dagboekaantekening onder de kop '03.00 UUR' (slechts drie uur na zijn terugkeer), schrijft hij: 'Ik zie af van het voornemen om de rest van IJsland te bezoeken, en zet onmiddellijk koers naar het noorden. Het heeft me heel veel moeite gekost om tot deze conclusie te komen, maar alles in aanmerking genomen, denk ik dat dit het beste is.'
Zijn weifelende rechtvaardiging hiervoor – dat de tijd begint te dringen, en dat hij niet het risico wil lopen geen gebruik te kunnen maken van de aangeboden sleep naar Jan Mayen door het stoomschip van Prins Napoleon – klinkt niet echt overtuigend. De tijd begint helemaal niet te dringen – het is nog pas 7 juli – en hoe dan ook,

waarom zou hij zo'n overhaast besluit nemen? Hij had dagen in het zadel achter de rug waarop hij daarover had kunnen nadenken, en 'dwars door het midden van het eiland naar de noordkust – nog vrijwel niet bezocht door vreemdelingen' te trekken, was een van zijn voornaamste doelstellingen geweest. Voor een ijverig fantast als ik is het duidelijk dat hij, na wat er tijdens zijn afwezigheid voorgevallen was, besluit dat hij de Foam niet opnieuw achter kan laten. Waar waren Wyse en zijn twee revolvers toen de bemanning de voorraad sennabladeren plunderde? Daar rept hij met geen woord over.

Dus was ik het die voor de volgende 250 kilometer de agenda bepaalde. Het in iemands voetsporen treden maakt een vooruitzicht minder afschrikwekkend. Nu hadden de voetsporen halt gehouden en rechtsomkeert gemaakt. Ik was mijn leider kwijtgeraakt; we waren op onszelf aangewezen.

Ik begrijp nog altijd niet waarom Dufferin Gullfoss liet schieten: er is maar weinig ter wereld dat de ontzagwekkende pracht kan evenaren van een enorme waterval. Al de gebruikelijke reacties als: 'Ik hoorde het machtige gebulder en aanschouwde de wolken stuifwater al van verre,' zijn van toepassing op deze waterval, die algemeen beschouwd wordt als de meest indrukwekkende in een land dat bekendstaat om zijn schitterende watervallen. Maar misschien was het vooruitzicht van een massa water die zich over een klip stort, hem gewoon niet exotisch genoeg.

De waterval bestaat in feite uit twee verdiepingen. Eerst stroomt een brede watermassa door een met zwerfstenen bezaaide stroomversnelling, met hier en daar wat kleine hoogteverschillen. Dan, net als het wat rustiger lijkt te worden, stort het water zich over een afstand van meer dan dertig meter loodrecht de diepte in, waarna het kolkend en schuimend meegevoerd wordt door een glad uitgesleten, ruim drie kilometer lange kloof. In strenge winters bevriest dit buitengewone spektakel, en biedt dan een adembenemend schouwspel dat ik jammer genoeg alleen heb mogen aanschouwen op de hoes van een album van Echo & The Bunnymen.

Voor de per bus aangevoerde Duitse toeristen was het een tot nederigheid stemmende ervaring. Zelfs op honderd meter afstand van de waterval word je drijfnat van het stuifwater, en het is een verontrustende ervaring om je voorzichtig een weg te banen over het glibberige gras in de richting van het steeds oorverdovender wordende gebulder. Waarschuwingsborden staan er niet, er is slechts een laaghangend touw van het soort dat dorpscricketclubs rond de meent spannen als er niet gespeeld wordt. Je kunt dus, zoals Dilli deed, maar ik voor geen goud, tot helemaal onder een soort sidderende overhang lopen, zodat het water zich over je heen stort vlak voordat het bulderend in de kloof verdwijnt. Het lawaai was onvoorstelbaar, het meest oorverdovende waar ik zo dichtbij heb gestaan, afgezien van de cirkelzaag in het handenarbeidlokaal bij ons op school.

Wat heb ik een dierbare herinneringen aan dat schitterende apparaat. We probeerden de arme Mr Slee het zo dikwijls mogelijk te laten gebruiken, omdat dat ons de zeldzame kans bood om vlak naast een docent te staan – ook al was het dan een ouder en uiterst goedaardig exemplaar – en puberaal te brullen dat hij, om maar eens wat te noemen, een vieze vuile ouwe rukker was, zonder dat dat gevolgen voor ons had. Het grappige was dat – volgens dezelfde akoestische wet die bepaalt dat je jezelf nauwelijks kunt horen als je onder het stofzuigen loopt te jodelen, maar dat iedereen in het aangrenzende vertrek je perfect kan horen – als je langs het handenarbeidlokaal liep terwijl de cirkelzaag aanstond, de stortvloed van beschamend openhartige scheldwoorden luid en duidelijk tot in de gang bleek door te dringen. Desondanks werd er nooit iets ondernomen om een einde te maken aan dat ritueel, wat mij bracht tot de veronderstelling dat het schoorvoetend geaccepteerd werd als uitlaatklep voor opgekropte jeugdige energie. Of dat de rector het er misschien wel gewoon mee eens was: per slot van rekening was de man Slee een vieze vuile ouwe rukker.

Hoe dan ook, Gullfoss is ontzagwekkend en majestueus en oorverdovend. Dilli brulde me toe dat een Duitse toerist hier een paar jaar geleden verdwenen was. Hij werd voor het laatst gezien toen hij zich, met zijn camera in de aanslag, bewoog in de richting van een smalle richel. Niemand zag hem wegglijden, brulde Dilli, en zo dicht bij de waterval zou een schreeuw ook niet gehoord worden, tenzij je tijdens je val je handen als een toeter om het oor van degene die zich onder je bevond vouwde en erdoorheen brulde. En dan nog zouden ze waarschijnlijk alleen maar nieuwsgierig je nietige, met de armen maaiende gestalte nastaren en zich afvragen wat je bedoelde met:

'Help! Ik stort mijn brood tegemoet!' Maar de Duitser kwam niet opdagen toen zijn groep terugging naar de bus, en een lichaam is er nooit gevonden. De afschuwelijke mogelijkheid bestaat dat het ergens onderaan de waterval klem is komen te zitten, voor eeuwig ten prooi aan de onafgebroken neerstortende watermassa's.

Maar er staat alleen een gedenkteken – zo riep Dilli me toe terwijl we richting Kjölur fietsten – voor de vrouw die voorkwam dat er bij de waterval een enorme waterkrachtcentrale zou worden gebouwd. Zelfs nu nog produceert IJsland veel meer elektriciteit dan het nodig heeft. Er bestaan al sinds mensenheugenis plannen om dat overschot per onderzeese kabel naar het elektriciteitsnet van het Verenigd Koninkrijk te transporteren, en een Zwitsers aluminiumbedrijf heeft een reusachtige fabriek gebouwd aan de weg van Reykjavík naar Keflavik – toen ik ooit eens op weg was naar de luchthaven van Keflavik, verveelde ik me zo dat ik met behulp van de afstandsmeter vaststelde dat het gebouw meer dan een kilometer lang was – om te profiteren van de goedkope energie, waarvan kennelijk enorme hoeveelheden nodig zijn voor het smelten of het raffineren of de elektrische apparatuur van de kantine of zoiets.

Even later hield het teermacadam op en maakte plaats voor een rotsige ondergrond. En daar was het bord. 'Kjölur' stond erop, en het wees nonchalant naar een oneindig maanlandschap dat plotseling uit het niets tevoorschijn was gekomen. We stapten zwijgend af om te overzien wat ons te wachten stond, en onze lichtzinnigheid te overpeinzen. Het landschap was als een stilstaand beeld uit een Road Runner-tekenfilm: een levenloze okerkleurige vlakte; hier en daar wat coyote-verpletterende zwerfstenen van caravanformaat die door reeds lang verdwenen gletsjers achtergelaten waren; een smal paadje dat af en toe verdween en dan weer tevoorschijn kwam op de kale heuvelhellingen alvorens aan de horizon in het niets te verdwijnen. Naar het oosten gingen deze heuvels over in agressieve pieken, eenzaam en verlaten, die je bij beklimming het gevoel zouden geven dat jij de eerste was die dat ooit gedaan had. '44.000 Vierkante kilometer vol wanordelijke piramides van ijs en lava, periodiek verwoest door stromen gesmolten gesteente en kokende modder, of geteisterd door eindeloos durende sneeuwstormen – een onvoltooide uithoek van het heelal, waar de elementen van chaos nog altijd met ongebreidelde furie mogen woeden,' schrijft Dufferin, ongetwijfeld zijn handen wrijvend naast de open haard in zijn kajuit en proostend op zijn besluit om dat alles aan zich voorbij te laten gaan.

Nergens in dit ontzagwekkende panorama was sprake van enige begroeiing, bewoning, vervoer. De schaal was verontrustend, verwarrend. Alles leek enorm en tegelijkertijd nietig, verafgelegen en tegelijkertijd dichtbij. Het was alsof je een vergrootglas voor je ene oog hield en het verkeerde uiteinde van een telescoop voor het andere. En wat nog verontrustender was: deze dorre woestenij was ook nog eens koud, zo'n vijf ° C, en er waaide een straffe wind. Ik had me al enige zorgen gemaakt toen ik in het zomerhuisje gelezen had dat Kjölur de op een na grootste woestijn in Europa was (na zijn buur, Sprengisandur).

Ik mocht me dan misschien niet eens gerealiseerd hebben dat er in Europa woestijnen voorkwamen – de op twee na grootste is waarschijnlijk Clacton Sands – maar dat nam niet weg dat we ons door deze trotse claim plotseling overduidelijk bewust werden van de ontoereikendheid van onze voorbereiding. Wat hadden we ons eigenlijk in ons hoofd gehaald? Zelfs het bord met de tekst 'Laat alle hoop varen, gij die hier binnentreedt' (of misschien was het ook wel 'Voorbij dit punt slechts voertuigen met vierwielaandrijving') was platgelegd door een of andere onopvallend almachtige meteorologische of geologische kracht. 'In het binnenland van IJsland kan het weer binnen enkele minuten volledig omslaan,' had het foldertje van de IJslandse Wielervereniging ons gewaarschuwd.

Het pad wordt pas in juli opengesteld voor verkeer; tegen het eind van september zijn de sneeuw en de arctische stormen weer terug en wordt het weer voor negen maanden afgesloten. Maar in de tussentijd is er nog altijd ruimte genoeg voor onverwachte catastrofes. Op een van de heuvels, op een paar kilometer afstand van het pad, bevindt zich nog altijd het gebeente van drie broers en hun omvangrijke veestapel, op de plek waar ze overvallen werden door een onverwachte sneeuwstorm in 1780. Schedels en botten van mens en dier bedekken nog altijd een gedeelte van de heuvel die op de kaarten aangegeven staat als de Bottenheuvel.

Hier stond ik dan met mijn voertuig met eenwielaandrijving dat ik slechts gedeeltelijk onder controle had, terwijl mijn welzijn afhankelijk was van dingen waarvan ik niet wist hoe ik ze moest ge-bruiken, zoals spakenspanners en reservespaken, dingen over het gebruik waarvan ik niet eens durfde na te denken, zoals overlevings-pakketten, en dingen die ik niet eens had, zoals kevlarbanden. Maar ik kon niet meer terug. Ik had mezelf ervan weten te overtuigen dat Dufferins voorwendsel om terug te keren – de sleep van Prins Napo-leon – in werkelijkheid een kwestie van angst was. Dat was het, en niets anders. Hij kwam, hij zag, en hij ging ervandoor. Ik was me er inmiddels van bewust dat ik in feite aldoor mijn krachten aan het meten was met Dufferin, net zoals Dilli en ik een onuitgesproken rivaliteit op de fiets hadden ontwikkeld. Uiteraard zou er in geen van beide gevallen sprake zijn van een fotofinish, maar hier, in deze on-afzienbare woestenij van gletsjerpuin, lag een kans, mijn enige kans, om Dufferin de loef af te steken.

Overweldigd door het besef van wat ons te wachten stond, vond ik troost bij Dilli. Hij was IJslander, en arts, en maakte als zodanig een volkomen onverstoorbare indruk. Het enige waarover hij zich zorgen maakte, was dat men zou denken dat hij een Duitser was, net als de meesten van diegenen die een poging doen om deze overtocht te volbrengen. 'Heus, het valt echt wel mee. Op dit tijdstip van de zomer is het er vol toeristen. Als er iets gebeurt, komt er binnen twin-tig minuten een auto langs.'

Na een uur van totale en steeds verontrustender wordende een-zaamheid, liet ik me er slechts na een stevige woordenwisseling van weerhouden terug te keren om de juiste weg te zoeken. Het duurde drie uur voordat er een vorm van intelligent leven – of van wat voor soort leven dan ook – verscheen, in de vorm van een pick-up die in een stofwolkje aan de horizon achter ons opdoemde en ons even la-ter passeerde, waarbij we kortstondig vergast werden op het geblaat van de twee schapen in de laadbak dat door het dopplereffect ver-vormd werd.

In elk geval regende het gelukkig niet. Het werd zelfs behoorlijk warm. Dat, gevoegd bij mijn gebruikelijke zwoegende voortgang, had tot gevolg dat ik spoedig begon te zweten als een otter. 'Je kunt beter dat tricot uittrekken,' zei Dilli. 'Dat neemt alleen maar zweet op en dat verdampt niet door je fleece.'

Ik wist dat hij gelijk had. Elke avond was mijn hooggesloten Fred

Perry-wielershirt nat en zwaar als een oude badmat. Maar toch wilde ik het niet uittrekken. De Fred Perry-strepen onder mijn kin zorgden voor een welkom amateuristisch tintje. Ik was bang dat de mensen misschien wel zouden denken dat ik wist waar ik mee bezig was, vanwege mijn flitsende fiets met de in goretex weggewerkte kabels en al die professionele Karrimor-uitrustingsstukken; hoewel één enkele blik op mijn gestuntel er geen enkele twijfel over zou laten bestaan dat dit niet het geval was. Het laatste waarop ik zat te wachten, was dat een of andere enduro-freak uit Hamburg naar me toe kwam om gezellig ervaringen uit te wisselen.

En wat nog belangrijker was, een van mijn vele kleinburgerlijke fobieën is een hysterische angst om kriebelige wol rond mijn hals te dragen. Mijn paarse Karrimor-fleece, die het gevoel van kriebelige wol aardig imiteert, kon ik niet op mijn blote huid verdragen. Ik had geprobeerd, zoals ik al zo vaak geprobeerd heb, om die redeloze angst het hoofd te bieden. Elke ochtend liet ik dapper de Fred Perry links liggen en hulde, na diep adem te hebben gehaald, mijn blote huid in fleece. Niets aan de hand. Geen gekriebel. Oké. Geen enkele aanleiding om het in blinde paniek van mijn lijf te rukken. Welnee. Prima. Oké.

Soms hield ik het uit tot we op onze fietsen stapten; meestal ging het in de tent al mis. Dat was erger, want ten gevolge van de spastische arm- en beenbewegingen waarmee dat gepaard ging en waarover ik nauwelijks enige controle had, werden dikwijls scheerlijnen losgerukt of tuimelde Dilli de tent uit met een modderige knieafdruk op zijn voorhoofd.

Het enige positieve aspect van mijn buitensporige transpiratie was het feit dat daardoor mijn behoefte tot urineren drastisch beperkt werd, soms tot één miezerig straaltje dat ik er aan het einde van de dag met moeite uit wist te persen. Gezien de moeizame striptease die aan het urineren vooraf diende te gaan, was dat een niet te onderschatten voordeel.

Helaas hield het ook in dat ik voortdurend gekweld werd door een vreselijke dorst. Meestal had ik allebei mijn literbidons al leeg vóór de 'lunch', waarna ik met de nodige verontschuldigingen aan die van Dilli begon. We waren gewaarschuwd dat dit waarschijnlijk niet zo'n goed idee was – hoe onwaarschijnlijk het gezien de temperatuur ook mocht lijken, we bevonden ons per slot van rekening in een woestijn – maar in werkelijkheid waren we nooit verder dan zo'n twee uur fietsen verwijderd van een snelstromend riviertje. De meeste daarvan werden echter gevoed door smeltwater van de gletsjers, zoals de Hvítá – Witte Rivier – een heldere bergstroom die we een tijdlang volgden.

Wat een heerlijk helder water, zei ik tegen Dilli terwijl we halt hielden op een houten bruggetje over de rivier. 'Eh, ja. Maar in feite is gletsjerwater ondrinkbaar, omdat er zoveel modder en zand van de gletsjer in zit. Iedereen in IJsland lacht altijd om producten met "bereid met zuiver gletsjerwater" op het etiket.' O. 'Bovendien is het heel erg koud, waarschijnlijk een graad of twee – als je erin viel, zou je vrijwel onmiddellijk overlijden ten gevolge van shock.' Juist.

Korte tijd later vonden we een veel minder aanlokkelijk bemost stroompje, waar Dilli gretig zijn hoofd in onderdompelde. Maar ik kon zijn voorbeeld niet volgen. Ik hoorde Wilsons stem vol leedvermaak naast mijn schouder fluisteren: 'Geniet u maar lekker van het water, meneer. Met uw permissie, meneer, sla ik deze keer mijn beurt maar over, vanwege de schapenkadavers die een eindje stroomopwaarts in het water liggen.'

De temperatuur steeg nog verder, waardoor het moreel een zodanige opkikker kreeg dat ik bijna begon te fluiten. Tijdens een afdaling haalden we zelfs een snelheid van 53 kilometer per uur, wat bijzonder onverantwoord was. Al spoedig kwamen we erachter dat het oppervlak van het pad bestond uit losse stenen die met een bulldozer min of meer platgewalst waren. De meeste steile hellingen eindigden in droge rivierbeddingen, waarin zich in de loop der eeuwen vaak de nodige grote zwerfstenen verzameld hadden. Bij elke confrontatie met weer zo'n onverwachte aankomst, met een flinke snelheid, op een te zwaar beladen fiets, waarbij er van plotseling remmen geen sprake kon zijn, weergalmde de vervloekte apocalyptische wildernis van de angstkreten. Mijn vaste kreet was 'Kut kut kút!', en de frequentie waarmee deze kreet onwillekeurig aan mijn keel ontsnapte, dwong me het feit onder ogen te zien dat dit mijn niet bepaald stichtelijke laatste woorden zouden zijn, mocht ik hier voortijdig aan mijn einde komen.

Het weer sloeg om en al spoedig duwden we onze fietsen tegen steile hellingen op in een zo dikke mist dat we meer dan eens van het pad af raakten en ons kompas moesten raadplegen. Af en toe doemde er vlak voor ons uit de mist een schrikbarend mensachtig rotsblok op, waardoor ik het liefst in Dilli's armen zou zijn gesprongen, net als Scooby Doo altijd bij Shaggy deed.

Met zoveel onregelmatig gevormde stenen en zo weinig mensen is het niet verbazingwekkend dat eenzame reizigers in IJsland wel eens een beetje van slag raken en trollen gaan zien. In vorige eeuwen zwaaiden de trollen met zwaarden of molken ze schapen; tegenwoordig kijken ze tv of nemen meisjestrollen van achteren (zoals de tweede stuurman me verteld had, terwijl hij me op een rotsformatie vlak boven de haven in Heimæy wees). Maar neem maar van mij aan: als je langer dan een paar uur door het IJslandse binnenland rondtrekt, lach je nooit meer om die trollenvrezende 53 procent van de bevolking.

Tijdens mijn eerste bezoek reed Birna mij en een vriend van me in de zomeravondschemering over het verlaten plateau van Kaldadalur. We hadden onze dagelijkse portie opwinding al ruimschoots gehad; de uitlaat van de Daihatsu van Birna's moeder was gesneuveld door toedoen van een grote kei, en we waren vast komen te zitten bij een doorwaadbare plaats in een riviertje. Het begon al aardig donker te worden toen we door de opkomende mist langzaam terug naar beneden reden. Toen we de mist eindelijk achter ons lieten, werden we vergast op het vrolijke, welkome schouwspel van een kleine kudde IJslandse pony's die door het dal voortgedreven werd.

Maar onze opluchting was van korte duur: mijn vriend en ik hadden gelijktijdig gezien dat de eerste pony aan de teugel gehouden werd door een man van drieënhalve meter lang. We keken elkaar geschrokken aan, ervan overtuigd dat zich ongetwijfeld een of andere rationele verklaring zou aandienen als we achteromkeken: de man zou op een stoel met wieltjes staan, of de pony's zouden konijnen blijken te zijn. Maar toen we achteromkeken, zagen we alleen maar een drieënhalve meter lange man die een kudde pony's door een dal dreef. Dichter ben ik nooit in de buurt van een bovennatuurlijke ervaring gekomen, en het schokeffect werd en wordt slechts enigszins getemperd door het feit dat mijn vriend en ik allebei misschien eenderde fles whisky op hadden.

De mist trok op en ik keek uit over de uit stukken en brokken bestaande leegte. Het was niet alleen het bovennatuurlijke dat me bezighield. Het is alsof je om middernacht over een kerkhof rond-loopt, en het rationele deel van je brein zegt dat het zinloos is om bang te zijn aangezien niemand het in zijn hoofd zou halen om hier in zijn eentje rond te hangen. Maar dan realiseert datzelfde deel van je brein zich dat je eigenlijk bedoelt: *niemand die bij zijn volle verstand is*, en dan slaat de blinde paniek toe. Naar mijn mening is dat een volkomen logische conclusie. Geen mens zou hier kunnen leven, in deze onvoltooide uithoek van het heelal... maar, mocht dat toch het geval zijn, dan zouden het ongetwijfeld volslagen krankzinnigen zijn, het soort mensen dat er geen been in zou zien een man te dwingen zijn eigen fiets te verkrachten alvorens hem op te eten.

Na een uur of vijf begon het pad steeds slechter te worden. We moesten zo vaak uitwijken voor steenklompen dat gedurende de volgende drie dagen onze afstandsmeters tien procent méér aangaven dan de afstanden die we volgens de kaart hadden afgelegd. Dan weer waren er stukken zandgrond, die er bij nadering aanlokkelijk vlak uitzagen, maar waarin onze wielen langzaam wegzakten tot we volledig tot stilstand kwamen en omkieperden. Kort na een van die zanderige gedeeltes freewheelden we een rotsachtige helling af en kwamen onderaan tot stilstand aan de oever van een rivier. Zwijgend namen we de ijzige stroomversnellingen in ogenschouw. Men had ons verteld dat alle doorwaadbare plaatsen onderweg inmiddels overbrugd waren. De vele wielsporen die rechtsomkeert maakten, duidden erop dat wij niet de enigen waren die ons daardoor hadden laten misleiden.

'Er zit niets anders op dan nat te worden,' zei Dilli. Ik had er geen bezwaar tegen om nat te worden, voornamelijk omdat ik toch al baadde in het zweet en kleding droeg die nog vochtig was van de regen van de vorige dag. Ik had er wel bezwaar tegen om dood te gaan. Ik had al heel wat verhalen gehoord over zelfs behoorlijk grote voertuigen die door het water meegesleurd werden bij dit soort rivierovergangen.

Terwijl we op de rotsige bodem gingen zitten en aanstalten maakten om ons uit te kleden, verschenen er op de tegenoverliggende oever twee identieke zwarte motorfietsen, waarvan het motorgeluid overstemd werd door het gebulder van het water. De identiek geklede berijders stapten gelijktijdig af, openden gelijktijdig zijtassen aan hun respectieve machines, en trokken identieke rubberen waadbroeken aan. In volmaakte synchronisatie duwden ze hun motoren door de rivier naar de overkant en arriveerden met een zakelijk helmknikje naast ons. Zonder verbazing nam ik nota van hun Duitse nummerborden.

Samen wezen ze om beurten op onze fietsen, onze schoenen, hun waadbroeken, de andere oever. We flapten er heftig knikkend een stortvloed van *Danke schöns* uit en klauterden een eindje omhoog naar een plek waar het voor een beetje behendig iemand mogelijk was om via stapstenen naar de overkant te komen zonder natte voeten te krijgen. En dus zaten we even later, ik met mijn linkerbeen nat tot aan het kruis, toe te kijken hoe onze redders in nood zij aan zij onze loodzware fietsen schijnbaar moeiteloos boven hun hoofd naar de overkant droegen. Met het soort kordate gebaren dat Batman en Robin maken als hun aanwezigheid elders in Gotham dringend vereist is, deponeerden ze onze fietsen aan onze voeten en waadden onverstoorbaar weer terug door het snelstromende water.

Pas later realiseerden we ons hoeveel geluk we hadden gehad. Hun motoren waren de eerste voertuigen die we in uren gezien hadden, en zij waren de enigen die over de uitrusting beschikten om ons te helpen. Het was een opwindend moment: we hadden een meevaller gehad.

De afstandsmeter gaf voor die dag 73 kilometer aan en mijn verstand en mijn longen stonden op nul toen we het huisje van de IJslandse Trekkersbond in Hvítarnes bereikten. Het met plaggen beklede, witgepleisterde boerenbedoeninkje met zijn dak van rode golfplaat bevindt zich eenzaam op een winderige vlakte, tientallen kilometers overal vandaan, met uitzicht op een wand van gletsjers en het Hvítameer met zijn mistige vloot van lage ijsbergen.

Voor een voorstadbewoner was het ongelooflijk geïsoleerd, maar het was toch ook wel een knus idee dat we het huisje helemaal voor onszelf hadden, in het Dufferineske besef dat er in geen velden of wegen iemand te bekennen was die ons lastig zou kunnen vallen. Afgezien van de geest van een oude vrouw die volgens Dilli verondersteld werd gasten op de bovenverdieping het leven zuur te maken.

Opgewekt gooiden we de voordeur open, en werden geconfronteerd met een deprimerend scenario: drie mannen in parka's die zich op vuile wandelsokken zwijgend door de donkere keuken bewogen. Ze keken niet eens op toen we binnenkwamen. Het had er alle schijn van dat ieder van hen hiernaartoe gekomen was om met volle teugen te genieten van de eenzaamheid, en net als wij nu vreselijk de pest in had dat hij de hut met vreemden moest delen. Onze komst zette de toch al breekbare status-quo nog verder onder druk.

Bij de uiterst vluchtige kennismaking bleek een van hen IJslander te zijn, één Oostenrijker en één Zwitser. (Dilli en ik streden manhaftig tegen de verleiding om de twee laatstgenoemden als 'de Duitsers' te betitelen.) De IJslander verdween vrijwel meteen naar zijn kamer, de grootste aan de voorkant van het huis met bedden voor zes personen. De Zwitser en de Oostenrijker sliepen in de achterkamer. Wij zouden de vliering met de geest moeten delen.

Je kon niet zeggen dat het huis van alle gemakken voorzien was. Het enige stromende water werd geleverd door het riviertje buiten, er was geen elektriciteit, geen brandstof voor de houtkachel, en geen beddengoed, behalve een stapel dunne matrassen die doortrokken waren van de zurige paddestoelachtige vochtigheid die te verwachten viel in een huis waarvan de muren met plaggen bekleed waren. Het geheel deed me denken aan de primitieve, uit lavasteen opgetrokken hutten zoals Dufferin ze beschreven had, en het zou me niets verbaasd hebben als ik de geest slapend in een met veren en zeewier gevulde kist zou hebben aangetroffen, of, beter nog, zittend in een paardenschedel.

Het was koud – de Oostenrijker stond erop de voordeur wijdopen te laten zodra het Camping Gaz-stelletje de keuken haast aangenaam warm begon te maken – en ondanks de aanhoudende middernachtzon (grotendeels een theoretisch verschijnsel bij de huidige bewolking), merkwaardig deprimerend. De sobere omstandigheden in aanmerking genomen, was het opmerkelijk te noemen dat we geacht werden zo eerlijk te zijn het overnachtingstarief van 800 kronen te deponeren in een naast de deur bevestigd busje. Voor hetzelfde geld zou ik serieus overwogen hebben om mijn bijdrage te verminderen van 800 kronen tot misschien wel nul kronen.

De atmosfeer in het kleine keukentje was gespannen terwijl de Zwitser en de Oostenrijker de afwas deden met aan de kook gebracht water uit het riviertje, waarbij de zorgvuldigheid waarmee ze te werk gingen gunstig afstak bij onze nonchalante bereiding van een kant en klare alleen-maar-water-toevoegen sojabonenmaaltijd waar acht mensen genoeg aan zouden hebben. 'De verpakking, alsjeblieft.' De Oostenrijker verbrak de ongemakkelijke stilte, en griste een folieverpakking voor onze neus weg voordat we konden reageren. Hiermee verdreef hij de geest van de eerste plaats op de ranglijst van de wie-zal-ons-tijdens-onze-slaap-aan-mootjes-hakkencompetitie.

Hij las enige tijd geconcentreerd. Wij roerden klonterende sojabonen. De wind deed de kleine, vuile raampjes rammelen in de sponningen. Niemand zei iets. Plotseling kwam de IJslander uit zijn kamer tevoorschijn, opvallend gekleed in dikke sokken, ruige trui en onderbroek. Zijn gezicht vertoonde de wanhopige uitdrukking van een man in een goedkope horrorfilm die een ten onrechte sceptische conducteur ervan probeert te overtuigen dat hij zojuist twee dozijn metropassagiers heeft zien verzwelgen door een gigantische naaktslak. Als ik revers had gehad, zou hij die beetgegrepen hebben. Er was kennelijk iets zeer belangrijks dat hij vergeten was ons mede te delen.

'Wat vind je van IJsland?' wilde hij weten, overdreven snel en heftig knikkend bij mijn hakkelend uitgebrachte positieve gemeenplaatsen. Blijkbaar tevredengesteld, griste hij ogenschijnlijk in het wilde weg een pakje melkpoeder van een plank en verdween weer naar zijn kamer, waarvan hij de deur met een klap achter zich dichttrok. De stilte keerde weer terug in de keuken. De Oostenrijker keek niet op van zijn – onze – verpakking. Hij had iets dergelijks kennelijk al een paar uur eerder meegemaakt.

'Ja. Het is zoals ik dacht. Zie je?' Hij wees naar de voedingswaarde-informatie op de verpakking. 'Hier heb je maar 320 calorieën in honderd gram. Dat is niet goed.'

'Eh, oké.' Het leek me tamelijk duidelijk dat dit niet bedoeld was als een open discussie.

'Ik zal je iets laten zien.' Hij verdween naar zijn kamer, ritste een heleboel dingen open, en kwam terug met een vel papier vol zorgvuldig met de hand geschreven berekeningen en tabellen. 'Hier. Ik heb schema's. Dat is belangrijk.'

'Ja,' zei ik ernstig. 'Ja zeker.'

'Kijk. Hier voedingsmiddelen, hier energie per honderd gram, en hier totaalgewicht in grammen.'

'Juist.'

Zijn stem begon steeds scheller te klinken terwijl zijn wijsvinger over het papier bewoog. 'Ja! Hier – muesli is goed voor voettrektocht, niet zwaar en veel calorieën. De beste die ik gevonden heb is hier... hier! Ik noem het Muesli II.'

'Juist... Wat voor merk is dat? Wat voor soort muesli?'

Hij maakte een geïrriteerd wegwerpgebaar. 'Het is... ik weet niet... het is niet belangrijk!'

Geagiteerd liep hij weer terug naar zijn kamer. In dit stadium durfde ik Dilli niet aan te kijken. De Zwitser was klaar met het weer in elkaar zetten van zijn glimmende titanium pannensetje, en wendde zich tot ons. 'Jullie zijn met fietsen.'

'Ja.'

'Ik ben ook met fiets. Er is een hele moeilijke rivieroversteek verder naar het zuiden, ja?'

Zo nonchalant mogelijk vertelden we hem dat dat inderdaad het geval was, maar dat het met flink wat moed en kracht wel te doen was. Hij haalde een kaart tevoorschijn en vroeg ons de oversteek aan te wijzen.

'Hier? Bij Kertlingafjell?' We knikten. Hij snoof. 'Niet die! Die heb ik gedaan – dat is maar een beekje!' Dit zou een gevleugelde uitdrukking worden.

De Oostenrijker kwam weer terug. 'Kijk nu. Pasta is ook goed in kilojoules. En kijk: noedels – gewicht is maar een paar gram. Jullie verpakkingen zijn *zo zwaar*. Waarom hebben jullie zo'n studie niet gemaakt?' Ook dit zou een gevleugelde uitdrukking worden.

'Oké. Luister eens, jongens. Het komt erop neer dat we allebei inmiddels vreselijk de pest aan jullie hebben, dus zouden jullie nu acuut je kop willen houden en naar bed willen gaan,' had ik op dat moment eigenlijk moeten zeggen. Maar in plaats daarvan namen we zwijgend onze sojabonen mee naar de vliering waar we onszelf in slaap aten.

Het enige voordeel van het delen van accommodatie met eenzame trekkers is dat ze hun Muesli II vacuüm verpakt hebben, het gastenboek opgeluisterd hebben met een humoristisch Duits gedicht (ik zeg humoristisch op grond van de uitroeptekens aan het eind van elke regel, hoewel er bij nader inzien net zo goed sprake zou kunnen zijn van een lijst toevallig rijmende geblafte bevelen) en tegen half zes 's ochtends vertrokken zijn. Dat leverde ons een volledig vrije ochtend op om het gemeenschappelijke eetgerei af te wassen zonder Teutoonse opmerkingen dat koppige restanten van onze sojabonen-maaltijd zich niet lieten verwijderen door een combinatie van ijs-koud rivierwater en shampoo. En om gebruik te maken van de latri-ne. Ik heb ooit ergens gelezen dat een jonge Winston Churchill tij-dens een diner aan een wiskundige vroeg om de inhoud van een spoorwagon te berekenen, aangezien hij dikwijls de plechtige belofte gedaan had zijn leven te zullen wijden aan het consumeren van een coupé vol champagne. Min of meer in dezelfde trant, hoewel mis-schien iets minder appetijtelijk, heb ik me dikwijls afgevraagd of alle uitwerpselen die ik tijdens mijn leven produceerde, genoeg zouden zijn om er een Olympisch zwembad mee te vullen, maar ik moet nog altijd iemand tegen het lijf lopen die beschikt over de magische combinatie van wetenschappelijke know-how, rekenvaardigheid en een gedegenereerde geest om me te helpen met de berekeningen. Maar ik heb nu in elk geval een redelijk goed idee hoe zoiets eruit zou kunnen zien.

Dilli kwam met een verwilderde uitdrukking op zijn gezicht uit het op het oog onschuldige driehoekige bouwsel tevoorschijn. 'Dat is erger,' zei hij wezenloos, 'dan alles wat ik gedurende zeven jaar medicijnenstudie heb gezien.' Maar de dringende boodschappen die mijn onderlichaam verstuurde, ongetwijfeld verband houdend met de sojabonen van de vorige avond, lieten me geen andere keus dan op mijn beurt de donkere piramide te betreden. Daarbinnen leek er aanvankelijk weinig aan de hand. Er hing weliswaar een stallucht, maar daar viel nog wel mee te leven. Er stond een soort houten bankje waarin een normale toiletzitting was ingebouwd. Met groeiend zelf-vertrouwen lichtte ik het toiletdeksel op.

Als ik de ten onrechte sceptische conducteur had gespeeld in de al eerder genoemde low-budgetfilm, zou deze handeling onmiddel-lijk zijn gevolgd door één enkele, oorverdovende symfonische don-derslag, en een close-up van mijn door ongeloof, pure angst en weerzin vertrokken gezicht. Maar in plaats van een gigantisch weekdier bevond zich onder mij de strontemmer van Pandora, een Hiërony-mus Bosch-achtig visioen van de gruwelijke verscheidenheid aan menselijke uitwerpselen, een uitgegraven put ter grootte van een flinke tuinschuur, voor bijna tweederde gevuld met een enorme kegelvormige berg, bestaande uit de overblijfselen van de *pylsur* van vorige maand en de Muesli II van vanochtend. Hysterisch giechelend herinnerde ik me een mop over een man die na het drinken van zwaar bier vreselijk aan de diarree raakte. Vervolgens viel ik ten prooi aan een acute angst dat mijn horloge van mijn pols zou glijden en in de muil van de hel terecht zou komen, waarop ik het afdeed en me sneller ontlastte dan ik ooit eerder had gedaan.

Een nieuwe dag, een nieuwe rivieroversteek. Na een uurtje fietsen over voorhistorische steenslag, modderig door de plensbui van de afgelopen nacht, bereikten we de Svartá, de Zwarte Rivier. In plaats van een brug bevond er zich een bord. 'Gebruik een sterk touw bij de oversteek. Draag altijd felgekleurde kleding.' Met deze twee korte zinnen werd de boodschap overgebracht dat het doorwaden van de rivier niet slechts een zware opgave was, maar zo gevaarlijk dat de geringste misstap onvermijdelijk zou leiden tot een langdurige stroomafwaartse zoektocht naar je opgezwollen lijk.

We trokken het grootste deel van onze kleding uit en Dilli droeg zijn fiets naar de overkant, waarna hij zelfverzekerd riep dat hij de oude gympen die hij als waadschoenen gebruikte, naar de overkant van de ijzige, tien meter brede rivier zou gooien zodat ik ze ook kon gebruiken. Dat lukte hem niet helemaal, en in mijn riskante poging om ze alsnog te pakken te krijgen, werd ik nog natter dan wanneer ik met behulp van een snorkel op mijn buik naar de overkant was gekropen. Hoe dan ook, ik kon de fiets onmogelijk dragen, en tegen beter weten in wist ik mezelf er op een of andere manier van te overtuigen dat ik hem naar de overkant kon duwen zonder dat de fietstassen nat zouden worden.

Een paard. Daar had Dufferin ook de beschikking over gehad, en daar waren deze paden ook voor bestemd. IJslandse pony's zouden geen enkel probleem hebben met een koud bad, en hun eigenaardige 'vijfde gang' zou al die afschuwelijke oneffenheden absorberen. Vijfde gang? Het standaardpaard heeft vier gangen – stap, draf, galop en... ren-galop. IJslandse pony's hebben die vijfde gang, die inhoudt dat ze er een redelijk tempo op na houden maar hele korte pasjes nemen of zoiets, zodat de berijder ondanks het driftige getrippel van de paardenvoetjes redelijk rustig in het zadel kan blijven zitten. Anderzijds levert het wel een stom gezicht op, zo'n beetje als de tien kilometer snelwandelen op de Olympische Spelen, waarbij de atleten hun borst vooruitsteken en hun bekken laten rollen en hun ellebogen uitsteken alsof iemand zojuist 'Do, Do, Do The Funky Chicken' op 78 toeren heeft opgezet en je je voortdurend afvraagt waarom ze niet gewoon gaan hardlopen.

Maar ik heb het geprobeerd met IJslandse pony's en ben jammerlijk door de mand gevallen. De eerste keer was de enige hoofdbedekking die beschikbaar was om mijn bolle, encefalitische schedel te beschermen, een soort slecht passende plastic Wehrmachthelm die Woolworth in de jaren zestig mogelijk in het assortiment zou hebben gehad als de Duitsers de oorlog gewonnen zouden hebben. Ik zag er op esthetische gronden van af. De tweede keer lukte het me om in het zadel te klimmen, waarop de pony woest begon te steigeren, tot grote ontsteltenis van de boer die dat, naar zijn zeggen, een IJslandse pony nog nooit had zien doen. Op een of andere manier slaagde ik erin er niet af te vallen, en ik deelde hem met beverige stem mee dat ik waarschijnlijk niets mankeerde, maar hij stond het dier al op de hals te kloppen en geruststellende woordjes in het oor te fluisteren. Het was zijn paard waar hij zich zorgen over maakte. Af en toe wierp hij me een achterdochtige blik toe die suggereerde dat hij me aanzag voor een trollenspion die stallen verkende en paarden taxeerde, die dan later gestolen zouden worden door mijn drieënhalve meter lange medeplichtige. Het zesde zintuig van zijn pony had me verraden. Ik liet me min of meer van het paard af glijden en zette een beverige streep onder mijn ruitercarrière. Slechts per fiets zou ik er aanspraak op kunnen maken Dufferin verslagen te hebben door dwars door IJsland te rijden.

We fietsten verder door de woestijn, waarbij we uiteindelijk een soort ritme te pakken kregen, en onze eet- en drinkpauzes geringer in aantal werden naarmate een groeiende weerzin tegen onze proviand de overhand kreeg op onze honger. Zelfs de gedroogde abrikozen, die tijdens de duizeligmakende ondervoeding van Dag 1 nog als

godenspijs hadden gesmaakt, oefenden geen enkele aantrekkingskracht meer op ons uit. Alleen al de gedachte aan de plak gedroogde
pruimen zond een serie misselijkmakende rillingen door me heen,
rillingen die ik herkende van een afschuwelijke gebeurtenis vlak voordat ik van huis was vertrokken, toen elke geopende verpakking van
gedroogde voedingsmiddelen in onze keuken bleek te krioelen van
de mottenlarven.

Verkeer was er nauwelijks meer. De weinige voertuigen die we
zagen waren voornamelijk hoog op de wielen staande terreinwagens,
maar af en toe kwam er ook een gewone personenauto langs, onveranderlijk vergezeld van het lawaai van de recentelijk gesneuvelde uitlaat en het geknars van de door stof vervuilde wiellagers. Meestal
zaten er jonge vaders achter het stuur, die iets te hard reden met een
onverschillige uitdrukking op hun gezicht. Maar alle inzittenden
begonnen nu naar ons te zwaaien, sommigen vriendelijk, anderen –
en die herinneringen koester ik, want vaak zal me dat vermoedelijk

High Latitudes

WILSON, MET ZIJN ENORME HELM VAN ROBBENVEL EN EEN PAAR
TELESCOPEN OVER ZIJN SCHOUDER.

niet meer overkomen – vol oprechte bewondering, vergezeld van een traag hoofdschudden dat wilde zeggen: 'Jullie zijn gek, jullie Duitsers.'

De bewolking begon langzaam op te trekken, en aan de horizon werden kleine stoompluimpjes zichtbaar. Dat waren de geisers van Hveravellir, de enige permanent bemande buitenpost in het binnenland van IJsland, waar een vermoedelijk vreedzaam en uitstekend bij elkaar passend echtpaar elk jaar overwintert om nutteloos exacte meteorologische details te verzamelen over hoe gierend ijzig de stormen aan het onbewoonde einde van de wereld precies zijn. Maar in de zomer was Hveravellir een bedrijvige halteplaats voor vrachtwagenchauffeurs, met een restaurant, hotel, bar en tankstation annex supermarkt.

Het vooruitzicht om koolhydraten in zowel vaste als vloeibare vorm tot ons te nemen, gaf ons nieuwe krachten. We hadden al afgezien van een veertien kilometer lange omweg naar de Bottenheuvel – het rondsnuffelen tussen paardenribben en soortgelijk aangenaam vakantievertier behoorde niet langer tot onze prioriteiten. Het was nu alleen nog maar zaak om fysieke en mechanische ineenstorting te voorkomen tot we ons doel bereikt hadden. En dus zwoegden we verder in de richting van de lokkende commerciële verrukkingen van Hveravellir, langs al bijna vergeten tekenen van beschaving zoals daar zijn een verkeersbord en, nog opwindender, afval.

'Duitsers,' mompelde Dilli.

Er was ook een primitieve landingsstrook, gemarkeerd door hoge piramideachtige constructies met nummers op de zijkanten geschilderd en windzakken bovenaan. Wat was hier in vredesnaam de zin van? Er bevindt zich hier welgeteld één permanent bewoond huis met twee bewoners. En de landingsstrook ligt daar dan ook nog eens zo'n vijf kilometer bij vandaan. Het binnenland van IJsland ligt vol met dergelijke geïsoleerde landingsstroken, waardoor ik het van harte kan aanbevelen als ideale afleveringsplaats voor drugs- en wapenzendingen. Als je de cocaïne in de zomer per vliegtuig aanvoert, kun je het toestel zelfs om drie uur 's ochtends nog zonder landingslichten aan de grond zetten. Het enige nadeel is de bijzonder kleine binnenlandse markt, wat eigenlijk doodzonde is. Ze beschikken er per slot van rekening over de uitgestrekte wildernissen die nodig zijn voor het probleemloos dumpen van leden van rivaliserende kartels en dat soort dingen.

In IJsland komt weinig misdaad voor. Tot een paar jaar geleden had er nog nooit een bankoverval plaatsgevonden. De enige gevangenis wordt zo halfslachtig beveiligd dat de gedetineerden naar believen over het hekwerk wippen. Wat nog het dichtst in de buurt van georganiseerde misdaad komt, zijn de bendes die de illegale sterke drank stoken die de laatste jaren de voornaamste oorzaak van dronkenschap onder tieners is geworden.

Het zelf stoken van alcohol is in Scandinavië een levenswijze, gedeeltelijk uit traditie, maar voornamelijk vanwege de krankzinnige prijzen en de beperkte verkrijgbaarheid van sterke drank. Een fles drank in IJsland of Noorwegen kost £20; zelfs een nauwelijks te drinken Litouwse Riesling kost nog £7.

Dronken worden van zelfgemaakte wijn en bier is één ding – het ergste wat je kan overkomen is dat je in slaap valt in een sauna of dat het teveel aan gist dat je binnengekregen hebt, je naar het hoofd stijgt. Dronken worden van zelfgestookte sterke drank met een onbestemd maar over het algemeen verontrustend hoog alcoholpercentage is een heel andere zaak. Men hoeft slechts op een vrijdag- of zaterdagavond een Scandinavische stad van meer dan vijftig inwoners te bezoeken om de effecten met eigen ogen te kunnen aanschouwen.

Gedurende mijn negen weken durende expeditie heb ik meer stomdronken mensen gezien dan ik volgens mij in de voorafgaande jaren in Londen heb gezien. Mensen die geen controle meer over hun nek hadden, mensen die discussieerden met zeemeeuwen, mensen die zo vervaarlijk ver heen waren dat iedereen met een boog om hen heen liep en hen met een mengeling van afschuw en nieuwsgierigheid nakeek in de verwachting dat ze elk moment van een kade konden vallen of een tram konden kapen. En het waren geen verlopen zwervers of Schotten, maar gewoon goedgeklede vijftien- tot zeventienjarige jongens en meisjes, zonen van opticiens, dochters van reisagenten. In Bergen zag ik op straat een afschuwelijke vechtpartij uitbreken tussen een stel heel jonge en kennelijk welgestelde meisjes die elkaar in de haren vlogen als een troep lijmsnuivende achterbuurtmeiden. En toen was het nog pas 20.30 uur.

De jeugd van Scandinavië doet dat twee jaar lang twee avonden per week, en houdt het dan voor gezien. Maar ondertussen is een onevenredig groot aantal van hen verdronken doordat ze met de auto van hun ouders na een schakelfout achteruit een verwarmd zwembad in zijn gereden of iets dergelijks, het soort dingen dat mensen niet zo vaak doen onder invloed van de wat onschuldiger alcoholische drankjes uit mijn jeugd, zoals Kestrel-bier of een Lambrusco uit de supermarkt.

Toen we de top van de laatste heuvel bereikten, draaide de wind en joeg ons eeuwenoud, oranje stof in het gezicht. Door half toegeknepen ogen leek het angstaanjagend desolate landschap meer dan ooit op de eerste door de Marsbuggy uitgezonden beelden die ik een paar dagen eerder had gezien. De bronskleurige zwerfstenen die zich hier en daar te midden van het gerimpelde lava bevonden, de zwarte pieken die aan de horizon opdoemden: het was allemaal prehistorisch of postapocalyptisch. Het leek volkomen misplaatst om dit landschap op zoiets bespottelijk alledaags als een fiets te doorkruisen. Een driewielige *Mad Max*-motorfiets of een gezadelde brontosaurus zou toepasselijker zijn geweest.

De vage contouren van gebouwen en geparkeerde auto's doemden op door de stofstorm. Hier was het dan. De beschaving. Onze oase. We hadden inmiddels het weinige wat we wisten van Hveravellirs spaarzame zomerattracties samengevoegd: de trots van het stadje, en zonder enige twijfel onze eerste aanloophaven, was het Wild West Restaurant, waar vrijpostige cowgirls met leren beenstukken je voorzagen van glazen inferieure whisky en grote porties spareribs, en waar blackjack gespeeld werd in een knus, rokerig, als casino ingericht achterafzaaltje. 'Er was aanvankelijk nogal wat te doen over de neonreclame,' zei ik, 'maar nu is het een baken – de vliegtuigen maken er gebruik van als ze 's zomers landen.' Dan was er ook nog het aangrenzende hotel. 'Het is niet zo groot,' herinnerde Dilli zich, 'maar de meeste kamers hebben een hemelbed en van die saloondeurtjes naar de badkamer en zo.' 'Ja,' zei ik. 'En als je erom vraagt, brengen ze je zo'n oud zinken zitbad en vullen dat met schuim, je weet wel, zoals je ook altijd zag in *Alias Smith & Jones*.'

Terwijl we ons uit lieten rijden, realiseerden we ons onmiddellijk dat er in ons hoofd iets mis was gegaan. Er was een kampeerterrein, met een toiletgebouwtje en twee trekkershutten. Aangezien we kennelijk allebei tijdelijk krankzinnig waren geworden door het ontregelende landschap en de slopende vermoeidheid, hoefde er gelukkig niet nagekaart te worden over deze uitbarsting van wederzijds zelfbedrog. We maakten er gewoon geen woorden meer aan vuil terwijl we een van de trekkershutten binnengingen, daar de Zwitser aantroffen die een gedicht in het gastenboek aan het schrijven was, rechtsomkeert maakten en de andere trekkershut binnengingen. Trouwens, alles was nog niet verloren. Er was altijd nog de winkel van het tankstation.

'Kunt u me zeggen waar de winkel van het tankstation is?' vroeg ik aan een man die naar buiten kwam door een deur met het opschrift 'BEHEERDER'.

'Bij het tankstation, zou ik zo denken,' antwoordde hij met de uitgestreken bedachtzaamheid die kenmerkend is voor niet-grappige mensen die een grap in een vreemde taal maken.

'Heel leuk. Om je te bescheuren,' zei ik, 'maar waar mag dat dan wel zijn?'

Hij keek op zijn horloge.

'Als u flink doorrijdt, bent u er misschien over twee uur. Wat vindt u van IJsland?'

De trekkershut was in elk geval een hele verbetering, vergeleken met de authentieke ongemakken van Hvítarnes. Hij was nieuw, met grenenhout afgewerkt en werd tot saunaniveau verwarmd door geothermische radiatoren. En wat nog het mooist van alles was: we hadden de hele bovenverdieping – in wezen twee rijen matrassen die elk een reusachtig, vierenhalve meter breed bed vormden – voor onszelf. En verder bevond zich vlak naast de voordeur een privé-buitenbadje in de vorm van een natuurlijke warme bron waarin meerdere mensen konden plaatsnemen. Nadat we weer een van onze feestelijke sojabonenmaaltijden bereid en verorberd hadden, daarbij enkele Franse echtparen van middelbare leeftijd uit de keuken verdrijvend, maakten we gretig gebruik van de bron.

We zaten een uur lang tot aan onze kin in het warme water, ons niets aantrekkend van de oranjeblauwe kalkafzetting, als de snottebel van een buitenaards wezen, op de rots waartegen onze hoofden rustten, en lieten de 73 kilometer die we die dag afgelegd hadden langzaam wegsijpelen uit onze geteisterde lichamen. Mijn meest interessante lichamelijke ongemak was nu een soort permanent slapend gevoel in de ringvingers en pinken van beide handen, hetgeen waarschijnlijk verband hield met het beroerde wegdek en mijn gewoonte om me aan mijn stuur vast te klampen alsof mijn leven ervan afhing. Als gevolg daarvan waren mijn handen nu voortdurend verkrampt tot twee spastische, krachteloze klauwen. Met mijn linkerhand kon ik vrijwel niets meer, maar ik kon hem in elk geval bij de pols nog heen en weer bewegen. Met de rechter was het slechter gesteld. Die was zo stram dat ik er nog geen knoopje mee kon losmaken of er een stuk bestek mee kon vasthouden. Het zou twee weken duren voordat ik iets kleiners dan een schoen kon oppakken, en de zenuwbeschadiging die ik eraan overhield, zou me nog tot een maand na mijn terugkeer naar huis parten blijven spelen, en me degraderen tot een hulpeloze toeschouwer zodra er iets gedaan moest worden waarvoor ook maar een klein beetje kracht in je handen vereist was.

Nadat we enigszins onvast ter been uit ons privé-bad waren gestapt, lieten we ons opdrogen door de wind, en nadat Dilli mijn schoenveters voor me gestrikt had, gingen we op weg voor een middernachtelijke verkenning van Hveravellir. Het stadje is in IJsland beroemd als woonplaats van de achttiende-eeuwse vogelvrijverklaarde Eyvindur, die een kustdorpje ontvluchtte nadat hij betrapt was bij het gappen van een stuk kaas en samen met zijn vrouw terechtkwam bij de indertijd nauwelijks bekende bronnen. Hier bleven ze met zijn tweetjes zevenendertig jaar lang wonen, stalen schapen, kookten schapenvlees in de hete bronnen en deden net alsof ze de Flintstones waren. Terwijl ik de overblijfselen van zijn uit lavasteen opgetrokken huis bekeek, vroeg ik me af waarom hij het niet naast de bronnen had gebouwd in plaats van zo'n 300 meter verderop – de winters hier zijn bijna onvoorstelbaar afschuwelijk (windsnelheden van 160 kilometer per uur, temperaturen van veertig graden onder nul, zwaar op de maag liggend maïsbrood in het Wild West Restaurant, enzovoorts), en met geen flintertje brandbaar materiaal in de wijde omtrek zouden dat de enige warmtebronnen zijn geweest.

Het interessante aan Eyvindur is niet dat hij deed wat hij deed, maar het feit dat hij er beroemd door is geworden. Er bestaat een populair toneelstuk over zijn leven, met onder meer een scène waarin zijn vrouw, achtervolgd door de schout en zijn mannen, haar mobiliteit vergroot door met een groots gebaar hun baby in een waterval te werpen.

Zulk een bewondering en respect voor iemand die het opnam tegen het IJslandse binnenland en als overwinnaar uit de strijd kwam, toont aan hoeveel ontzag de IJslanders hebben voor hun binnenland. De verhalen over trollen en mythische 'Dievenvalleien' in het binnenland maken allemaal deel uit van het mysterie van de onherbergzame, verlaten woestenij. Birna's broer Aggi brengt daartegen in dat de cultus van het binnenland kenmerkend is voor de IJslandse obsessie voor ongereptheid. De onaangetast gebleven taal, nog altijd vrijwel dezelfde als die welke door de oorspronkelijke vikingkolonisten uit Noorwegen gesproken werd; de raszuiverheid die door deze kolonisten en een millennium van vrijwel volledige isolatie gewaarborgd werd; zo'n beetje de zuiverste lucht en het schoonste water ter wereld... dat alles komt het best tot uitdrukking in de ijzige ongereptheid van het binnenland, onbezoedeld als dat is door mens of dier. Of begroeiing.

Terwijl we terugliepen over de stomende aardkorst, kwam ik tot de conclusie dat ondanks dit alles de bronnen van Hveravellir weliswaar tot de meest fascinerende, maar tevens tot de meest ongezonde natuurverschijnselen van onze planeet behoren. Van de abnormaal volmaakt gevormde fumarolen – miniatuurvulkaantjes die permanent onder hoge druk een straal heet, zurig ruikend gas uitstoten – tot de geheimzinnige, naar zwavel stinkende stroompjes – diepblauw, felgeel – die je overal in de omgeving kunt zien en die zich een weg over de kale, uit silicaatgesteente bestaande aardkorst banen: alles was net zo zuiver en ongerept als het afvoerwater van een ontmantelde Chinese accufabriek. Waarschijnlijk had Eyvindur zijn huisje een flink eind daarvandaan gebouwd omdat hij doodsbenauwd was dat Satan hem via een van de vele openingen in de aardkorst de voor kaasdieven gereserveerde helleschacht in zou sleuren.

Gestoomd en duizelig keerden we terug naar onze trekkershut en we strekten ons dankbaar uit op de matrasvlakte. Toen gebeurde er iets verschrikkelijks. Om 00.50 uur ging de buitendeur open, en een dozijn paar rumoerige voeten begon de trap op te stommelen naar ons veilige toevluchtsoord. Spoedig stond onze kamer vol gemelijke, jeugdige Oost-Europeanen, zonder uitzondering gekleed in goedkope nylon trainingspakken in WK '74-stijl. Alle gezichten hadden de vaalbleke teint die het gevolg is van een leven dat grotendeels bestaat uit het kettingroken van goedkope, smerige sigaretten en het om vijf uur 's ochtends wachten bij tramhaltes vlak naast open bruinkoolgroeven. We sukkelden weer in slaap, begeleid door een merkwaardig effectief wiegenlied van nauwelijks onderdrukt gegiechel, geboer en doordringend gefluister, en schrokken ongeveer om het uur weer wakker door het welkome geluid van een Slavische schedel die onzacht in aanraking kwam met het schuin aflopende grenenhouten dak.

Terwijl we zo onhandig als we maar konden onze spullen inpakten, in een vergeefse poging hun het uitslapen onmogelijk te maken, merkte Dilli dat zijn fototoestel verdwenen was. Toen we de gang van zaken van de vorige avond reconstrueerden, kwamen we tot de conclusie dat het apparaat óf op het tafeltje in onze kamer óf naast de warme bron moest hebben gelegen; het bevond zich nu op geen van beide plaatsen, en de Slaven waren in beide scenario's de enige verdachten. Franse protesten wegwuivend over de toestand waarin we het fornuis hadden achtergelaten na ons sojabonenfeestmaal, liepen we naar buiten om onze fietsen te bepakken en onze opties te overwegen. Daar zagen we hun wagens, een fonkelnieuwe Toyota RAV4 en een Land Rover Discovery in 'Camel Trophy Team Tsjechië'-uitvoering. Bij de wagens liep hun leider rond, een opgewekte man van middelbare leeftijd met grijs haar, een witte stoppelbaard, bruine tanden, een bolle buik en een openhangend overhemd. Hij was duidelijk degene met het geld. Ik stamelde een soort beschuldiging onder voorbehoud.

'Eh... hallo. Umm... heeft u of een van uw vrienden gisteravond misschien een fototoestel gezien? Want, ziet u, mijn vriend had een fototoestel, en... misschien, ik weet het niet, dacht een van uw vrienden dat iemand het verloren had en besloot het mee te nemen voor het geval het zou gaan regenen... '

'*Prosim*?'

In Scandinavië vergeet je gemakkelijk dat niet de hele wereld Engels spreekt.

'Eh... een camera. Camera? Klik-klik? Mijn vriend – zijn camera?

Uw vriend – camera meenemen? In zak steken?'

Hij keek me aan met een blik die me in eerste instantie deed vermoeden dat hij mijn toneelstukje met bijbehorende gebaren geïnterpreteerd had als een verzoek namens mijn vriend om de broek van zijn vriend te fotograferen, en glimlachte vervolgens breed toen het tot hem doordrong wat ik bedoelde. 'Nee, nee! IJsland – mensen nemen hier geen camera. Nee! Kijk – mijn wagens, ik heb portieren open in nacht – geen sleutel in IJsland!'

We hadden ons meteen al gerealiseerd dat we de camera waarschijnlijk wel op onze buik konden schrijven, gezien de kleine kans dat iemand zich met goede bedoelingen over het apparaat ontfermd had. In elk geval zou deze welgestelde, jolige kerel vast niet medeplichtig zijn aan zo'n onbeduidend, opportunistisch vergrijp. Welnee. Hij was hier waarschijnlijk om 50.000 xtc-tabletten op te pikken van de landingsstrook. Het enige wat ons overbleef was hem op stang te jagen door zijn land een paar keer Tsjechoslowakije te noemen en vervolgens met de pest in ons lijf weg te fietsen, richting woestijn.

De zon was in elk geval tevoorschijn gekomen, zodat we voor het eerst een onbelemmerd uitzicht hadden op de grimmige pieken die aan alle kanten aan de horizon opdoemden. Terwijl we de eerste van de vele lange hellingen van die dag beklommen, trokken we onze bovenkleren uit en reden met ontbloot bovenlichaam verder. Maar ik kon zien dat Dilli met zijn gedachten ergens anders was. Het was niet zozeer de camera zelf als wel alle tijd en moeite die het ons gekost had om zorgvuldig geënsceneerde opnamen met de zelfontspanner te maken, waartoe we de camera in wankel evenwicht op zwerfstenen plaatsten en net op tijd terug waren bij onze fietsen om te zien hoe het apparaat omvergeblazen werd.

Zelf had ik meer zitten piekeren over het feit dat de diefstal schijnbaar door alle elf jonge Tsjechen gedekt werd; normaal gesproken bevindt er zich in een dergelijke groep altijd wel minstens één gewetensbezwaarde die zijn veto over de misdaad uitgesproken zou hebben. Ik legde mijn nieuwe scenario aan Dilli voor bij wijze van troost: het was geen diefstal met voorbedachten rade, maar een geintje dat ze met hun dronken hoofden hadden willen uithalen.

'Ze wachtten tot wij weer sliepen, leenden toen jouw camera om een serie foto's van elkaar te maken met onze tandenborstel in hun reet. Vervolgens zouden ze de camera achterlaten zodat wij de foto's onder ogen zouden krijgen als we het rolletje thuis lieten ontwikkelen, maar toen kwam die ouwe kerel binnen en werd woedend en smeet de camera kapot op de grond.'

We fietsten een tijdje zwijgend verder.

'Dus, eh, toen moesten ze hem wel weggooien. De camera.'

Een auto reed ons voorbij en hulde ons in een zanderige stofwolk.

'Misschien hebben ze hem wel in een fumarole gedumpt.'

De zon begon steeds warmer te worden.

'Is dat misschien als troost bedoeld?' informeerde Dilli ten slotte.

Een Duitse gids in de trekkershut in Hveravellir had ons verteld over een cafetaria langs de kant van de weg met een bijbehorende minimart. Hoewel de niet aflatende troosteloze verlatenheid het vermoeden wekte dat het betreffende etablissement ontsproten was aan dezelfde donkere krochten van de geest als ons Wild West Restaurant, joeg de gedachte eraan ons op tot ongekende gemiddelde snelheden.

Dat gold trouwens ook voor de vliegen, die kennelijk uitstekend gedijden op het heerlijke lavastof dat het enige was wat ze tot voedsel kon dienen. Ongetwijfeld aangelokt door de vochtig geworden voorraad gedroogde vruchten en de ranzige onderkleding die nu uit onze fietstassen wapperde, wisten ze ons met een verbazingwekkende snelheid bij te houden – na enige tijd kon ik vaststellen dat we ze slechts achter ons konden laten door een minimumsnelheid van veertien kilometer per uur aan te houden. (Later, toen ik dat omrekende tot negen mijl per uur, realiseerde ik me hoe weinig dat in feite voorstelde.) Hun onbedwingbare voorliefde voor het binnendringen in de onbeschermde lichaamsopeningen van de zich niet verplaatsende fietser bracht ons ertoe het aantal eet- en drinkpauzes en sanitaire stops nog verder terug te brengen.

Geleidelijk aan bereikten we een toestand van bijna karma-achtige onthechting, waarbij de constante lichamelijke inspanning en het vasten ons bewustzijn verhieven tot een toestand waarin we nauwelijks meer vermoeidheid voelden, een toestand waarin de ritmische aaneenrijging van kilometers een eigen leven ging leiden. Het landschap werd vlakker, en de weg volgde de oever van een saai kunstmatig meer dat in het begin van de jaren negentig was aangelegd, als onderdeel van een plan voor een waterkrachtcentrale. We richtten onze volle aandacht op het grindpad dat zich voor ons uitstrekte, en reden om beurten voorop om de ander uit de wind te houden.

Slechts uit nieuwsgierigheid stopten we even bij de schuilhut waar we volgens plan overnacht zouden hebben als koortsige uitputting ons (mij) in haar greep had gekregen, wat 24 uur geleden nog heel waarschijnlijk had geleken. Binnen bevond zich, zoals in vrijwel alle Scandinavische gebouwen, een gastenboek, en daarin was het merendeel van de commentaren, zoals in vrijwel alle Scandinavische gastenboeken, van Duitse oorsprong. Het meest recente was afkomstig van 'Frederik, 17 jaar, uit Duitsland, in mijn eentje fietsend'.

Deze hutten zijn uitsluitend bedoeld als schuilplaats voor diegenen die vast zijn komen te zitten door lawines of bij wie de verbrijzelde scheenbeenderen door het vlees van hun kuiten naar buiten steken, en het gebruik ervan als gratis overnachtingsplaats, in het bijzonder door Duitsers, wordt niet erg op prijs gesteld. Maar toen ik zijn onsamenhangende bespiegelingen las, werd me duidelijk dat Frederik een waardige gast was. 'Als je naar het zuiden gaat, is de weg 10 kilometer lang goed, maar daarna krijg je de slechtste weg die je ooit gezien hebt. Fuck – ik heb geen brood of havermout meer, en er staat een zandstorm.' Je kon je voorstellen hoe de assistent-lijkschouwer in Düsseldorf dit voorlas aan zijn huilende ouders.

En voort peddelden we weer. Veertig kilometer, vijftig, zestig. We waren niet eens overmatig teleurgesteld toen de cafetaria waarover ons verteld was, inderdaad bleek te bestaan maar helaas dichtgespijkerd was. Spoedig daarna ontwaarden we de Zwitser aan de horizon. We haalden hem onverbiddelijk in, reden zijn aluminium superfiets voorbij met een minzaam wuivend gebaar en lieten hem voor dood achter. Ons dagrecord – de 73 kilometer van de vorige dag – ging eraan. Voorbij de waterkrachtcentrale verscheen er gras. Vervolgens schapen. Vervolgens teermacadam. We waren terug op aarde.

Er volgde een lange, steile afdaling van het soort waarbij Tour de France-renners aan het begin kranten onder hun tricots stoppen, en de volgende tien kilometer legden we af in slechts iets meer dan tien minuten. In deze nieuwe, enigszins onwerkelijke wereld verbaasden we ons nergens meer over. Bij onze volgende stop nam ik niet eens de moeite Dilli te vertellen dat ik bijna op gepast lachwekkende wijze aan mijn einde was gekomen toen er bij een snelheid van 61 kilometer per uur plotseling een schaap voor me de weg op gesprongen was. Het scheen de gewoonste zaak van de wereld dat, toen we voorbij een borstbeeld met inscriptie langs de kant van de weg zoefden, Dilli sloom riep dat dat ter ere van zijn overgrootvader was.

Toen, onverwacht, bij wijze van anticlimax, was er een kruispunt, en een bord met 'Kjölur' dat in de richting wees waar wij vandaan waren gekomen. Het was voorbij. We hadden die dag bijna honderd kilometer afgelegd.

Afstappen om een foto te maken van dit symbool van onze geslaagde onderneming was bij nader inzien een vergissing. Tijdens de afdaling waren we het erover eens geworden dat het, gezien de voorspoedige gang van zaken tot nu toe, niet veel extra-inspanning zou vergen om door te rijden naar Blönduós, waar we voedsel en een hotel zouden vinden. 'De pot op met dat kamperen' was, als ik me goed herinner, de gebezigde uitdrukking. Maar nadat we afgestapt waren, en ons onderworpen hadden aan de periodieke verschrikkingen van slijmerig gedroogd fruit en die ronduit afschuwelijke, naar gevulkaniseerde reuzel smakende chocolade, kwamen we tot de ontdekking dat onze lichamen te elfder ure tot bezinning waren gekomen.

'Zeg, wat denk je dat je aan het doen bent?' kraakten mijn knieën toen ik weer opstapte. 'Zeggen jullie maar niks, jullie zijn niet degenen die gekruisigd zijn aan een gloeiendhete gietijzeren radiator,' reageerden mijn schouderbladen. Vluchtige, willekeurige gastronomische fantasieën ontsproten aan onze magen en baanden zich een weg naar onze weerloze monden.

'Rode wijn,' flapte ik eruit. 'Frites. Geroosterd vlees.'

'Kiwisorbet,' riep Dilli tot zijn eigen niet geringe verbazing.

Met van pijn vertrokken gezichten reden we naar de ringweg, Route 1. Het was nog twintig kilometer naar Blönduós, over een kaarsrechte, doodsaaie weg door Langadalur, het Lange Dal, het stroomdal van de Blandá. Alsof de duvel ermee speelde, begon het ook nog eens te stortregenen en er ontwikkelden zich modderpoelen die een onweerstaanbare aantrekkingskracht uitoefenen op IJslands talrijke verveelde en rancuneuze automobilisten. We trokken ons er nauwelijks iets van aan. Ik moest nu om de tien minuten stoppen en even languit in de berm gaan liggen om de folterende pijnen enigszins te verlichten, en Dilli's pedaaltred werd ook steeds trager. Ik was zo moe dat mijn anders zo krachtige fluimen gereduceerd werden tot krachteloze sliertjes slijm die onveranderlijk op mijn schouder terechtkwamen. Ongeveer zeven maanden later bereikten we de top van een helling en zagen beneden ons Blönduós liggen. De afstandsmeter gaf 121,07 kilometer aan. Het was 21.32 uur. Ik geloof dat ik huilde.

Als twee verzopen katten wankelden we de cafetaria van een benzinestation binnen. Daar waren normale mensen bezig met normale dingen, dingen waarvan we vergeten waren dat ze mogelijk waren, zoals het gebruikmaken van urinoirs zonder je eerst helemaal uit te hoeven kleden, en het betalen van £6 voor een hamburger. Er stond een rij klanten voor een vitrine met gebak, chips en koolzuurhoudende drankjes, maar niemand maakte aanstalten om in ootmoedige dankbaarheid neer te knielen voor deze hoorn des overvloeds, die te danken was aan de wijsheid van de mens en de gulheid van moeder aarde.

Ik plofte op een stoel neer en begon wezenloos het grootste gedeelte van mijn met speeksel besmeurde bovenkleding af te stropen, terwijl ik me afvroeg hoe ik me ooit weer aan de samenleving zou kunnen aanpassen. Vaag bedacht ik dat Vietnamveteranen zich ook zo gevoeld moesten hebben toen ze terugkeerden naar Baton Rouge en Des Moines, buitenstaanders, die dingen gezien en gedaan hadden die geen enkel beschaafd mens ooit zou moeten zien en doen. Niets in ons kleinburgerlijke bestaan was ook maar enigszins vergelijkbaar met de buitengewone intensiteit van wat wij hadden meegemaakt, de kameraadschap, het afzien. Ik glimlachte slaperig naar twee kleuters, en voelde toen een overweldigende aandrang om hen te wurgen. Het was onacceptabel dat zulk een argeloze onschuld verziekt en vergiftigd zou worden door angst, smerigheid en honger. Het verliefde stelletje aan het tafeltje rechts van ons; de grootouders die hun kleinkinderen op een uitje trakteerden; het was niet langer mogelijk om deze plotseling onnozele stereotypen te bekijken zonder overmand te worden door een bijna nietzscheaans superioriteitsgevoel.

'Wij zijn anders dan zij,' zei ik schor tegen Dilli, die goddank begrijpend knikte.

Maar frites helen, net als de tijd, alle wonden. De serveerster had duidelijk oog voor onze symptomen van ernstige ondervoeding, en zette voor ons allebei een schoenendoos vol frites neer. Nadat we het grootste deel daarvan met trillende, vrijwel gevoelloze handen op goed geluk naar binnen hadden geschoven, was het tijd voor een herwaardering van de westerse beschaving en onze positie daarin, en voor een inventarisatie van meer urgente prozaïsche overwegingen, zoals het feit dat onze bovenlichamen momenteel slechts bedekt werden door zwartzijden thermogene onderhemdjes, die ten gevolge van het inwendige en uitwendige vocht inmiddels onappetijtelijk, tepelonthullend doorzichtig waren. Meisjes wezen ongegeneerd en giechelden.

Verzadigd van de koolhydraten wenkte ik de serveerster en vroeg haar waar het hotel zich bevond. 'Dat ligt een eindje verderop.' 'Hoe ver?' vroeg ik, in het besef dat elk antwoord dat neerkwam op meer dan twaalf meter, gezien mijn huidige toestand, een onoverkomelijk probleem zou opleveren. 'Misschien twee kilometer. Maar er is hier een camping.' Dat moest dan maar. Onze prioriteiten verlegden zich. Een goede nachtrust zou waar dan ook geen probleem opleveren. Ik zou me met liefde en plezier ter ruste hebben gelegd onder de compressor van de airconditioningsinstallatie. Bier was nu onze eerste prioriteit. Bier, bier, bier. Deze behoefte was zo allesoverheersend dat we, na de tent min of meer te hebben opgezet naast een druipende heg op een drijfnatte camping, op de fiets stapten en uiteindelijk toch nog in het hotel terechtkwamen. Daar bevond zich de enige bar van de stad, met een interieur dat de gezelligheid van een luchthaven cafetaria uitstraalde. We werkten in rap tempo een aantal pinten à raison van £5.80 naar binnen met als enige gezelschap een groepje minderjarige drinkers die steeds als het veelgeplaagde barmeisje haar hielen lichtte om de telefoon in de receptie te beantwoorden, miniatuurflesjes cherry brandy uit de uitgestalde verzameling achteroverdrukten. Op die manier slaagden ze erin een gevorderde staat van dronkenschap te bereiken, en terwijl wij, gedachteloos en zwijgend, onderuitgezakt achter onze vierde pint zaten, vielen hun laatste remmingen weg en achtten ze het tijdstip gekomen om zich met ons te gaan bemoeien.

Ik realiseerde me vaag dat als in Engeland een groep aangeschoten jongelui twee met hun tepels te koop lopende kerels in een kroeg benaderde, er onvermijdelijk een uitbarsting van zinloos en eenzijdig geweld zou volgen, en bereidde me lethargisch voor op een stortvloed van schimpscheuten en een flink pak slaag. Maar ik had beter moeten weten. 'Wat vindt u van IJsland?' brabbelde hun aanvoerder.

Terwijl we slingerend terug naar de camping reden, stopten we op een brug over de Blandá, zetten onze fietsen tegen de brugleuning, en keken naar de jonge eendjes die rondzwommen in de rivier die een eind verderop uitmondde in zee. Ergens, vlak voorbij de horizon, zo'n honderd kilometer verderop, ging de Atlantische Oceaan over in de Noordelijke IJszee. Nu, plotseling, kwam het gevoel dat het volbracht was. Het was me gelukt; ik had per fiets een heel land doorkruist. Ik had de op een na grootste woestijn van Europa overwonnen, ik had Dufferin de loef afgestoken. Ik was zonder enige twijfel een van de kranigste mensen ter wereld.

5

De volgende dag begon in overeenstemming met de tweede kampeerwet, die luidt dat zelfs de geringste helling tot gevolg heeft dat alle in de tent aanwezigen op een kluitje boven op elkaar wakker worden. Terwijl ik mezelf afdroogde met een paar oude sokken, besloot ik om onmiddellijk samen met Dilli per bus naar Reykjavík terug te keren. Nog afgezien van mijn vaste voornemen om mijn tent midden op een druk stadsplein ten aanschouwen van een groot publiek een flinke afstraffing te geven, werd dat besluit me ook ingegeven door het feit dat mijn vrouw en kinderen uit Engeland overgekomen waren, en een gerucht dat het aanstaande vikingfestival in Hafnafjörður (a) heel leuk zou worden en (b) bezocht zou worden door een konvooi boten uit Noorwegen, wat bij mij de hoop deed postvatten op een nautische lift, geheel in de geest van Dufferin, tijdens hun terugreis. Dufferin was van IJsland naar Noorwegen gevaren via Jan Mayen; bij gebrek aan scheepvaartverbindingen naar die geïsoleerde vulkanische uitstulping zou ik Jan Mayen moeten aandoen via Noorwegen, met een militaire vlucht vanaf de binnen de poolcirkel gelegen havenstad Bodø.

We dronken twee koppen koffie à raison van £2 per stuk, terwijl we zaten te wachten op het busstation en ons erover verbaasden hoe snel en gemakkelijk we weer gewend waren geraakt aan alle faciliteiten van de beschaving. Terwijl hij kritisch de drab onder in zijn kopje bekeek, merkte Dilli op dat we nog maar achttien uur geleden moeders die hun baby's de borst gaven, opzij zouden hebben gesmeten voor een kans om met dit bezinksel onze lippen te bevochtigen.

Recente handelingen als de zinloze diefstal van een pakje theezakjes uit de keuken van de trekkershut in Hveravellir kwamen ons nu voor als de wanhoopsdaden van twee opgejaagde mannen, mannen die geen enkele verwantschap toonden met het tweetal alledaagse, enigszins groezelige toeristen dat nu zat te mopperen over de beperkte keuze aan hotdogsauzen in de cafetaria van een busstation.

Ongeveer 410 minuten later stonden we naar de voordeur van Birna's ouders te gapen alsof het iets was wat we ons vaag herinnerden uit een vorig leven. Binnen nog eens tien minuten had ik de helft van mijn kleren uitgetrokken, een homp cheddar van het formaat van een roman van Harold Robbins verslonden, en was in slaap gevallen op de bank. Mijn afgebeulde lijf reageerde zelfs niet meer op het energieke geduw en getrek van mijn zoontje.

Ik bleef drie nachten in het grote, vredige huis van mijn schoonouders logeren, waarbij ik de namen van mijn kinderen weer onder de knie kreeg, vertroeteld werd met het geroosterde vlees en de rode wijn uit mijn uitgehongerde hallucinaties en alsnog mijn kuiten aanzienlijk zag opzwellen, zoals voorspeld door dokter Dilli.

Voor het eerst sinds mijn vertrek uit Grimsby beschikte ik nu over de lichamelijke en geestelijke rust om me weer in *Helen's Tower* van Harold Nicolson te verdiepen. Ondanks het feit dat ik met mijn trektocht dwars door IJsland een fraaie en broodnodige overwinning op Dufferin had geboekt, was ik me er nog altijd pijnlijk van bewust dat mijn gênante geestelijke instorting aan boord van de Dettifoss zich ongetwijfeld zou herhalen tijdens het volgende maritieme traject van mijn reis, welk dat dan ook zou mogen zijn. Met dat gegeven voor ogen kon het geen kwaad om mijn voorsprong op Dufferin nog wat te vergroten door zoveel mogelijk minpuntjes over hem aan de weet te komen voordat ik weer onder zeil zou gaan.

Maar de eerste hoofdstukken van *Helen's Tower* leverden een schrale oogst op: 'edelmoedigheid van geest... zwierig, flamboyant... een buitengewoon veeleisend, fijngevoelig en scherpzinnig mens'. Gelul. Intrigerender vond ik de passages over zijn huwelijk met zijn achttienjarige nichtje, Lady Hariot Hamilton, zeker toen ik las dat die verbintenis naar het schijnt een cynische, liefdeloze politieke manoeuvre van de immer diplomatieke Dufferin was om een 200 jaar oude familievete te beslechten (de Hamiltons waren de oorspronkelijke heren van Clandeboye geweest, maar via een serie omstreden wilsbeschikkingen waren ze door de Blackwoods op een zijspoor gezet).

Vervolgens wordt er uiteraard onthuld dat er tussen die twee sprake was van innige wederzijdse liefde en respect. Hij was 'de zon waaromheen alle planeten in haar firmament draaiden'; zij was 'de statigste aller gades van alle Onderkoningen... die een vertrek kon binnenschrijden als geen andere dame in Europa'.

De enige reële hoop om nog wat pluspunten tegen hem te scoren, werd gewekt door hints dat hij zich tot een tamelijk pompeuze ouwe knar ontwikkelde. Harold Nicolsons eerste herinnering aan Dufferin dateert uit de tijd dat hij als vijfjarig jongetje een bezoek bracht aan de residentie van zijn zevenenzestigjarige oom, de Britse ambassade in Parijs. Harold krijgt een met helium gevuld ballonnetje met de afbeelding van een haan erop, dat hij onderaan het spelonkachtige trappenhuis van de ambassade uit zijn hand laat glippen. De lakeien raken in paniek en proberen het ballonnetje op alle mogelijke manieren naar beneden te halen. 'Ik hoop maar,' brengt een ontzette attaché met trillende stem uit, 'dat Zijne Excellentie niet tevoorschijn komt.'

Zou Dufferin – die Ierse volksdansen ten beste gaf op de tafels van apothekersvrouwen, en wiens bekendste literaire werk, *Letters from High Latitudes,* vele tijdgenoten choqueerde door zijn beschrijvingen van dronkenschap en het gebruik van 'verscheidene tamelijk vulgaire woorden' – zich daar werkelijk zo druk over hebben gemaakt? Nadat ik gelezen had dat zijn echtgenote, tijdens hun verblijf in Canada, ooit een schouwburg uitgelopen was omdat ze 'aanwijzingen zag dat het stuk een onbetamelijke wending dreigde te nemen', was het me duidelijk dat zij in hun echtverbinteis het humorloze en preutse element vertegenwoordigde. Hoewel het natuurlijk altijd mogelijk was dat hij daardoor geïnfecteerd raakte, kon ik mezelf toch niet meer dan een half puntje toekennen.

Het scorebord klikte monotoon verder: 'veel te knap en innemend' (Koningin Victoria over Dufferin toen hij tot dienstdoend kamerheer werd benoemd); 'de enige persoon voor wie mijn vader ooit ontzag heeft getoond'; 'hij overwon de legendarische lichtgeraaktheid van de Canadezen' (hè?) met zijn 'openhartigheid en humor'; 'zelfs in zijn vierenzeventigste levensjaar navigeerde hij zijn sloep The Lady Hermione door de verraderlijke getijstromen van de Minch, daarbij slechts geassisteerd door een jongen van veertien'.

Het zou het 'veel te knap en innemend' geweest kunnen zijn waardoor ik mijn conclusie, getrokken tijdens mijn deprimerende periode van zeeziekte, bevestigd zag dat Dufferin, zeker gemeten naar mijn maatstaven, veel te volmaakt was. Je kon niet tegelijkertijd onbevreesd en gevoelig zijn, van staatsmanschap getuigen en ongepaste opmerkingen maken, welgesteld en wijs zijn, en je kon zeker niet al deze dingen zijn en er dan ook nog eens innemend bescheiden over zijn. Ik accepteerde mijn nederlaag met een gebrek aan grootmoedigheid dat volkomen in overeenstemming was met mijn karakter, en verlaagde me tot het aanspraak maken op bonuspunten op grond van de verrassende onthullingen dat Dufferin klein van stuk was, op middelbare leeftijd doof werd en lispelde. 'Hij glimlachte hoffelijk, liet zijn monocle vallen en antwoordde "Betht, betht."' Nou, kijk eens aan! Thie je in Thpithbergen, Markieth!

Na mezelf op deze dubieuze wijze een hart onder de riem gestoken te hebben, was ik gereed om het Walhalla te betreden.

Het tweejaarlijkse vikingfestival in Hafnafjörður is kennelijk een evenement waarvoor IJslanders zich schamen, en er bevinden zich dan ook slechts weinig autochtonen onder de deelnemers. Toen Birna's broer Valdimar mij en mijn gezin naar het festival bracht en het parkeerterrein opreed, zakte hij zo ver mogelijk onderuit achter het stuur. IJslanders zijn allemaal vikingen, al vanaf tien generaties terug aan elkaar verwant, en velen kunnen hun geslacht terugvoeren tot de elfde eeuw. Ze hebben er geen enkele behoefte aan hun *roots* te herbevestigen door middel van een tenenkrommende speelplaats-reconstructie van een plundertocht. De vikingcultuur maakt volop deel uit van het hedendaagse IJslandse leven. Birna's oudste broer, Asgeir, heeft zijn twee zoons vernoemd naar Odins raven, Hugi en Muni, wat niet al te controversioneel klinkt tot je erachter komt dat die namen Geest en Geheugen betekenen.

De meesten van de weekend-Noormannen waren afkomstig uit de binnengevallen, niet de binnenvallende landen. Er waren een paar Noren en Denen, maar de meerderheid bestond uit Britten en Duitsers, die gekomen waren om het nog eens op te nemen tegen hun oude kwelgeesten. Dus toen Valdimar zich tot de parkeerwachter wendde met de woorden: 'Ik heb hier twee buitenlanders die voor de vikingen komen, die ik helemaal niet wil zien, maar deze twee buitenlanders wel, maar ik niet, maar zij wel, en zij zijn buitenlanders, en ik niet,' nam ik daar geen aanstoot aan. Birna ook niet, hoewel zij nota bene niet eens een buitenlandse is. Ik zou precies hetzelfde gedaan hebben als ik een Franse zwager had gehad die me gevraagd had hem naar het Pearly King Standwerkersfestival te brengen.

Het is heel gemakkelijk om de spot te drijven met een stel assistent-ombudslieden uit Fleetwood en havenmeesters uit Keulen die zwaaiend met hellebaarden over een nat sportveld hollen terwijl ze proberen te voorkomen dat hun trainingsbroek van onder hun tabberd tevoorschijn komt. En aangezien ik nu eenmaal gemakzuchtig van aard ben, zal ik dat dan ook niet nalaten.

Op het festivalterrein bevonden zich een serie juteachtige tenten en houten kraampjes waar dingen verkocht werden als vikinghoning en moppenboekjes in runenschrift. We liepen langs frisdrank-automaten die ondoeltreffend gecamoufleerd waren met vossenhuiden en *pylsur*-grills die schuilgingen achter gevlochten windschermen, en hielden stil bij een kraampje waar ze glanzende runderhoorns verkochten van het soort waarop Kirk Douglas blies om Tony Curtis te waarschuwen in *The vikings*. De eigenaar was een imposante knaap, en het effect van zijn ruige kastanjebruine baard en zijn met grove steken in elkaar gezette primitieve wambuis werd slechts in geringe mate bedorven door het digitale horloge en de Oscar Goldman-bril. Een tiener-viking wees hem in Germaans klinkend Engels op de onvolkomenheden van zijn handelswaar. 'Deze hoorn kan niet gebruikt worden. De mondopening hier, die moet van binnen dieper zijn. Heeft u niet geprobeerd om er geluid uit te krijgen?'

De eigenaar reageerde onverstoorbaar. 'Ikke niet, knul. Ik verkoop ze alleen maar,' antwoordde hij met een knipoog in een opgeruimd Black Country-accent. We knoopten een praatje met hem aan, waarbij we informeerden naar het nautische vikingkonvooi. Tijdens dat gesprek werd ons vermoeden bevestigd dat zijn hart niet echt in Jutland anno 948 lag. 'Nee, nou ja, er komen er niet zo veel per boot. 's Zomers worden er overal in Europa vikingevenementen georganiseerd, en boten zijn eigenlijk gewoon te langzaam. Ik geloof dat een paar Duitsers hun handel per container versturen, maar dat weet ik niet zeker.'

Handel? Evenementen? Dit was bizar. Kennelijk waren deze heer en velen zoals hij weinig méér dan een in tabberds gehulde onderafdeling van het gilde rondtrekkende beroepshandelaars die je ook aantreft op rommelmarkten, en die het hele land afreizen met hun partijen inferieure verchroomde Chinese schroevendraaiers en van slordige bedrading voorziene nachtlampjes in de vorm van Thomas the Tank Engine.

Enigszins gedesillusioneerd liepen we verder, langs een dichte tent waar een man met een Cockney-accent een kennelijk uiterst belangrijke instructiebijeenkomst in goede banen probeerde te leiden.

'Oké, oké. Goed, nadat de luidsprekerman zijn zegje heeft gedaan, gaan de dorpelingen – dat zijn jullie met zijn allen, en Dave... waar is Dave? Dave? Oké – Dave: jij hoort bij de dorpelingen. Zeg, kunnen we het misschien *iets* rustiger houden? Dank je wel. Goed. Dus de dorpelingen komen van achter de tenten naar het slagveld rennen, kreten slakend in de trant van: "O nee, het is Thangbrandur" of iets dergelijks. En de rest gaat zoals we afgesproken hebben. Oké?'

Dat moesten we zien. Even later waren er zo'n vijftig vikingen verwikkeld in een anarchistisch strijdgewoel met een gelijk aantal christelijke volgelingen van Thangbrandur, wat scènes van verbazingwekkend rauw geweld opleverde. De zwaarden waren bot maar zwaar, en kwamen met volle kracht neer op schilden waar de stukken multiplex van afsprongen en tussen de achteruitwijkende toeschouwers terechtkwamen. Mijn driejarige zoontje vond het schitterend. 'Sla d'r op, Dave!' schreeuwde iemand achter ons. Het gekreun en gebrul werd afgewisseld met rauwe, ofschoon etymologisch misschien niet helemaal verantwoorde Angelsaksische kreten. Een vrouwelijke viking met een hellebaard ging vlak voor onze neus een tegenstander te lijf. 'Vuile christelijke... kuttekop! gilde ze. 'Sssh. Niet schelden. Geen schuttingtaal,' fluisterde haar vijand haar dringend en iets te luid toe, zodat ongeveer veertig toeschouwers het hoorden en begonnen te giechelen, en een IJslandse tiener terugriep: 'Fuck you, man!'

Niet schelden? Jullie zijn verdomme vikingen! Jullie verkrachten! Jullie plunderen! Jullie bezatten je en wassen je niet! Wie denken jullie daarmee voor het hoofd te stoten? 'Ja, nou, sorry hoor, maar ik was van plan me op te geven voor het onderdeel Baby-Spietsen van de cursus Gruwelijke Slachtpartijen, maar toen hoorde ik een van uw collega's "kuttekop" zeggen.'

De strijd ging als een nachtkaars uit. Terwijl de gesneuvelden verrezen uit hun tijdelijk walhalla, bereikte hen via de luidspreker het verzoek om kenbaar te maken waar ze vandaan kwamen. 'Alle Britse vikingen!' brulde de luidspreker, en tweederde van de strijders zwaaide met zijn schild. De Duitsers, van wie er velen ongetwijfeld hun tent te drogen hadden gehangen in plaatselijke garages zonder daar uitdrukkelijk toestemming voor gekregen te hebben, werden door het publiek uitgejouwd, evenals de enige IJslandse viking, die reageerde door 'Thor!' te schreeuwen met een stem die ongeveer een halve octaaf te hoog was om geloofwaardig te klinken.

'En ten slotte, alle overige vikingen!'

'Ierland?' klonk een verontschuldigend stemmetje van onder een aarzelend in de hoogte gestoken knuppel. Ik dacht aan Dufferins voorliefde voor vikingen.

High Latitudes staat vol verhalen uit de sagen, ingeleid door titels als 'Thureds Geliefde' en het uitstekende 'Een Woeste Tragedie', waarin ademloos beschreven wordt hoe Thor worstelt met een voedster en hoe Arngrim Halli doodt door hem in kokend water te werpen. Ik neem aan dat zijn fascinatie gedeeltelijk veroorzaakt werd door zijn romantische idealisering van nobele wilden, en gedeeltelijk door de theorie, door Dufferin uitvoerig verdedigd, dat vikingen vrijelijk heen en weer voeren tussen IJsland en zijn geboorteland Ierland (men zegt dat de daaruit voortvloeiende rassenvermenging de verklaring vormt voor het feit dat IJslanders over het algemeen donkerder haar hebben dan hun vermaard blonde Scandinavische neven en nichten). Terwijl hij tijdens het banket van de Gouverneur lodderig naar de zee van glazen staarde, moet Dufferin een herbevestiging hebben gevoeld van de over-het-water, onder-de-tafel-verwantschap die hij met hen voelde. En natuurlijk verschafte de voorliefde van de vikingen voor gruwelijke slachtpartijen hem de mogelijkheid zijn gevoel voor understatement ten volle te ontplooien: afschuwelijke bloedbaden worden omschreven als 'momenten van opwinding'.

Zoals we tijdens onze fietstocht al ondervonden hadden, werkt het ongerepte landschap epische fantasieën in de hand. Zich verontschuldigend voor zijn 'enigszins hoogdravende taalgebruik', legt Dufferin uit dat 'te midden van de onvoorstelbare grandeur van het landschap' zijn bemanning 'de eetlust van reuzen had ontwikkeld'. 'Het bloed van jonge Titanen klopt in onze aderen', schrijft hij. Terwijl de Reine Hortense de Foam uit de haven van Reykjavík sleepte en koers zette naar het noorden, naar het verafgelegen, eenzame vulkaaneiland Jan Mayen, waren dergelijke sentimenten volledig gerechtvaardigd. De reis naar IJsland, hoe oncomfortabel ook, was een routineaangelegenheid; de trektocht dwars door het binnenland was vervangen door niets meer dan een meerdaags toeristisch uitstapje. In het verschiet lagen ijsbergen, niet in kaart gebrachte wateren en een verlaten woestenij. Zijn eigenlijke avontuur was nu pas begonnen.

Als een vikingboot mij inderdaad naar Noorwegen zou kunnen brengen (mijn militaire vlucht naar Jan Mayen vertrok over drie weken vanuit Bodø), zou dat natuurlijk perfect zijn in het licht van mijn streven om Dufferins reis zo getrouw mogelijk na te volgen. Maar hoewel ik het festival bezocht had in de hoop niet alleen inspiratie maar ook informatie op te doen, was ik verstandig genoeg geweest om mijn verwachtingen niet al te hoog te stellen.

Te midden van de Thors-op-sportschoenen viel het niet mee om passende gevoelens te koesteren. Mensen die pretenderen het gedrag en de levensstijl uit een vergeten tijdperk over te nemen, hebben iets waardoor je zin krijgt om achter hen aan te lopen en hen stiekem af te luisteren om je op een goedkope manier te amuseren met de onvermijdelijke anachronismen die in hun gesprekken opduiken.

'Hoe is het in de tenten? Wij slapen met de jongens uit Manchester in de gymzaal van de school.'

'O ja... We zijn gisteren naar het huis geweest waar Reagan en Gorbatsjov elkaar ontmoet hebben, maar Harriet was vergeten de camcorder op te laden.'

Maar af en toe kwamen er authentieke vikingsentimenten naar boven: 'Gisteravond verschrikkelijk doorgezakt met Chris en Hootsy. Volkomen bezopen. Jezus. We zijn op het laatst twee nachtclubs uitgeflikkerd.' Of deze gedenkwaardige woordenwisseling: Dikke vikingechtgenoot: 'Waarom lach je?' Dikke vikingechtgenote: 'Omdat je eruitziet als een zak stront en dat zal altijd zo blijven.'

Terwijl we rondsnuffelden bij een kraampje dat zich specialiseerde in maliënkolders voor poppen, raakten we aan de praat met een Amerikaanse viking die zich kennelijk gedeisd gehouden had tijdens het internationale appèl. Hij had over het Noorse konvooi gehoord. 'De pr-dames in de school hebben me erover verteld. Ze zijn met 45 boten uit Noorwegen vertrokken, maar ze schijnen er een stel onderweg achtergelaten te hebben, en ik geloof dat ze zeiden dat er uiteindelijk tien hier zijn gearriveerd.' Tien? Dat klonk als een onaanvaardbaar hoog uitvalpercentage. 'De meeste boten bleken te klein te zijn of zoiets. Hé – zal ik je mijn kaartje geven? Ik ben bezig een multimedia-vikingproject op te zetten.'

Die avond reed ik, nadat ik mijn fiets in hun garage had gezet (waar hij vandaag de dag nog steeds staat), met Birna's ouders naar hun zomerhuisje in een dichte mist die perfect paste bij mijn stemming. Ik zou blij moeten zijn dat het VVV-kantoor van Hafnafjörður pogingen in het werk stelde om me een plek op een van de boten van het vikingkonvooi te bezorgen, maar dat was ik niet. De hele onderneming was duidelijk zowel overambitieus als rampzalig absurd. Van alle adjectieven die ik kon bedenken voor boten waarmee ik niet de Noordzee zou willen oversteken, behoorden 'klein' en 'viking' tot de top-vijf, vlak achter 'brandend' en 'zinkend'.

Opnieuw schoot ik tekort ten opzichte van Dufferin, en net als aan boord van de Dettifoss, vond ik enige troost in het afreageren op mijn mentor. Ik bedacht dat het oversteken van de Noord-Atlantische Oceaan per authentiek onzeewaardig vikingschip nu precies het soort romantische maar tegelijkertijd ongelooflijk riskante uitdaging was dat Dufferin met beide handen zou hebben aangegrepen, maar ditmaal had mijn opwelling van tegen hem gerichte boosheid een meer rationele basis. Uiteindelijk was zijn hele reis een zinloze aangelegenheid: ze had geen wetenschappelijke of geografische betekenis en kostte alleen maar geld. Het was zijn goed recht zijn eigen leven in de waagschaal te stellen, maar welk recht had hij om het leven in gevaar te brengen van twaalf bemanningsleden, die waarschijnlijk allemaal een dozijn kinderen en een aan de gin verslaafde vrouw te onderhouden hadden? 'Geen haat is zo intens als die welke je voelt ten opzichte van een onaangename scheepsgezel,' had hij geschreven aan het begin van zijn reis. Hij was in zekere zin mijn scheepsgezel geweest tijdens de langste drie weken van mijn leven, en voor het eerst begon ik te begrijpen wat hij bedoeld had.

We stopten bij het geothermische stadje Hveragerði, 45 kilometer ten oosten van Reykjavík gelegen op een kale vlakte. Hier was in 1940 de eerste geothermisch verwarmde broeikas gebouwd. Vóór die tijd, zo las ik in een foldertje dat ik meenam uit de souvenirwinkel waar Birna's moeder enkele van schapenkeutels vervaardigde sieraden kocht, werden de modderputten als hinderlijk beschouwd. 'De beroemdste van de hete bronnen in Hveragerði is de Manndrapshver (de Moordenaar), zo genoemd nadat er in 1906 een man in het kokendhete water viel en stierf,' luidde de tekst, met de gebruikelijke Wilsoniaanse zelfvoldaanheid waarmee IJslanders graag verwijzen naar de meeste menselijke tragedies die meer dan vijftien jaar geleden plaatsgevonden hebben.

Nu staat de hele streek vol broeikassen, waarin komkommers, paprika's en tomaten voor de binnenlandse markt worden geteeld. Deze producten zijn over het algemeen net zo afschuwelijk duur als de geïmporteerde. Ik heb ooit eens £2.50 moeten betalen voor een komkommer, waardoor ik twee uur lang met stomheid geslagen was. Maar ik herinner me een bezoek tijdens een magische zomer, toen één glorieuze week lang de IJslandse tomaten de goedkoopste in heel Europa waren, een feit dat door de nationale media elke dag breed uitgemeten werd totdat Nederland ze voorbijstreefde. Ik leerde mezelf speciaal gazpacho te maken, en was vrijwel onafgebroken op ondeskundige wijze met de blender in de weer tot Birna's roodbespatte familie me smeekte om daarmee op te houden.

Terwijl we bij het zomerhuisje de auto uitlaadden, klonk er een bekende stem op de radio. Mijn schoonmoeder kondigde haar favoriete cd's aan. Een uur later belde een journalist mijn schoonvader voor een telefonisch interview. Binnen twee weken zouden er portretten van Aggi en Birna in de landelijke pers verschijnen. Iemand heeft ooit eens berekend dat met zulke actieve media en een zo kleine bevolking, alle IJslanders kunnen verwachten minstens drie keer in hun leven op de televisie te zullen verschijnen. Het kan soms wel eens benauwend zijn. Ik heb ooit een boek over de genealogie van mijn uitgebreide schoonfamilie gevonden en trof daar tot mijn stomme verbazing een onflatteuze foto van mezelf aan, met een onderschrift waarin ik krenkend als computerprogrammeur werd bestempeld (indertijd recenseerde ik computerspelletjes voor het weerzinwekkende Teletext).

Maar het heeft ook zijn voordelen. Als je er je zinnen op hebt gezet om IJslands meest vooraanstaande röntgenoloog of dierenimitator of consumentenbelangenbehartiger te worden, biedt de beperkte concurrentie, die inherent is aan een bevolking van slechts 270.000 zielen, je alle mogelijkheden tot succes. Mensen in Groot-Brittannië die dolgraag bij de televisie willen werken, doen elf jaar lang niets anders dan teksten voor de autocue fotokopiëren in de hoop een baantje in de wacht te slepen waarbij ze de prijzen die bij *Generation Game* te winnen zijn, op de lopende band mogen zetten. Als je in Reykjavík een zin aan elkaar weet te breien zonder over je nek te gaan of je broek naar beneden te trekken, ben je binnen een halfjaar presentator van het avondnieuws.

De volgende paar dagen werden voornamelijk doorgebracht met luieren in het zwembad van het complex, een verwarmd openluchtbad met een prachtig uitzicht op de Hekla. Het IJslandse zwembad is misschien wel het aangenaamste van alle nationale instituten, en tijdens mijn luie uurtjes daar bedacht ik vaak hoe jammer het toch was dat Dufferin er nooit kennis mee had gemaakt.

Gedurende de ongeveer 700 jaar die volgden op het rampzalige ontbossingsexperiment van hun voorvaderen, beschikte de grote meerderheid van de IJslanders nauwelijks over brandstof. Warm water was zo zeldzaam dat volgens Birna de meeste mensen maar één keer per jaar in bad gingen, met Kerstmis. Vandaag de dag is de vrijheid om in stomende putten in de openlucht te baden een onvervreemdbaar recht, en je bent nooit ver verwijderd van een onberispelijk schoon, zwaar gesubsidieerd zwembad (de toegangsprijs bedraagt over het algemeen minder dan £2). Het is heel verleidelijk, ofschoon helaas ver bezijden de waarheid, om te beweren dat IJsland ongetwijfeld een van de weinige landen ter wereld moet zijn met meer badinrichtingen dan kroegen.

Maar voordat je vrolijk het water in duikt, is het belangrijk om je goed op de hoogte te stellen van de zwembadetiquette. De eerste keer

dat ik in Reykjavík ging zwemmen, werd ik door een bejaarde bad-
meester in de kladden gegrepen terwijl ik me langs een stel spier-
naakte douchers in de richting van het water begaf. Mensen van boven de zestig zijn over het algemeen de enige IJslanders met een minder dan vloeiende beheersing van het Engels, wat in dit geval des te
onfortuinlijker was omdat zijn gesticulaties – met zijn ene hand wees
hij naar mijn zwembroek en met de andere maakte hij driftig wrij-
vende gebaren – vatbaar waren voor een verontrustende verscheidenheid aan interpretaties.

De meeste, hoewel niet alle, van de meer verontrustende interpretaties kon ik schrappen toen hij me naar een poster voerde waarop met behulp van een schaamteloos openhartige grafische voorstelling duidelijk werd gemaakt welke intieme lichaamsdelen met
bacteriedodende zeep gewassen dienden te worden voordat je het
water in mocht.

Misschien is het niet alleen het vuil dat ze wegwassen, maar ook
de weerbarstige schandvlek van al die eeuwen dat ze slechts één keer
per jaar in bad gingen. Wat de reden ook mag zijn, het is nu allemaal
omgeslagen naar het andere uiterste. Birna en haar ouders kwamen
in Engeland wonen toen ze vier jaar oud was. Na het eerste bezoek
van het gezin aan een Engels zwembad, wat een ware cultuurschok
teweegbracht, fulmineerde haar moeder tegen de bedreiging van de
volksgezondheid die gevormd werd door de onhygiënische badge-
woontes. Het lijkt onwaarschijnlijk, maar de boeman van Birna's
jeugd was niet Freddy Krueger of een trol, maar De Oude Man Met
Het Slecht Afgeveegde Achterste.

Als je naar een IJslands zwembad gaat, kun je de toeristen er altijd
meteen uitpikken. Het zijn degenen die er, met hun ogen dicht en een
vage, scheve grijns op hun volkomen ontspannen gezicht, uitzien alsof ze zojuist een flinke shot morfine hebben gezet. De coconachtige
warmte, en de wetenschap dat die rechtstreeks uit de schoot van Moeder Aarde afkomstig is, zorgen voor een dromerig gevoel van welbe-
hagen, van 's mensen gelukkige symbiose met de natuur. Ik krijg hier-
door altijd de neiging om de refreinen te gaan neuriën van 'Golden
Brown', 'Across the Universe' en andere muzikale lofzangen op de
wonderen die het gebruik van bedwelmende middelen met zich mee-
brengt. Ook al ruikt het water dan naar oude landlopersbroeken.

Aan enkele dagen van zalig nietsdoen – baden, barbecuen, het ontmoeten van familieleden met grappige bijnamen, luieren – kwam een abrupt einde door een telefoontje. De schipper die het commando voerde over het vikingkonvooi met bestemming Noorwegen, bood me een plaats aan boord aan. 'Wat voor scheepservaring heb je?' was zijn eerste vraag geweest, wat mijn bange voorgevoelens alleen nog maar aanwakkerde. Plotseling zag ik mezelf vastgeklonken aan een ruwhouten bank, worstelend met een roeiriem ter grootte van een telegraafpaal terwijl de zoveelste muur van zwart zeewater zich over me heen stortte. 'Het wordt misschien wel wat krap,' waarschuwde hij, waarmee er in één klap vier dronken roodbaarden naast me op de bank zaten en één op mijn schoot, 'maar maak je geen zorgen – er is niet al te veel ceremonieel meer op de terugweg.' Dat completeerde het beeld dat ik voor mijn geestesoog zag. De wellustig grijnzende heiden op mijn schoot brandde nu met een witheet gloeiend bijlblad het woord 'Danegeld' in mijn wangen terwijl zijn vier collega's mijn brandende rugzak in de golven gooiden als zoenoffer aan de Noorse zeegoden.

'Nog vragen?'

'Ja, nou en of ik vragen heb! Zijn jullie allemaal krankzinnig? Hebben jullie wel enig idee waarmee je bezig bent? En, verdomme nog aan toe, man, hechten jullie dan geen enkele waarde aan een mensenleven?'

Dit alles en nog meer probeerde ik te laten doorschemeren in de volgende slappe vraag: 'Eh, hoe groot zijn jullie boten eigenlijk?'

'Je hebt geluk. Mijn boot is de grootste – negentien meter. We vertrekken morgen vanuit Höfn. Breng je paspoort en 1500 Noorse kronen mee. We zien elkaar aan boord.'

De resterende uren probeerde ik me dingen van negentien meter lang voor de geest te halen en me voor te stellen hoe het zou zijn om daarin de zee op te gaan. Het zomerhuisje leek bij lange na niet groot genoeg om er de Noord-Atlantische Oceaan mee te trotseren, met of zonder de anderhalve meter brede veranda. Hetzelfde gold voor een bus met een snackcar als aanhanger. Mijn schoonvader deed ook al weinig om mijn snel groeiende ongerustheid weg te nemen. 'Het zal een bijzonder interessante ervaring zijn. Als je terugkomt, ben je een man,' zei hij plechtig onder het avondeten. Jezus. Ik ging naar bed voordat hij de gelegenheid aan zou grijpen om zijn hand op mijn schouder te leggen en me schor toe te fluisteren: 'Zij die gaan sterven groeten u.'

6

De reisroute zou het konvooi terug naar de Færøer en de Shetland-eilanden voeren, met op beide een reisonderbreking van drie dagen, alvorens over twee weken in Haugesund in Noorwegen te arriveren. Als ik wilde, kon de schipper van mijn boot me daarna naar het noordelijker gelegen Florø brengen, de thuishaven van de meeste schippers van het konvooi. Daar kon ik de boot nemen die me langs de Noorse kust naar Bodø zou brengen, waarvandaan ik naar Jan Mayen zou vliegen. Ik nam aan dat ik dat wel wilde. Ik mocht dan wel doodsbenauwd zijn, maar ik was tenminste weer aan boord van een schip, op weg richting Jan Mayen, terug in het spoor van de lispelende lord.

Dufferin was op 7 juli uit Reykjavík vertrokken, na een feest aan boord van de Reine Hortense waarbij een half dozijn met tulbanden uitgedoste matrozen de cancan danste en hij pogingen in het werk stelde om in het Latijn meisjes op te vrijen. 'Het echte, serieuze deel van onze reis staat op het punt te beginnen,' schrijft hij terwijl er vanaf het Franse stoomschip een sleeptros wordt overgegooid naar de Foam.

De volgende ochtend nam ik uitgebreid de tijd voor een laatste naar rotte eieren riekende douche – niettegenstaande het onheilspellend opdoemende vooruitzicht met vikingurine besprenkeld te worden – en voelde een oprechte affiniteit met Dufferins mededeling, terwijl ik met het hart in de schoenen afscheid nam van mijn gezin. 'Papa gaat mee met een vikingschip,' zei mijn zoontje, alvorens het vertederende effect van zijn opmerking teniet te doen met zijn favoriete strijdkreet uit de gereconstrueerde veldslag: 'Aaaargggh – christenhonden!'

Birna had me geholpen al mijn spullen in vuilniszakken te ver-
pakken om ze te beschermen tegen zeewater en regen en rondklot-
send buiswater op de bodem van de woest zwalkende open boot, en
nadat we die in de familie-Daihatsu hadden gepropt, reed Guðrún
me naar Selfoss, waar ik de bus zou nemen voor de negen uur durende reis naar het zuidoostelijke havenstadje Höfn.

'Het zijn waarschijnlijk geen echte vikingen,' zei Guðrún terwijl
we mijn bagage uitlaadden in Selfoss. Nee – maar dat maakt het alleen nog maar erger, dacht ik. Al dat bierdrinken en die zelfvoldane
onbehouwenheid – *ceremonieel*, godbetert – zonder de bijbehorende navigatiekunst. Over negen uur zou ik beginnen aan een ervaring
die me klaarblijkelijk tot man zou maken. Ofschoon ik niet het geringste vermoeden had hoe deze intrigerende transformatie zich zou
manifesteren, kwam het wel bij me op dat ik, als ik het er werkelijk
heel erg goed van af bracht, misschien wel, in elk geval in de geest,
een lord zou kunnen worden.

In de bus beging ik de vergissing bij het kopen van mijn kaartje te
proberen Höfn op z'n IJslands uit te spreken, wat – ik kan het ook
niet helpen – ongeveer klinkt als 'Hurpn'. Mijn vertolking van deze
klank had tot gevolg dat de conductrice me bezorgd aankeek, en als
ik niet snel overgegaan was op de uitspraak 'Hoffen', wat ze onmiddellijk begreep, zou ze me waarschijnlijk nog steeds op de rug aan
het slaan zijn in een poging de verstopping in mijn luchtwegen te
verhelpen.

Toen ik eenmaal weer thuis was, probeerde ik mijn uitspraak van
Höfn uit op Birna om te demonstreren hoe stom die conductrice
was geweest.

'Hurpn,' boerde ik.

'Voel je je wel goed?'

'Hurpn!'

'Weet je zeker dat het in IJsland ligt?'

Ik was een verslagen man. 'Hoffen,' zuchtte ik lafhartig.

'Ah, ja,' zei ze, 'Hurbn.'

Scandinaviërs zijn zo goed in Engels dat ze zelfs twee namen hebben voor hun eigen steden – de ene zoals uitgesproken door de autochtonen, de andere zoals uitgesproken door stomme toeristen. Ze
zijn niet geprogrammeerd om adequaat te reageren op de mogelijk-

heid dat een stomme toerist zich waagt aan de inheemse uitspraak. Ik was bijvoorbeeld nogal verrast toen ik hoorde dat de correcte Noorse uitspraak van Oslo het in feite tamelijk hilarisch klinkende 'Oooshloo' is, maar bij de enige gelegenheid waarbij ik die uitspraak uitprobeerde, gaf de dame van de veerbootterminal in Bergen me een folder over Newcastle.

De bus zat vol Midden-Europese neo-hippies van wie de meesten, net als het selecte exemplaar in de stoel naast me aan het raam, in diepe slaap verzonken waren. Dat weerhield ze ervan zich te ergeren aan de chauffeur die tot mijn ontzetting niet alleen in een mobiele telefoon zat te lachen, maar ook een jumbo-kruiswoordpuzzel voor zich uitgespreid op het dashboard had liggen. 'Niet spreken met de bestuurder s.v.p.' luidde het in meerdere talen gestelde verzoek onder de achteruitkijkspiegel, en het mocht een wonder heten dat een geschokte passagier dat niet had aangevuld met 'tenzij u een betere Noorse mop kent dan de mop die zijn zwager hem momenteel vertelt of een ander woord van drie letters weet voor "touringcar".'

Terwijl we gestaag voortreden over Eldhraun – Vuurlava, de zwarte lavavelden van de zuidkust – begeleid door het irritante blikkerige geschetter afkomstig uit de oortelefoons van de diverse walkmans, kwam het bij me op dat ik een Dufferineske verhandeling over de klassieken wel kon vergeten; hooguit zou ik wat snippertjes Grieks kunnen opvangen door een blik te werpen over de schouder van de *Hair*-doublure schuin voor me met zijn exemplaar van *Hoe zeg ik het in het Grieks?* Nogal onbevredigend allemaal. Toen iemand ergens stiekem een sigaret opstak, bedacht ik dat Dufferin dat niet gepikt zou hebben. Of toch wel? Ik herinnerde me dat hij in zijn latere jaren na het eten regelmatig een sigaret opstak '*pour encourager les autres*', zonder die ook werkelijk op te roken. Ik nam aan dat die handelwijze, bedoeld om mogelijke confrontaties uit de weg te gaan, kenmerkend was voor iemand die geboren was voor een carrière in de diplomatieke dienst.

'Daarom is hij ook nooit zo bekend geworden,' had Andrew Gailey gezegd. 'Als diplomaat mat hij zijn eigen succes af aan de mate waarin hij op de achtergrond wist te blijven.'

Dat was ongetwijfeld waar. Tot de enige onfeilbare manieren om je van een plaats in de politieke geschiedenis te verzekeren, behoort:

het beginnen of beëindigen van een oorlog of het veroorzaken van een gigantische puinhoop (een categorie waaronder ook, hoewel dat misschien enigszins wrang klinkt, het zich laten vermoorden valt). Een lange succesvolle carrière in het met tact en charme bezweren van crises zou dan misschien naar de knoppen zijn gegaan door het houden van één enkele voordracht met lichtbeelden over de geschiedenis van de pornografische limerick, maar het zou Dufferins kans om in de herinnering voort te blijven leven aanmerkelijk vergroot hebben.

'Waardigheid, daar draaide alles om,' had Andrew gezegd. 'En toen hij in het huwelijk trad, werd hij natuurlijk nog bezadigder en respectabeler.' Tja. Bij het doorkijken van enkele van de briefafschriften viel het me op dat zijn echtgenote hem altijd aansprak met 'Dufferin'. Ik nam aan dat die ontwikkeling in overeenstemming was met het beeld dat ik me via het Internet van hem had gevormd, de grillige en speelse jongeman die zich ontwikkeld had tot gerespecteerd edelman.

Maar zou deze transformatie werkelijk alleen maar veroorzaakt zijn door het verstrijken der tijd? Na de volgende sanitaire stop ('Bedankt, chauffeur – het zou echt heel gênant zijn geweest als ik het in de bus had moeten laten lopen'), probeerde ik me, ondanks het luidruchtige gesnurk om me heen, maar weer eens te verdiepen in *Helen's Tower*, op zoek naar een antwoord. En het antwoord bevond zich in de titel.

Als jeugdige weduwe bracht Dufferins moeder de winters door in Castellamare, dat uitkeek over de Baai van Napels, samen met haar vriendin de Hertogin van Somerset. In de winter van 1842, in haar vijfendertigste levensjaar, sloot ze vriendschap met een onverwachte bezoeker, De Oude Man Met Het Slecht Afgeveegde Achterste. In werkelijkheid was het Lord Gifford, die al spoedig bijna elke dag haar appartement bezocht.

Zou de jonge Lord Dufferin, toen zeventien jaar oud, in zijn sas zijn geweest met het vooruitzicht van een welgemanierde, welgestelde stiefvader? Mogelijk. Maar dan toch niet deze. Lord Gifford was achttien en een vriend van Dufferin.

Hoe zou Dufferin gereageerd hebben op het feit dat zijn verafgode moeder in een dergelijke relatie verwikkeld was? Misschien hoopte hij dat Giffords hartstocht na een tijdje vanzelf wel zou bekoelen. Mocht dat het geval zijn, dan had hij het mis. In de jaren daarop bleef Gifford, die bij het bereiken van de eenentwintigjarige leeftijd zijn zetel in het Hogerhuis innam en het beheer van zijn vaders landgoederen overnam, Lady Dufferin met vermoeiende regelmaat huwelijksaanzoeken doen. En steeds weer opnieuw 'smeekte ze hem een zo ongepaste fantasie uit zijn gedachten te bannen'.

Nicolson zegt dat ze zich er niet toe kon brengen te hertrouwen voordat haar geliefde Frederick in het huwelijk was getreden. Maar Frederick, die zich daarvan misschien wel bewust was, scheen geen enkele haast te maken. Toen hij uiteindelijk dan toch trouwde, op zijn zevenendertigste, ging hij er waarschijnlijk van uit dat zijn moeder, inmiddels vijfenvijftig, voor Gifford niet meer zo aantrekkelijk zou zijn. Alweer mis. Na haar twintig jaar lang het hof te hebben gemaakt, trad hij in 1862 uiteindelijk met haar in het huwelijk, tot grote verontwaardiging van zijn ouders, haar zoon, die er kapot van was, en de beau monde, die er schande van sprak.

In feite bleek ze gewoon haar huiswerk goed te hebben gedaan. Eerder dat jaar had zich een soort spierpijn bij hem geopenbaard; die begon geleidelijk aan steeds erger te worden en de artsen, die vaststelden dat er sprake was van een 'inwendige kwetsuur waartegenover zij machteloos stonden', wanhoopten. Voordat ze erin toestemde met hem in het huwelijk te treden, had Lady Dufferin van de medici de bevestiging gekregen dat (a) zijn dagen geteld waren, en (b) het absoluut uitgesloten was dat zijn verschrompelde voortplantingsorganen nog tot iets onbetamelijks in staat waren.

En inderdaad, acht weken na de huwelijksvoltrekking blies hij zijn laatste adem uit. Zes jaar later overleed Lady Dufferin, inmiddels Gravin Gifford, aan borstkanker, en werd naast hem begraven in Friern Barnet.

Hoe uiterst merkwaardig. Misschien waren Dufferins uitstapjes naar de Krim en het hoge noorden niet zozeer een ontsnapping geweest aan de sociale en politieke verwachtingen, als wel aan de vernedering om te moeten aanzien hoe zijn jeugdvriend zijn moeder het hof maakte en hoe de beau monde haar bestempelde als een proto-Mrs. Robinson. Misschien hoopte hij haar door haar mee te slepen naar het Middellandse-Zeegebied, te vrijwaren van Giffords nietaflatende avances. En de fanatieke wijze waarop hij zich na haar huwelijk alsnog op zijn carrière stortte, zou heel goed bedoeld kunnen zijn om de aandacht af te leiden van de verschrikkelijke waarheid, een poging om het schandaal uit te wissen door middel van zijn eigen roemrijke prestaties.

Terwijl ik verder las, bevestigde Nicolson dat het huwelijk Dufferin een 'blijvende schok' had bezorgd. 'Het was zijn overdreven gevoeligheid voor de publieke opinie, zijn vrees dat zijn moeder het voorwerp van spot zou worden... Het was voor hem een onverdraaglijke gedachte dat de muggen der kwaadaardigheid ook maar een moment rond dat heiligverklaarde hoofd zouden zoemen.'

Plotseling begreep ik waarom Dufferin *Helen's Tower* – duidelijk een gedenkteken met al die grafschriften – zes jaar vóór haar dood gebouwd had. Toen ze met Gifford trouwde, stierf zijn moeder – of althans de zusterlijke maagd die hij in haar aanbeden had.

De mist werd dikker, maar er viel hoe dan ook niet veel te zien. Net zoals het veelkleurige afvoerwater van Geysir en Hveravellir associaties opwekte met illegaal geloosd industrieel loogwater, zo wekken onbegroeide lavavlaktes associaties op met uitgegraven dagbouwmijnen of inderhaast half volgestorte grindafgraverijen.

Ik raakte kortstondig geïntrigeerd door een aanschouwelijk praktijkvoorbeeld van het verschijnsel (ik durf het alleen maar fluisterend te zeggen) Erosie In Actie. Uitgestrekte oppervlaktes bovengrond waren compleet weggeblazen door de over de vlakte gierende winden, en je zag alleen nog maar het zwarte lavagesteente van de aardkorst. Om de zoveel kilometer werd het zwart opgefleurd door keurig aangeplante perceeltjes paarse lupines, die in de verste verte niet opgewassen leken tegen de enorme omvang van hun taak.

Dikke regendruppels zochten zich kronkelend een weg langs de ruiten van de bus. Ik pulkte aan een blaar in mijn handpalm. Ik at alles op wat ik te eten bij me had. Ik dronk alles op wat ik te drinken bij me had. Er restte me niets anders dan een groeiende haat te ontwikkelen en te koesteren ten opzichte van de knaap in de stoel naast de mijne.

Zijn zorgeloze gemaf irriteerde me al een tijdje, maar nu besloot ik dat hij in feite helemaal niet sliep, alleen maar deed alsof, ter rechtvaardiging van het feit dat hij zijn ongeveer vijftien slungelige lede-

maten gedeeltelijk over mijn zitplaats en mijn beenruimte had uitgespreid. Dit waanidee nam op een gegeven moment zulke vormen
aan dat ik een blanco bladzijde uit mijn notitieboek scheurde en er
met nijdige, vijf centimeter grote ballpointletters 'DOOD AAN DE
ZOGENAAMD SLAPENDE HIPPIE' op kraste, waarna ik het in een
zodanige hoek op mijn schoot legde dat hij het kon lezen zodra hij
zijn ogen opendeed.

Ofschoon ik mijn gekwelde geweten er naderhand van heb weten te overtuigen dat de twee gebeurtenissen geen verband met elkaar hielden, stopte de bus nog geen minuut nadat ik mijn gevoelens
aan het papier had toevertrouwd bij een benzinestation ergens in
Nergensfjord. Mijn buurman kwam met een schok tot leven onder
het uitstoten van weerzinwekkende keel- en neusgeluiden, stommelde
blindelings langs me heen, baande zich een weg door het gangpad,
stapte uit, en verdween via het tankstation in de eindeloze, verdorde
prairie. Ik bloos nu nog steeds als ik eraan denk dat ik werkelijk hoopte
dat hij zich uit de voeten had gemaakt om te gaan plassen, niet ver-
moedend dat we even later zonder hem weg zouden rijden voordat
hij zelfs maar de laatste druppel had kunnen afschudden. Maar op
dat moment was ik alleen maar opgetogen – de enige passagier in de
bus met een dubbele zitplaats.

Ik was nog altijd niet gewend aan de discrepantie tussen het car-
tografische belang van IJslandse steden en hun feitelijke omvang. Met
vette hoofdletters en een indrukwekkende schietschijf van concen-
trische cirkels aangegeven plaatsen – Hvölsvollur, Vík, Kirkubaejar-
klaustur – deden geldautomaten vermoeden en uitgebreide sanitaire
faciliteiten, maar die hoop ging in rook op zodra er uit de motregen
een plukje natte bungalows en een dichtgespijkerde winkel opdoemden. (Toen ik bij thuiskomst de kaart van IJsland – met een schaal
van 1:1.000.000 – bestudeerde in mijn Times Atlas of the World, zag
ik tot mijn stomme verbazing dat de kaart niet alleen het Kjölur-pad
aangaf, maar ook het nauwelijks zichtbare zijspoor daarvan dat we
genomen hadden op weg naar de trekkershut in Hvítarnes, en niet
alleen dat zijspoor maar ook nog eens de trekkershut zelf. Die was
omcirkeld en aangegeven met het woord 'Saeluhus' – schuilhuis – in
hetzelfde lettertype dat op de, op grotere schaal afgebeelde kaart van
Zuid-Engeland gebruikt werd voor Orpington.

Eveneens verwarrend, hoewel iets minder vanwege mijn minimale beheersing van de taal, was het gegeven dat elke stad, elke rivier
en elke berg voorzien is van een prozaïsch letterlijke naam. Tijdens
mijn trektocht met Dilli had ik me al verbaasd over het aantal Paar-
denbergen, Vlakke Bergen, Hondenbergen, Blauwe Bergen en Zand-
bergen. Bij lavavelden doet zich hetzelfde probleem voor: Nieuwe
Lava, Lamslava, Tonglava – meer dan eens heeft men het gewoon
opgegeven en een streek simpelweg Lava genoemd. Höfn betekent
gewoon 'haven'. Niemand weet precies hoe Londen aan zijn naam
gekomen is (oké, oké, maar waar kwam 'Londinium' dan vandaan?),
wat eigenlijk wel jammer is. Maar in IJsland zagen de oorspronkelijke kolonisten een wolkje geothermische stoom aan de kust en noem-
den die plek Rokende Baai – Reykjavík – en dat betekent vandaag de
dag nog precies hetzelfde.

Het weer klaarde op en ook het landschap begon wat aantrekkelijker te worden, net op tijd om te verhinderen dat ik me over zou
geven aan Dufferins poëtische neiging om zich te midden van al die
grauwigheid wanhopig donker- en lichtpaarse tinten voor de geest
te halen. De gletsjers kwamen langzaam dichterbij, soms kronkelend
naar de aarde glijdend als bevroren stroomversnellingen, soms abrupt
tot stilstand gekomen met loodrecht oprijzende, tandpastablauwe
ijswanden. Vanaf de niet met ijs bedekte bergkammen zocht een
opeenvolging van watervalletjes zich een weg naar beneden – smalle,
bescheiden beekjes die soms zomaar ineens een val van wel honderd
meter maakten.

De lava maakte kortstondig plaats voor een uitgestrekte, helder-
groene vlakte die eruitzag alsof ze de graanschuur van IJsland zou
moeten zijn, maar klaarblijkelijk eerder de afvalbak van IJsland was,
aangezien de enige tekenen van menselijke bemoeienis verlaten plaggenhutten waren. De enige aanwijzing van een boerenbestaan werd
gevormd door de schapen die zich onverstoorbaar ophielden op de
soms wel 300 meter hoge klippen die met hun soms bizarre vormen
deden denken aan een door Picasso vormgegeven Mount Rushmore.

Toch riep het decor het gevoel op dat IJslands oorspronkelijke
landschap slechts half afgemaakt was, waarbij de lagere regionen van
de bergen bij wijze van proef bedekt waren met een dun laagje mos
en korstmos, als een soort geologische diarree. De ruwgetande diepe

scheuren in de aardkorst en de solitaire zwerfstenen waren nog niet geabsorbeerd en gladgesleten door de elementen en gecamoufleerd door bossen. Als je nu naar die natte, winderige troosteloosheid keek, leek het onmogelijk dat dat ooit nog zou gebeuren.

Even later reden we weer over een uitgestrekte zwarte vlakte, maar ditmaal maakte zich, dankzij mijn eenvoudige landkaart, een gevoel van opwinding van me meester. Als fanatiek volger van natuurrampen, had ik gezien dat we ons nu op de Skeiðarársandur bevonden, een vijftig kilometer brede uit zwart zand bestaande stroombedding, doorsneden met door gesmolten gletsjerwater gevoede rivieren.

Ik was ooit eens over dit gebied heen gevlogen en had me toen zeer verbaasd over de omvang van sommige van de bruine watermassa's die afkomstig zijn van de Vatnajökull, Europa's grootste gletsjer. (Iemand heeft me ooit verteld dat er iets indrukwekkends zou plaatsvinden als die zou smelten, waarvan ik de details inmiddels vergeten ben – het waterniveau zou overal ter wereld met acht centimeter stijgen of Glasgow en omgeving zou weggevaagd worden door een enorme vloedgolf of zoiets.)

Gedurende de afgelopen eeuwen is Skeiðarársandur tweemaal het toneel geweest van omvangrijke natuurrampen. In mei 1783 kwam een van de vele vulkanen die zich onder het gletsjerijs van de Vatnajökull bevinden, tot uitbarsting en daarbij kwam een aswolk vrij die tot in de wijde omtrek een soort nucleaire winter tot gevolg had. Dufferin schrijft met ontzag over de aangerichte verwoestingen, de geschatte 1300 slachtoffers, de weiden 'onherstelbaar bedolven' onder de as. Hier lag ongetwijfeld de oorzaak van de verlaten boerenhoeven waar we langsgekomen waren.

Toen, nog maar een paar jaar geleden, ontstond er ten gevolge van weer een eruptie onder de gletsjer een enorm meer van gesmolten ijs achter een natuurlijke onderaardse dam. Wekenlang cirkelden de media van over de hele wereld in helikopters rond, in de hoop de onvermijdelijke ramp te kunnen vastleggen. Maar toen er steeds maar niets gebeurde raakten ze het beu, en nadat ze vernomen hadden dat er maar heel weinig kans was op een menselijke tragedie (er gaat niets boven een traditie van regelmatige vulkaanuitbarstingen om mensen te ontmoedigen om zich ergens te vestigen), vertrokken ze van lieverlede allemaal weer naar huis.

Vrijwel onmiddellijk daarna begaf de onderaardse dam het op spectaculaire wijze, en Skeiðarársandur werd getroffen door een overstroming met vijf keer de breedte van de Nijl terwijl de aasgieren van de wereld schitterden door afwezigheid. Gelukkig voor mij, echter, nam mijn schoonfamilie de IJslandse tv-berichtgeving op video op, en een maand later staarde ik verbijsterd naar ijsbergen ter grootte van een huis die als propjes papier werden meegevoerd door bruine waterstromen en onderweg bruggen en elektriciteitskabels vernielden.

De autoriteiten werden na wekenlang wachten onvermijdelijk enigszins overrompeld; een politieman die op een brug van een kilometer lengte patrouilleerde, kon zich nog maar ternauwernood in veiligheid brengen terwijl het water al langs zijn wielen stroomde. Hij arriveerde, met de schrik nog in de benen, net op tijd om bij de volgende kruising een bord 'Brug Afgesloten' neer te zetten en een nietsvermoedende Duitse toerist tegen te houden. 'Hoe lang gaat het duren voor hij weer opengaat?' vroeg de toerist, zich waarschijnlijk afvragend of hij misschien nog even tijd had om bij een plaatselijke boerderij langs te gaan om daar een tent of zo te drogen te hangen.

'Een maand of zes,' antwoordde de agent. Het was het soort vriendelijk-arrogante, met-IJsland-valt-niet-te-spotten-reactie dat de meeste mannelijke autochtonen dolgraag ten minste één keer in hun leven ten beste zouden willen geven.

Er volgde een onverwachte stop in Jökulsarlón, de Gletsjerlagune, die met zijn stille pracht mijn gedurende de vele afgelopen kilometers opgehoopte mensenhaat als sneeuw voor de zon deed verdwijnen. Ik zeg 'onverwachte' omdat ik, hoewel ik er wel foto's van had gezien, geen idee had waar hij zich bevond, of zelfs maar hoe hij heette. De ijsbeeldjes die in een kraampje te koop werden aangeboden, vormden een aanknopingspunt, maar pas toen ik in navolging van de Duitsers een heuveltje beklommen had, drong het tot me door. Het is werkelijk een uitermate boeiend schouwspel – een meer van twintig vierkante kilometer aan de voet van de Breiðamerkur-gletsjer, bevolkt – en dat is de enige manier om het te omschrijven – door een leger ijsbergen.

Het rimpelloze water was bezaaid met enorme, zich bijna onmerkbaar verplaatsende gevaartes: sommige helderblauw, sommige bruin dooraderd; sommige laag en rond, weer andere met het formaat van operagebouwen. Ze waren geen van alle scherp en hoekig als het drijfijs in *Titanic*. Deze exemplaren, niet van pakijs maar van gletsjers afgebroken, zijn door wind en water afgevlakt tot bizarre vloeiende vormen, met hier en daar gaten erin en gladde gleuven en walviswervelachtige uitsteeksels. Het was alsof Henry Moore en Barbara Hepworth buitenaardse yeti's waren geweest met een onstuimige aandrang om hun buitensporig abstracte creaties in een meer te werpen.

Als je de tijd en het geld had, wat bij mij niet het geval was, kon je met opblaasbare speedbootjes door de lagune varen, tot vlak bij de enorme overhangende ijsmassa's. Wat ik wel wilde doen, was flinke stenen gooien naar sommige van de ijsbergen die er wat kwetsbaarder uitzagen om te kijken of ik er een paar honderd ton ijs vanaf kon laten breken. Ik hield mezelf voor dat dit op zich geen daad van grof vandalisme zou zijn – ijsbergen zijn per definitie verschijnselen met een beperkte levensduur, en de lagune wordt per slot van rekening voortdurend aangevuld met weer nieuwe ijsbergen die van het gletsjeroppervlak afbreken – maar het zou moeilijk zijn geweest om er een waardige vertoning van te maken voor het oog van een aantal toeschouwers.

Bovendien maakten mijn puberale neigingen spoedig plaats voor verontrustender gevoelens. Het begon met de gedachte dat het ijs en de koude wind van Jökulsarlón me een voorproefje gaven van wat me op Spitsbergen te wachten stond; ik liet de verschillende stadia van mijn reis daarheen de revue passeren, totdat ik met een schok de realiteit onder ogen zag – die ik gedurende de afgelopen halve dag met succes voor me uit had weten te schuiven – dat ik me binnen een uur aan boord van een vikingschip zou bevinden, met 720 zeemijlen voor de boeg over een van de onberekenbaarste zeeën ter wereld, waarbij ik een ruwhouten bank zou moeten delen met de Vier Noormannen van de Apocalyps.

Toen ik in Höfn mijn beide rugzakken omgehangen had, een op mijn rug en een op mijn borst, stond ik als aan de grond genageld door het enorme dode gewicht. Ik voelde me alsof ik na sluitingstijd van de kroeg Oliver Reed op mijn rug naar huis droeg. Ik was niet bang dat ik zou omvallen – de gewichtsverdeling was vrijwel ideaal, en ik zou in een orkaan nog overeind zijn blijven staan – maar ik maakte me zorgen dat mijn enkels het onder de druk eenvoudigweg zouden begeven. Wankelend ging ik op weg, op zoek naar de haven. Zoals al eerder vermeld, betekent Höfn gewoon haven, dus die moest niet al te moeilijk te vinden zijn, maar natuurlijk overkwam het mij weer dat ik pas na een lange, robotachtige mars door de kleurloze betonnen buitenwijken van het stadje een hoek omsloeg en boven een pakhuis uit een stel met de Noorse vlag getooide masten lichtjes heen en weer zag zwaaien. Masten. Dat was een goed teken. Het deed vermoeden, welk vermoeden bevestigd werd toen ik de kade bereikte, dat er zich aan de voet van elke mast een... pleziervaartuig bevond.

Ik weet vrijwel niets van boten af, maar deze exemplaren – jachten met aluminiumromp, prachtig in de lak zittende omgebouwde trawlers – waren wel heel verre verwanten van de vikingvariëteit. Een blik op de watersporters van middelbare leeftijd die zich aan boord bevonden – sommigen droegen zelfs een zeilpet – bevestigde dat de bemanningen ook qua uiterlijk en karakter nogal wat verschilden van hun plunderende voorvaderen. Waarschijnlijk zou ik toch niet aan de goden geofferd worden.

Ik was ten prooi aan tegenstrijdige gevoelens terwijl ik op een grijsharige man af liep die op de kade stond: opluchting, verwarring, gegeneerdheid, zelfs een licht gevoel van spijt bij deze lachwekkende anticlimax.

'Is dit het eh, vikingkonvooi?' vroeg ik de man.

'Natuurlijk. Hou je van mierikswortel? Ik heb net wat geraspt voor in de ragout vanavond.'

Hij wees me mijn boot, de Fridtjofen – die met zijn compacte, grijsverweerde opbouw enigszins uit de toon viel te midden van de gestroomlijnde luxejachten – en ik maakte kennis met mijn schipper, Sverre Koxvold. Met zijn heldere ogen en grijze baard had hij het uiterlijk van een presentator van *Gardener's World*, maar niet, zo bleek toen hij zich via de trapleuning naar de kombuis liet glijden, de bijbehorende zwaarwichtige manier van doen. Hij bleek een bijzonder sympathiek mens. Hij maakte een enorme sandwich met gerookt vlees voor me klaar en we praatten in de knusse kajuit van de Fridtjofen die met zijn stemmige verlichting, donkerrode stoffering en lambrisering wel iets weg had van een Edwardiaans spoorrijtuig. Dit was eindelijk een vaartuig dat, zowel qua formaat als qua ambiance, de vergelijking met de Foam redelijk kon doorstaan.

De boot, zei Sverre, was in 1955 gebouwd als onderzoeksvaartuig voor de Universiteit van Bergen, met een laboratorium in de kajuit waar we nu zaten. Mijn kooi, in een hutje met vier slaapplaatsen in de boeg, was nog beslapen door de huidige keizer van Japan, een enthousiast amateur-marien bioloog. Sverre woonde nu aan boord van de Fridtjofen, zoals hij ook jarenlang gewoond had op zijn vorige schuit, een kanaalboot op een ligplaats vlak bij mij in de buurt in Brentford. Hij kende alle pubs waar ik wel eens kwam. We deden boodschappen in dezelfde supermarkt. Hij had geruime tijd in Hounslow gewerkt als financieel directeur van het Europese hoofdkantoor van een internationaal computerbedrijf.

Toen was er van alles misgegaan: zijn vrouw ging bij hem weg met medeneming van hun twee tienerzoons, aan zijn carrière kwam met wederzijdse instemming een einde. Daar stond hij dan op zijn vijftigste, weggerukt uit zijn vertrouwde omgeving en helemaal alleen. Hij had de kanaalboot van de hand gedaan en de Fridtjofen gekocht. Hij had het grootste deel van zijn gouden handdruk besteed aan het opnieuw uitrusten van het schip. Nu bestond zijn leven uit het op en neer varen langs de eindeloze kust van Noorwegen, met als enige vaste bron van inkomsten het schrijven van artikelen voor watersporttijdschriften. De honoraria die hij daarvoor ontving, gingen grotendeels op aan het bekostigen van de universitaire studie van zijn zoons in Engeland. Hij was bij het konvooi ingelijfd, ondanks het feit dat hij enigszins uit de toon viel in het joviale rotarysfeertje, omdat ze op het laatste moment van de scheepvaartautoriteiten te horen hadden gekregen dat ze niet uit Noorwegen mochten vertrekken zonder geëscorteerd te worden door een schip van het formaat van de Fridtjofen.

Nog steeds opgetogen over de hartelijkheid van mijn schipper en over het feit dat mijn nautische thuis zo weinig van doen had met een vikingboot, maakte ik even later kennis met de rest van de bemanning – tien in getal – toen die aangeschoten, of liever gezegd behoorlijk dronken, terugkeerde van een afscheidsreceptie bij de burgemeester van Höfn. (Met een inwendig 'Ach ja, *natuurlijk*,' realiseerde ik me dat het 'ceremonieel' waar Sverre tijdens ons telefoon-gesprek melding van had gemaakt,'betrekking had op dit soort offi-ciële gelegenheden, en niet op liederlijke orgieën waarbij woestelin-gen met beschilderde gezichten elkaars baard in brand staken.) Er werd een fles IJslandse schnaps – Brennivin – tevoorschijn gehaald en in rap tempo soldaat gemaakt, waarbij het er aanmerkelijk uit-bundiger aan toe ging dan ik om kwart voor zes 's middags gewend ben.

Aldus gesterkt, en in de wetenschap dat we pas over vijf uur zou-den vertrekken, ging ik op weg om dat gedeelte van Höfn te verken-nen dat ik tijdens mijn zwaarbepakte omzwervingen nog niet had doorkruist. Mijn eerste doel was een afgelegen gedenkteken aan het eind van een landtong. De weg erheen voerde me langs de bestaans-reden van de stad, een visverwerkingsfabriek.

IJslanders vertellen je vaak dat hun vis niet stinkt. Alleen rotten-de vis stinkt als het ware naar vis, en hun vis is zo vers als maar mo-gelijk is. Dat doet helaas niets af aan het feit dat heel Höfn stinkt als een walviskarkas dat een maand heeft liggen rotten.

Om me nog enigszins te wapenen tegen de stank, trok ik mijn capuchon zo ver mogelijk over mijn gezicht. Dat bleek een uiterst verstandige maatregel, want bij nadering van het gedenkteken werd ik het doelwit van een luchtbombardement door nestelende visdief-jes. Dat is me in IJsland al eens eerder overkomen, en het ging er op precies dezelfde manier aan toe. Eerst moet je erom lachen, die stom-me vogels, niet veel groter dan zwaluwen, die proberen een volwas-sen man met hun gepiep en gekrijs te verjagen. Maar dan begin je te beseffen dat je nu toch echt te ver bent gegaan als de vogels overgaan tot een massale aanval van Hitchcockiaanse intensiteit. Horen en zien vergaan je terwijl de vogels luid krijsend een soort Stuka-duikvluch-ten uitvoeren; snavels en klauwen maken vluchtig contact met je sche-del; je lacht nerveus, houdt dan op met lachen, vervolgens keer je op je schreden terug, waarbij je eerst flink doorstapt maar al gauw over-gaat tot een beschamende gestrekte draf terwijl je woest met je ar-men boven je hoofd zwaait en er schelle ongecontroleerde kreten als 'Rot op, vuile klerekrengen' aan je keel ontsnappen. Autochtonen die verstandig genoeg in hun auto's zijn blijven zitten met de portier-raampjes dicht, amuseren zich kostelijk met je capriolen.

Bezweet en met verwarde haren ging ik op een bankje aan de kade zitten om van de schrik te bekomen. Opnieuw was ik er niet in geslaagd me als een Dufferin te gedragen. Op momenten waarop ik niets beters te doen had, had ik van Dufferins sleutelzinnen mijn eigen versies gemaakt: 'Bang dat ons laatste uur geslagen had, liet ik alles aan dek vastsjorren, het fokkenzeil binnenhalen en alle overige zeilen reven.' 'Bang dat ons laatste uur geslagen had, slikte ik een handvol Stugeron en ging op de vloer liggen janken.' In het geval van 'De zekerheid dat je je op minstens 300 mijl van de dichtstbijzijnde kust bevindt, brengt een gevoel van gerieflijkheid en veiligheid teweeg dat zich moeilijk laat beschrijven', hoefde je alleen maar 'mijl' door 'meter' te vervangen en 'gerieflijkheid en veiligheid' door 'peilloze vertwijfeling'. Een goed alternatief zou zijn het woord 'kust' door 'boot' te vervangen. Bij andere gelegenheden zou de combinatie 'drankwinkel' en 'machteloze woede' toepasselijker zijn.

Wat ik in elk geval zeker wist, was dat zelfs Wilson zich niet zo merkbaar van streek zou hebben laten brengen door een zwerm vogeltjes. Dat beloofde niet veel goeds.

Gelukkig deed dat er niet toe, want zes uur later was ik dood.

7

Ons konvooi vertrok om 01.00 uur bij schemerlicht met knipperende mastlichten uit Höfn, op weg naar de Færøer, en met een stoot op onze misthoorns namen we afscheid van het land van mijn schoonfamilie, van wie de meesten waarschijnlijk ruw uit hun slaap gewekt werden.

Ik was op ongenadige wijze door de mand gevallen toen ik zo stom was om bij het vertrek een touw in de haven te laten vallen, maar ik had gelukkig wel een angstkreet weten te onderdrukken toen Sverre me een kopie van het wachtrooster in handen drukte. 'Jij staat op de brug van twee tot zes uur 's nachts, en dan weer van twee tot zes uur 's middags.' Ik had van tevoren de nodige Stugerons geslikt, en de oceaan zag er redelijk rustig uit.

Maar dat veranderde zodra we eenmaal voorbij de landtong waren. De boot begon behoorlijk tekeer te gaan en terwijl ik een onafwendbare misselijkheid voelde opkomen, mompelde ik beverige verontschuldigingen en verdeen haastig tussen de scherven van het niet veilig weggeborgen aardewerk naar mijn deinende hut, waar ik zoveel kleren uittrok als maar mogelijk was in zes seconden (één schoen en mijn broek) voordat ik uiterst onhandig in mijn smalle bovenkooi klom. Daar ging ik plat op mijn rug liggen, rillend, zwetend, mijn ademhaling snel en oppervlakkig, mijn wazige, koortsige blik op oneindig terwijl zwartgroen schuimend water langs de patrijspoort bij mijn schouder golfde. Om de paar minuten klapten we op een bijzonder hoge golf, en dan vloog mijn krachteloze, nutteloze hoofd met een schok omhoog in de richting van het claustrofobisch lage plafond. Een of twee keer raakte ik het.

Ik bleef daar achttien uur, terwijl Wilsons spookachtige mantra rondwaarde in mijn door Stugeron veroorzaakte lethargie. 'Soms worden ze helemaal niet meer beter,' klonk het met een opgewekt Victoriaans Cockney-accent. 'Soms gaan ze *dood.*' Af en toe kwam een van mijn twee hutgenoten – leraar Per en petrochemisch ingenieur Lars – binnen, deed een kort dutje en vertrok weer. Soms legden ze hun hand even op mijn schouder en tuurden in mijn glazige ogen. 'Gaat het een beetje?' zeiden ze dan meelevend. Met vertrokken gezicht kreunde ik wat en maakte een afwerend gebaar. Als ik de energie had gehad, zou ik hun gezegd hebben op te sodemieteren. Zeeziekte maakt een mens vreselijk egocentrisch. Het kwam zelfs niet bij me op dat er mensen slaap bij inschoten doordat mijn wachtbeurten overgenomen moesten worden.

Na ongeveer tien uur begonnen de diuretische neveneffecten van de Stugeron zich kenbaar te maken aan mijn verschrompelde nieren. Onze hut had een klein wastafeltje, maar dat bevond zich meer dan een meter onder me. Dat redde ik nooit. Maar ik moest wel. Dialyse heeft een vernietigend effect op een zorgeloze levensstijl. Helaas bleek het niet zo'n goed idee om me voorover te buigen en uit het kraantje te drinken. Nauwelijks had ik me weer opgericht of ik realiseerde me dat het foute boel was. Lars lag in zijn kooi een krant te lezen, maar hoe betreurenswaardig zijn aanwezigheid ook was, er was geen alternatief. Ik zou hier ter plekke over mijn nek gaan, dit wastafeltje volkotsen met gerookt vlees en ons bedompte hutje impregneren met walgelijk stinkende dampen. Toen, terwijl ik mijn hoofd al naar het wastafeltje bracht, fluisterde een zacht maar indringend stemmetje me in dat ik het toch echt niet kon maken om me in het bijzijn van anderen zo te verlagen. Klim weer in je kooi, zei het stemmetje, kleed je uit, ga plat op je rug liggen en dan voel je je wel weer wat beter. Het gaat wel weer over, zei het stemmetje.

Ik was zo onverstandig om dat advies ter harte te nemen, en nadat ik weer in mijn kooi geklommen was, deponeerde ik twee flinke monden vol braaksel in mijn coltrui die ik over mijn hoofd probeerde te trekken. Het was geen ideale situatie. Lars ritselde onrustig met zijn krant, maar zei niets. Ongetwijfeld dacht hij dat ik me zou terugtrekken in de doucheruimte om mezelf op te frissen. Maar daar

vergiste hij zich in. Ik ging helemaal nergens heen. Ik trok mijn coltrui uit, waarbij het nodige braaksel op mijn slaapzak en in mijn
haar terechtkwam, liet me uitgeput achterover zakken en bleef zo
liggen, mismoedig en stinkend. Als Dufferin me zo beschreven had,
zou hij niet de uitdrukking 'zondagse gezicht' hebben gebruikt.

Na vijf minuten liet Lars me alleen om te zwelgen in mijn narigheid. Ik slikte drie Stugerons en staarde afwezig naar het plafond,
waarop ik spetters braaksel zag een kleine meter rechts van me. Het
kon niet anders of er was ook het een ander terechtgekomen op Lars
en zijn krant. Na misschien twintig minuten kondigde de Stugeron
zijn werking aan door in mijn onderbewustzijn een beeld te projecteren van Nerys Hughes, compleet met bolhoed en krijtstreeppak,
die op plechtige toon steeds maar weer herhaalde: 'Clive James is
dood.' Ik verwelkomde het coma met een zacht, uitgeput, inwendig
hoeraatje.

Deze episode bleek achteraf goddank het hoogtepunt van mijn zeeziekte te zijn geweest. In de loop van de volgende 24 uur keerde ik
weer geleidelijk aan terug tot het rijk der levenden. Ik at voorzichtig
kleine hapjes van de pannenkoeken die door onze onvermoeibaar
onderhoudende kokkin Sissel waren klaargemaakt, en waagde me
zelfs op de brug. Buiten was het mistig en troosteloos, en de entou-
rage kwam me voor een klein bootje als het onze tamelijk vreeswek-
kend voor. Zelfs in de deining die op dat moment vrijwel te verwaarlozen was, slingerde en stampte de boot nog behoorlijk. We bevonden ons met zijn zessen op de kleine brug en er waren maar twee
stoelen, zodat vier van de zes voortdurend van de ene kant van de
brug naar de andere waggelden als een stel aangeschoten pinguïns.
De enige andere boot van het konvooi die nog zichtbaar was in de
mist, was een klein jacht dat we op sleeptouw hadden genomen. De
versnellingsbak had het even buiten Höfn laten afweten en bij de
heersende wind kon er geen gebruik worden gemaakt van de zeilen.
Sverre had een woord ter omschrijving van de schipper van deze boot,
die kennelijk slechts minimale dankbaarheid had getoond voor onze
assistentie. Dat woord was 'Lulhannes'.

Weer terug in de kajuit klampte Lars' dertienjarige zoon Torbjørn
me aan met de op dat moment favoriete eendagsvliegen van zijn

puberteit. 'Kijk – The Prodigy,' zei hij ernstig, een cd ophoudend. 'Kijk – Liverpool.' Een groenwit shirt voor de uitwedstrijden. 'Kijk – Draculasnoep.' Een zakje bloedrode druppelvormige snoepjes. Waarschijnlijk omdat ik geen baard of zeilpet droeg en duidelijk geen idee had waarmee ik bezig was, had de eenzame Torbjørn mij uitgekozen als medepuber.

Het viel niet mee om een lange verhandeling te houden over Liverpool FC tegen iemand die nooit gehoord had van Craig Johnston, of zijn voorkeur te delen voor snoep dat zout bleek te smaken, maar toch probeerde ik het. Waarschijnlijk deed ik dat wat al te overtuigend, want al spoedig begon 'Tobe' me uit te dagen met allerlei boks- en karatebewegingen en probeerde me op alle mogelijke manieren tot jeugdig dollen te verleiden. Dat zou misschien niet eens zo onwelkom zijn geweest, ware het niet dat ik me lichamelijk nog lang niet de oude voelde.

Er had zich een moeilijk moment voorgedaan toen Sissel triomfantelijk een enorme schaal crème caramel op tafel zette, en ik was nog steeds niet helemaal bekomen van de overhaaste terugtocht naar mijn hut, waar ik weer geconfronteerd werd met de ideale voorwaarden voor het opwekken van zeeziekte. 'Te huur: Vomitorium. Slingerende golven, onophoudelijk geklop van dieselmotor, uitzicht op onafzienbare watermassa's. Vergunning aangevraagd voor stroboscopische projectie van medische foto's van terminale huidaandoeningen.'

Boten, concludeerde ik, waren waardeloos. Ik werd nu geobsedeerd door de poging het nog resterende percentage van de etappe naar de Færøer te berekenen. Over tien minuten zou dat nog zestig procent zijn. Maar het was zo zinloos – ik had inmiddels tweemaal de wereld rond kunnen vliegen in plaats van op een kleinschalige kaart nauwelijks een centimeter te zijn gevorderd.

Terwijl ik in de kajuit tegen mijn zin onthaald werd op Tobes nieuwste zelfgeschreven raptekst, staarde ik naar de uitvergrote Hagar-cartoon boven het trapje naar de kombuis. 'Zoon, er zijn maar twee soorten mensen – bootmensen en niet-bootmensen.'

'Wie zegt dat, pa?'

'Bootmensen.'

Hoewel het niet grappig was, zelfs niet een heel klein beetje, was het waarschijnlijk wel waar. Ikzelf was een schoolvoorbeeld van een niet-bootmens. Maar verdomme – Dufferin, er altijd als de kippen bij om nieuwe technologieën in de praktijk toe te passen, zou zich dit ook nooit hebben laten welgevallen. Zijn volgende reis had hij per stoomjacht gemaakt, en toen Harold Nicolson in 1892 zijn oom in Parijs bezocht, had hij tot zijn verbijstering geconstateerd dat de Markies verlichting in zijn rijtuig had. ('De elektrische verlichting van Zijne Excellentie,' zei een livreiknecht triomfantelijk toen hij het novum demonstreerde. Vermoedelijk was hij niet degene die achter de paarden aan moest hollen met een kruiwagen waarop zich een accu bevond ter grootte van een koel-vriescombinatie.) Als hij zijn reis nu zou maken, zou hij niet per boot gaan. Hij zou een Stealth-bommenwerper gecharterd hebben, of samen met Richard Branson een van zonne-energie voorziene ballon bemand hebben.

We kregen in de kajuit gezelschap van Sissel, Per en de beman-ning van een van de kajuitjachtjes waarover ik gehoord had, die uit drie personen bestond. Die jachtjes waren zo klein dat de beman-ningen zich hadden laten overreden om ze tijdens de heenweg op de Færøer achter te laten. Dit traject was het meest riskante geweest van de hele reis vanaf Noorwegen, verkondigde Per opgewekt. En toen begon iedereen moppen te vertellen.

Ik mag er dan aan gewend zijn dat Scandinaviërs in mijn aanwe-zigheid uit hoffelijkheid in het Engels communiceren, dat neemt niet weg dat het soms wel eens gênant kan zijn. Het houdt in dat je moet luisteren naar alles wat gezegd wordt, en er ook op moet reageren om te laten merken dat je hun inspanningen op prijs stelt. 'Ja – ik heb ook altijd al gevonden dat bri-nylon spinnakers gewoon niet genoeg flexibiliteit bezitten.' Maar het alternatief – dat ze in hun ei-gen taal converseren – kan nog erger zijn. Om te beginnen ga je je op een gegeven moment onvermijdelijk inbeelden dat ze het over jou hebben. ('En dan begint-ie over zichzelf heen te kotsen – en over mijn krant. Kijk maar eens goed naar het haar boven zijn oren – daar zitten nog steeds restjes opgedroogd braaksel. Jezus, wat een vieze-rik.')

Dat geldt des te meer als ze beginnen te lachen. Waar ter wereld men zich ook bevindt, als iemand binnen een afstand van honderd meter iets zegt wat je niet verstaat en iedereen begint te bulderen van het lachen, is het onmogelijk om niet aan je achterhoofd te gaan voelen of er misschien een eind luchthavenbagagetape aan je haar kleeft of om te controleren of je genitaliën zich niet op een of andere manier een weg door je ondergoed gebaand hebben en zich nu door een grote scheur in het zitvlak van je pantalon aan den volke vertonen. Ooit, in Athene, brachten herhaalde uitbarstingen van algemene hilariteit me zo van mijn stuk dat het lopen me niet meer lukte en ik twintig minuten lang op een parkeerterrein moest blijven zitten.

Maar zelfs als ze je vertellen dat de grap helemaal niet over jou gaat (geloof ze maar niet, dat is wél het geval), kan het nog erger zijn als ze hem vervolgens voor je proberen te vertalen. Tegen de tijd dat ze bij de clou aangeland zijn, is iedereen allang uitgelachen en zit vol verwachting op jouw reactie te wachten. Het is net omgekeerde stand-up comedy, met jou als enig publiek. Sit-down comedy. Een ander probleem is dat ze van jou verwachten dat je ook een mop vertelt. In mijn geval is dat heel vervelend, aangezien ik nooit meer dan één mop tegelijk kan onthouden, wat bij deze gelegenheid voor iedereen rampzalig uitpakte.

De mop ging als volgt. Een eskimo rijdt over de toendra, als er plotseling stoom van onder zijn motorkap ontsnapt en de motor ermee ophoudt. Hij belt de eskimo-wegenwacht, en even later verschijnt er een takelwagen. De monteur doet de motorkap open waarop er opnieuw een wolk stoom ontsnapt. Na een vluchtige diagnose kijkt de monteur de automobilist aan en zegt in het Engels: 'Looks like you've blown a seal, mate.' 'Nee hoor,' zegt de automobilist, terwijl hij nerveus zijn bovenlip bevoelt, 'het zijn alleen maar ijspegels aan mijn snor.'

Persoonlijk vind ik dit een bijzonder geslaagde mop, maar na de clou zat mijn gehoor me nog steeds verwachtingsvol aan te kijken. Te laat realiseerde ik me dat deze mop onder de gegeven omstandigheden een slechte keus was geweest. De clou zat hem uiteraard in de twee totaal verschillende betekenissen van de uitdrukking 'to blow a seal', namelijk de meest voor de hand liggende dat een koppakking het begeven had, en een iets minder voor de hand liggende die suggereerde dat er sprake was geweest van het pijpen van een zeerob. Het feit dat mijn toehoorders onbekend waren met beide betekenissen, hield in dat ik nu in detail een obscure daad van bestialiteit en de onvermijdelijke climax daarvan zou moeten gaan uitleggen. Dit waren mensen die ik nog geen 36 uur kende, en met wie ik nauwelijks een innige verstandhouding had opgebouwd, tenzij je het feit dat ik over een van hen heen had gekotst als zodanig zou willen beschouwen.

Het zou kunnen zijn dat er iemand gelachen heeft, maar dat zou net zo goed het geluid geweest kunnen zijn van mijn ziel die probeerde zichzelf op te vreten.

De mist werd steeds dichter tot we ons op een gegeven moment in een soort windstil Vliegende Hollander-achtig decor bevonden waarin ook de Foam na het vertrek uit IJsland dagenlang had rondgedobberd. Het uitzicht bedroeg hooguit een meter of tien. Hoe was het mogelijk dat Dufferin, of wie dan ook in de dagen vóór de uitvinding van de radar, niet in aanvaring kwam met minstens een half dozijn bewegende of levenloze obstakels elke keer als ze het zeegat uitgingen?

Toen de mist even optrok, zagen we twee walvisvinnen traag door het gladde wateroppervlak snijden, en ik zag ook mijn eerste papegaaiduikers, zoals Dufferin in IJsland, toen hij zo dronken was geweest dat hij ze voor konijnen had aangezien. Terwijl ik naar de vogels keek – rode snavels, zwarte veren, tamelijk klein – realiseerde me dat hij dan wel heel erg dronken moest zijn geweest.

Ik dacht ook weer terug aan Wilsons nacht op het kippenhok, en mijn veronderstelling dat hij wel een flinke slok op zou hebben gehad. Wilson die zich te buiten ging aan sterke drank vormde bepaald geen aanlokkelijk perspectief. Hij zou beslist geen vrolijke drinker zijn geweest. Waarom voelde hij zich toch zo ellendig? Zijn grillige voorgeschiedenis – Chiswick, Zuid-Afrika, Australië, Ierland – suggereerde, meer nog dan in het geval van Dufferin, een rusteloos zoeken naar vervulling. Nergens was sprake van een Mrs Wilson, of van kleine Wilsons die elkaar baldadig beentje lichtten in de pantry.

Terug in mijn hut haalde ik de aantekeningen over Wilson tevoorschijn die ik in Eton en op Clandeboye had gemaakt, en die Birna uit Engeland voor me had meegebracht. Ik vond één veelzeggend fragment uit het dagboekverslag van de reis naar het Middellandse-Zeegebied, die Dufferin met zijn moeder maakte een paar jaar na

High Latitudes

DE MIDDERNACHTZON BOVEN SPITSBERGEN.

zijn terugkeer uit het noordpoolgebied. 'Wilson op veel lastige en gevaarlijke missies uitgestuurd,' gniffelt Dufferin in Noord-Afrika. 'Zijn op krokodillenjacht geweest terwijl Wilson bezig was een blok steen uit de restanten van een Romeinse muur te verwijderen met niet meer dan een mes, een beitel en een hamer – allemaal kapot!'

De spotternij naar aanleiding van Wilsons stijve nek toen hij die telescopen mee moest sjouwen, was nog tot daar aan toe geweest, maar dit versterkte mijn twijfels in hoge mate over de manier waarop Dufferin zijn bediende behandelde. Dat uitroepteken maakte het alleen nog naar erger. Een ondergeschikte op leeftijd (zijn geboortedatum heb ik nooit kunnen achterhalen, maar afgaand op de ets in *High Latitudes* was hij in elk geval de vijftig gepasseerd) erop uitsturen om overblijfselen uit de Oudheid te plunderen, hem onbruikbaar gereedschap meegeven, en dat alles uitsluitend tot vermaak van zijn heer en meester. Dat was gewoon treiteren. Dat was hetzelfde als je kleine neefje naar de buurman sturen om de aardbeienladder te lenen. Dat was hetzelfde als jonge dienstplichtigen de urinoirs laten schoonmaken met een tandenborstel en even later dronken in hun emmers te pissen. En het ergste moest nog komen.

'Wilson erop uitgestuurd om een zwerfsteen van een heuveltop te halen.'

Dat was de druppel die de emmer deed overlopen.

Waarschijnlijk was Wilson de gangmaker aan boord van die Australische pakketboten geweest, die gezellige avondjes organiseerde in de grote salon en nooit te beroerd was om de kleintjes vriendelijk over hun bolletje te aaien. Al die natuurlijke joie de vivre was langzaam uit hem weggewrongen door tientallen jaren van zwaar werk en spotternij.

Enerzijds bleek uit Dufferins voortdurende leedvermaak ten koste van zijn bediende eindelijk dat hij niet volmaakt was. Ik had zijn menselijke zwakte ontdekt. Maar anderzijds voelde ik me ook flink in hem teleurgesteld. Zelfs nadat ik eenmaal het feit geaccepteerd had dat ik niet aan hem kon tippen, had ik slechts een hoogst enkele keer bittere gevoelens jegens hem de overhand laten krijgen. Hij mocht dan Superlord zijn, ik was nog altijd Clark Kent. Maar nu had ik zijn zwakke plek gevonden, en voor het eerst merkte ik dat ik een anti-Dufferinverbond met Wilson overwoog.

De tijd leek eindeloos traag te verstrijken. Sverre deed zijn best om de verveling te verdrijven en kondigde op een gegeven moment aan dat hij een quiz zou beginnen via de FM-frequentie waarop het hele konvooi aangesloten was. Voordat hij zijn eerste vraag de ether in zond, probeerde hij hem in het Engels op mij uit. 'Als ik een touw rond de evenaar zou spannen, en dat touw zou vervolgens overal één meter hoog komen te hangen, hoeveel langer zou het dan moeten worden?' Of dit was een strikvraag, of voor het antwoord zou gedetailleerde mathematische en geografische kennis vereist zijn. 'Het is een strikvraag,' zei ik. Sverre zond hem uit. Hij had de microfoon nog niet neergelegd of de inzendingen begonnen binnen te komen. '*Sex comma otta meter*' luidde het unanieme antwoord, hetgeen suggereerde dat de vraag verkeerd verstaan was als 'Hoe masturbeerde Tarka de Otter?', maar in werkelijkheid betekende het dat iedereen onmiddellijk de uitkomst berekend had op 6,8 meter.

Een andere boot nam het initiatief over. 'Noem vier beroemde Noorse uitvindingen,' vertaalde Sverre. 'De ski,' klonk een van de schippers krakend over de ether. 'Paperclips,' zei een ander. Het bleef even stil. 'De spuitbus!' klonk het triomfantelijk, even later gevolgd door een verontschuldigend 'Kaasschaaf?'

Ik trok me terug naar mijn onwelriekende hut en bekeek de boekenplank. Er was een exemplaar van Jerome K. Jeromes *Tre Man I En Båt*, een titel die me zoveel vertrouwen gaf in mijn kennis van het Noors dat ik de ernaast staande Scandinavische taalgids van Berlitz pakte. Maar dat bleek een prulwerk te zijn. Het was uitgegeven in 1981, maar de typografie deed me sterk denken aan mijn exemplaar van *High Latitudes* en veel uitdrukkingen konden nauwelijks als gangbaar worden beschouwd. 'Waar zijn de telegraafformulieren?'; 'Ik wil een permanent'; 'Mag ik nog wat tonijn?'; 'De radio maakt wel veel lawaai'.

Het meest beledigend van al was de volgende verklaring in de sectie 'Op het politiebureau': 'Ik was vergeten dat ik rechts (Noorwegen, Denemarken)/links (Zweden) moest houden.' Zweden was overgegaan op rechts verkeer in, wanneer was het ook al weer, 1964? Ik voelde er veel voor om rechtstreeks naar Stockholm te gaan, daar een auto te huren en met flinke snelheid een drukke rotonde tegen het verkeer in te nemen, waarna ik een advocaat de daaruit voortvloeiende bekeuringen, rekeningen en dagvaardingen naar Berlitz zou laten sturen.

Ik legde het boek geïrriteerd weg en liep naar de kajuit, van waaruit ik Sverre aan dek een serie seinvlaggen zag hijsen. Kinderlijk gegiechel vanaf de brug duidde erop dat er geen reden tot bezorgdheid was. Ik kreeg een seinvlaghandboek aangereikt, met behulp waarvan ik kon uitpuzzelen dat de vlaggen voor de letters AJ stonden, hetgeen inhield: 'Ik heb een ernstig stralingsincident aan boord. Voorzichtigheid geboden.'

Deze vlaggen zouden nog geruime tijd een bron van vermaak voor ons blijven, maar ik moet er eerlijkheidshalve bij zeggen dat wij er meer lol in hadden dan de andere schepen. Geen van de volgende signalen lokte een reactie bij hen uit: 39 – 'Afstand tot de commodore verkleinen en zijn bewegingen observeren'; FO1 – 'Ik blijf gedurende de nacht bij u in de buurt'; TE – 'Ik ben aan het bodemtrawlen'; en mijn persoonlijke favoriet: TO – 'Ik heb een mijn in mijn net'.

Terwijl Sverre de boodschap 'Heeft u genoeg bunkerkolen om de haven te bereiken?' hees, begon de mist schoorvoetend op te trekken, en verscheen, met onwaarschijnlijk groene flanken, een van de eenentwintig eilanden die samen de Færøer vormen. Zoals de meeste dingen die midden in zee worden gedropt, zijn de Færøer niet zo klein als ze eruitzien. Het totale oppervlak, zo'n 1400 vierkante kilometer, is in feite... eh, klinkt 'vierenhalf keer zo groot als Malta' indrukwekkend genoeg? Nee? Singapore plus Madeira? Hoe dan ook, pas uren nadat we het eerste eiland van de groep in zicht hadden gekregen, rondden we een volgende groene kaap en aanschouwden we de kleurrijke daken van Thorshavns huizen.

Sissel, van wie je zou kunnen zeggen dat ze op een leuke manier de schaamteloosheid zelve was, zat net midden in een verhaal over haar avontuurtjes met Frank Worthington, de omstreden voetballegende uit het begin van de jaren zeventig, toen er plotseling gezang tot de brug doordrong. Een mannenkoor dat zich op een golfbreker had opgesteld zong ons toe, een ontvangst die perfect paste bij de schilderachtige kleine jachthaven, vol deinende masten en omgeven door scheepsleveranciers, stapels kreeftenkorven en andere authentieke accessoires.

Ik was één keer eerder in Thorshavn geweest, maar had toen op een of andere manier dit aantrekkelijke schouwspel gemist, en was in plaats daarvan terechtgekomen tussen de stinkende fabrieksschepen en olieopslagtanks van de moderne haven verderop. Nu keek ik als gebiologeerd toe hoe brede roeiboten in hoog tempo de haven overstaken, de zeskoppige bemanningen (waarvan overigens ook vrouwen deel uitmaakten) aangespoord door schelle kreten van de stuurman.

Voordat we aan de kade konden aanleggen, moesten we eerst de vleugellamme Lulhannes langszij vastmaken, een riskante operatie waarbij ik mijn best deed om me zo onzichtbaar mogelijk te maken. 'Tim – pak die tros,' zuchtte Sverre door een megafoon uit het venster van de brug, terwijl ik op het voordek maar een beetje rond liep te lummelen. Hij had er een hekel aan om zijn stem te verheffen. Telkens als hij moest communiceren met iemand die zich op een afstand van meer dan anderhalve meter bevond, fluisterde hij door de megafoon. Ik pakte een smerig eind touw op dat aan mijn voeten lag, en nadat ik er tien seconden stompzinnig mee in mijn handen had gestaan, realiseerde ik me dat het vastzat aan de boot van Lulhannes, die nu van ons wegdreef in de richting van een golfbreker.

Wat werd ik verondersteld met dat touw te doen? Het splitsen? Mijn tanden erin zetten? Het rond Pers enkel binden? Mijn verstand zei me dat er van me verwacht werd dat ik het stevig vast zou leggen rond een of ander integraal deel van onze boot, misschien toch beter niet het stapeltje van twaalf literpakken appelsap waar ik het stuntelig omheen probeerde te slaan. De vreselijk, bijna agressief professioneel-uitziende driekoppige bemanning van Lulhannes staarde me onbewogen aan terwijl het touw in mijn handen langzaam straktrok en me hulpeloos in de richting van de achterdekreling van de Fridtjofen sleurde. Met een stompzinnige grijns liet ik de kabel haastig vallen, en keek toe hoe hij in zee gleed. Deze scène deed de bedrijvigheid aan boord van beide schepen dramatisch toenemen. De jongens van Lulhannes haalden de tros binnen en gooiden hem weer over, Per en Lars vingen hem op en legden hem ergens aan vast, Sverre wist beide boten uit de buurt van de dreigend opdoemende golfbreker te manoeuvreren, en ik holde naar mijn hut om uit woede en schaamte met mijn vuisten op mijn kussen te slaan.

Maar de bemanning van de Fridtjofen (in tegenstelling tot de steeds snierender Lulhannesen) bleef net zo vriendelijk en vergevingsgezind als altijd, en toen we eenmaal aan de kade lagen, nodigden ze me uit voor de traditionele 'ankerborrel'. Er werd een fles zeer welkome whisky tevoorschijn gehaald, maar daarna kwam er nog de nodige Brennivin op tafel.

Ik wil niet sarcastisch doen over de traditionele 'aquavit' van Scandinavië, maar waarschijnlijk ontkom ik daar toch niet aan omdat Brennivin in feite helemaal niet lekker is. Het is in wezen graanalcohol, wodka veronderstel ik, maar op smaak gebracht met – mmmm – kummel. Waarom in vredesnaam? Ook al ben je gek op kummel, dan hoef je er toch nog geen alcohol mee te verpesten?

Niettemin dronk ik natuurlijk vrolijk mee, en al spoedig werd het in de kajuit van de Fridtjofen een vrolijke boel en kwamen er limonadeflessen zelfgestookte drank en zelfgebrouwen bier op tafel en ik ben bang dat ik op een gegeven moment 'Those Were The Days' in het Noors heb gezongen.

Thorshavn is onbetwistbaar een aantrekkelijke plaats, zelfs voor iemand die eruitziet als een verpleeghuispatiënt bij wie zojuist twee vuilnisbakdeksels vlak voor zijn gezicht krachtig tegen elkaar zijn geslagen. Het is niet echt mooi, maar er heerst een sfeer van zelfverzekerde, relaxte welvarendheid die totaal niet in overeenstemming is met de afgelegenheid van dit door stormen geteisterde oord.

Garnalen en roekeloos lenen bezorgden de 41.000 eilandbewoners een hoge levensstandaard, een van de hoogste ter wereld. Ofschoon de provincie, die bij Denemarken behoort, in het begin van de jaren negentig feitelijk failliet ging, blijkt uit niets dat ze hun lesje geleerd hebben. In de supermarkten staan enorme kleuren-tv's met 70 cm-beeldbuizen als lokartikelen naast de chips, en in zaken die er op het eerste gezicht uitzien als verlopen dierenwinkels, blijken digitale camera's en multimedia-notebooks verkocht te worden. De vorige keer dat ik er was, zeven jaar geleden, zag ik er mijn eerste portable videorecorder, ergens in een etalage tussen de adapters voor elektrische scheerapparaten en elektrische voetbaden.

Terwijl ik vreselijk hoestend een van Thorshavns vele steile heuvels beklom, raakte ik hopeloos verdwaald en begon een onvoorzie-

ne zwerftocht door de stad die veel weg had van een bergachtig ver-
lengstuk van het oude centrum van Reykjavík – houten gebouwen,
golfijzeren daken, smalle straatjes – maar dan geschilderd met een
gedurfder palet. Op een of andere manier doet het vertederend aan
als iemand van ouder dan pakweg zeven jaar wil wonen in een zachtpaars huis met scharlakenrode raamkozijnen. Elk moment verwachtte
ik Tinky Winky en Laa-Laa elkaar met Tubby Toast te zien bekogelen
op iemands veranda.

Toen ik er eenmaal in geslaagd was het denkbeeld van me af te
zetten van je huis te moeten maaien, kreeg ik steeds meer schik in de
vele plaggendaken, behalve wanneer het een moderne betonnen bun-
galow betrof. Een torenflat gaf je toch ook geen rieten dak? Dat paste
gewoon niet. Toch heeft dit tamelijk onzinnige anachronisme soms
geleid tot komische uitersten die onbedoeld de indruk van een parodie wekken. Ik zag betonnen tuinschuurtjes met plaggendaken, en
ook een geodetisch gewelf met zo'n grasdak dat al aardig begon te
verdorren.

Maar katers hebben de eigenaardigheid dat ze onverklaarbare
stemmingswisselingen teweeg kunnen brengen, en plotseling begon
al die geldsmijterij me mateloos te irriteren. Het was, net als in IJsland, een grootschalige dwangmatige consumptiedrift. Wat moest je
in 's hemelsnaam met een Mercedes uit de S-klasse op een serie eilanden met slechts een handvol landweggetjes? En dan ook nog uit-
gerust met *cruise control*! Tegen de tijd dat je die ingesteld hebt, ben
je aan de andere kant van het eiland al van een klip af geduikeld. En
dan al die belachelijke stadse snufjes – de Ford Ka's, de parkeerme-
ters, de telefooncellen waarin je alleen met een telefoonkaart terecht-
kunt – het leek allemaal zo irrelevant, zo wanhopig, zo 'Hoor eens –
jullie moeten niet denken dat we hier achterlijk zijn, hoor.'

We vertrokken om middernacht uit Thorshavn, na eerst een omvangrijke zending proviand in ontvangst te hebben genomen die de
IJslandse autoriteiten bij aankomst van het konvooi in beslag genomen hadden en na ons vertrek uit Höfn per veerboot doorgestuurd
hadden. De betrekkingen tussen Noorwegen en IJsland waren niet
al te best meer sinds het incident met de opgebrachte trawler waarover ik aan boord van de Dettifoss gehoord had.

Maar wat was er een hoop voedsel. We hadden al een enorme voorraad haring en appelsap in ons ruim, en nu keek ik toe hoe er uit de bestelwagen een nog grotere verscheidenheid aan artikelen te voorschijn kwam dan uit het valies van Mary Poppins. Terwijl wij (zij) alles op het dek stouwden, begon ik een globale inventaris op te maken van onze bijbelse voedselvoorraden. Er waren 7000 potten aardbeienjam, 1000 literpakken appelsap, 300 liter op diverse manieren ingemaakte haring, 1000 porties Snofrisk-kaas, minstens 250 kilo Jarlsberg, een onbekende hoeveelheid gerookte vleessoorten en een eenzame doos inmiddels vloeibaar geworden selderij. Sissel berekende dat we meer dan een ton voedsel aan boord hadden. Het konvooi telde elf boten met in totaal vijfendertig opvarenden. Een *ton* voedsel!

Daar kwam nog bij dat het meeste voedsel gekoeld bewaard moest worden, een vereiste waaraan we niet hadden voldaan door alles in de oude visopslagruimte achter de machinekamer te stouwen. Ik maakte me vooral zorgen over de (kan ik dit zelfs maar opschrijven zonder te gaan kokhalzen?) haringen in room. (Nee, dat kan ik niet.) Het grootste gedeelte van de meer bederfelijke proviand zou geschonken worden aan zeeliedentehuizen in onze diverse aanloophavens, wat een godsgeschenk moet zijn geweest voor de daar eventueel toegepaste onvrijwillige-euthanasieprogramma's.

Ik ergerde me niet meer zo aan deze gigantische overbevoorrading toen ik hoorde dat alle proviand – naast nog veel meer – geschonken was door sponsors. Ik verbaasde me over hun vrijgevigheid. Wat was het commerciële nut van reclame voor Noors appelsap in landen waar dat niet eens verkocht wordt? En het was ook niet zo dat de sponsors uitgebreide tegenprestaties verlangden, alleen maar een logo op wat reclamemateriaal, dat we overigens nooit uitdeelden. Als dit een Engelse onderneming was geweest waarmee, om maar eens wat te noemen, de reis van de *Beagle* werd nagebootst, zouden eventuele sponsors erop gestaan hebben dat de boten hun naam zouden veranderen in *Spirit of Uncle Ben's Rice* en *Guiness Endeavour*, en op de Galápagoseilanden zouden we met z'n allen op de kade hebben moeten springen verkleed als tubes tandpasta.

We voeren langs de kust tussen hoge groene klippen door, terwijl de julizon nu voor het eerst sinds ik drie weken eerder uit Engeland vertrokken was, kortstondig onder de horizon zakte. Lars, Torbjørn en nog een half dozijn anderen hadden vanaf de Færøer het vliegtuig naar huis genomen, zodat alleen ikzelf, Sissel, Per en Sverre nog over waren. Dat kwam wel zo goed uit omdat ze alledrie vloeiend Engels spraken, hoewel Sissels uitspraak soms voor verwarring zorgde. Op een gegeven moment vertelde ze me over de aandoenlijke trouw van haar vriend in Noorwegen.

'Vanuit elke haven die het konvooi aandeed, heeft hij me brieven en cadeautjes gestuurd. Toen ik het kantoor van de havenmeester in Hafnafjörður binnenging, lag er op het bureau een *fox* op me te wachten.'

Ik herinnerde me dat de Franse consul in Reykjavík Dufferin een vos gegeven had. Misschien is het wel een IJslandse traditie. Maar had de havenmeester daar geen problemen mee? Hoe werd zoiets bezorgd? Ze wierp me een niet-begrijpende blik toe. 'Dat is niet zo moeilijk. Je stopt de brief in het *fox*-apparaat in Noorwegen en je toetst het nummer in en dan wordt de brief uitgeprint door het *fox*-apparaat in IJsland.'

Maar toch kon ik in dit gezelschap uit de voeten met Engels op Niveau 1, bestemd voor gebruik in contacten met buitenlanders die de taal behoorlijk beheersten. Niveau 2, geschikt voor andere konvooideelnemers, houdt in dat je langzamer en duidelijker spreekt en je zinnen ontdoet van gemakkelijk verkeerd te begrijpen alledaagse uitdrukkingen als 'in de zeik zetten' en 'Je kunt me die tros beter niet toegooien tenzij je wilt dat ik hem in de haven laat vallen'. Niveau 3 houdt in dat de Engelse spreker heel gekunsteld en nadrukkelijk spreekt, en alleen maar gebruikmaakt van simpele werkwoordelijke constructies zonder bijvoeglijke naamwoorden. Het helpt als je je inbeeldt dat je een politieverklaring opleest. 'Toen vroeg ik de Tsjech naar de camera. Hij zei dat hij hem meegenomen had, en hij lachte. Hij voegde eraan toe dat hij nooit zijn achterste waste voordat hij een zwembad in ging.' De vertwijfelde gebarentaal van Niveau 4 zal bezoekers van ontwikkelingslanden of van Frankrijk ongetwijfeld vertrouwd zijn, maar daar hoef je in Scandinavië goddank geen gebruik van te maken.

Maar het wachtrooster van de gereduceerde bemanning hield ook in dat mijn mogelijkheden tot plichtsontduiking drastisch beperkt werden. De wachtbeurten duurden nu acht uur; ik moest samen met Per op om 16.00 uur, maar zodra we open water bereikten, werd ik zoals gebruikelijk weer zo ziek als een hond. Mijn Stugeronverslaving begon steeds zorgwekkender neveneffecten te vertonen. Ergens vroeg in de middag bleek ik me ineens in een hut in de jungle te bevinden die bezaaid lag met pakjes Silk Cut. Ik lag op een stromatras zonder enige controle over mijn ingewanden. Terwijl ik te zwak was om me te bewegen, zag ik een onbetrouwbare, in vodden geklede inboorling naderbij sluipen, die onder het mompelen van onbegrijpelijke bezweringen mijn been begon te strelen. Al spoedig realiseerde ik me dat hij in feite bezig was mijn laarzen te stelen, en met verzameling van mijn laatste krachten slaagde ik erin een schorre brul te geven.

'Ik heb net in mijn broek gescheten... SODEMIETER OP!'

Ik schrok wakker terwijl mijn schorre kreet nog weergalmde in de kleine hut. De opluchting dat ik goddank niet in mijn broek gescheten had, maakte plaats voor wanhoop toen ik omlaag keek en daar de horizontale gestalte van Per zag, die kennelijk binnengewipt was om een dutje te doen voor zijn wacht begon, zijn ene zichtbare oog wijdopen van schrik. Over dit incident werd nadien niet meer gesproken.

Mijn uiterlijke voorkomen liet in dit stadium nogal wat te wensen over. Ik had al een dag lang niets meer gegeten, had me al in geen zes dagen meer geschoren, in geen twee dagen meer gedoucht (de Fridtjofen beschikte alleen in havenplaatsen over warm water) – allemaal zaken die mijn persoonlijke records op het gebied van lichamelijke ontbering benaderden. Ik had geen idee van dag of datum. Net als aan boord van de Dettifoss voelde ik de wereld inkrimpen tot mijn kooi, en, als de zee rustig was, de brug. Een van de merkwaardige zaken van het leven op zee is het verschijnsel dat, ondanks het feit dat de lege horizon zich uitstrekt tot in het oneindige, het gevoel van claustrofobie bijna net zo sterk is als dat van ruimtevrees.

Maar Per, Sissel en Sverre toonden allemaal bijzonder veel begrip. We leerden elkaar kennen: Sverre, de soms in gedachten verzonken, soms onvermoeibaar opgewekte anglofiel die gek was op P.G. Wodehouse en Frankie Howerd en zelfs Andrew Lloyd Webber, schipper, eerste machinist en leverancier van obscene toespelingen;

Sissel, kokkin en begenadigd vertelster met een naar nicotine ruikende bulderlach en een verwarrend kleurrijke geschiedenis van vermoorde echtgenoten en min of meer bekende minnaars; Per, de ijverige en nauwgezette leraar Frans die zich vreselijk druk maakte over kleine foutjes in zijn Engels en me voortdurend vroeg om de namen van nautische apparatuur te vertalen waar ik totaal geen verstand van had (tenslotte begon ik gewoon maar namen te verzinnen: 'Die dingen waar je de touwen omheen slaat? Ja, dat zijn, eh, die worden gewoonlijk *coilers* genoemd. In West-Londen').

Zoals wel vaker het lot is van overdreven alerte mensen, was Per ook een notoire brokkenmaker. Elke keer als we er met de fietsen van de Fridtjofen op uitgingen, slaagde hij er wel in een spectaculaire schaafwond op te lopen, meestal bij een poging niet-bestaande gevaren te ontwijken zoals een kerende vrachtwagen bij een tankstation 200 meter verderop. Tevens was hij in het bezit van een prachtig glimmende schedel van het soort dat door de natuur voorbestemd was om veelvuldig in aanraking te komen met zich op hoofdhoogte bevindende obstakels. Als ik in mijn kooi lag, kon ik zijn gangen op de Fridtjofen altijd precies volgen door de serie doffe bonken, galmende dreunen en deels onderdrukte vloeken die verband hielden met de lage deuropeningen en het slingerende keukengereedschap dat aan het plafond van de kombuis hing. En terwijl ik naar die geluiden luisterde, gniffelde ik. Ik begon me steeds meer met Wilson te vereenzelvigen.

8

Mijn drie dagen op de Shetlandeilanden vormden het dieptepunt van mijn korte carrière als avonturier. Ik reisde in zuidelijke richting terwijl ik naar het noorden had moeten gaan, ik bevond me weer in Groot-Brittannië waar ik Tartan dronk in pubs terwijl ik, trots en eenzaam, aan de voet van de vulkaan op Jan Mayen had moeten staan, alwaar ik een ode aan de wrede, met ijsschotsen bezaaide zee improviseerde. Veel deelnemers aan het konvooi lieten zich het Engelse bier goed smaken, en terwijl hun gedrag steeds onvoorspelbaarder werd, hoorde ik meer dan eens mijn naam noemen, even later gevolgd door bulderend gelach. Toen we rond twaalf uur 's middags de haven van Lerwick uit voeren, slaakte ik een zucht van opluchting. Uiterst voorbarig, zoals spoedig zou blijken.

Nadat hij ons voorbij de vuurtoren van Bressay had geloodst en koers had gezet naar Noorwegen, verliet Sverre de brug. Ik had niet gemerkt dat Sissel en Per zich al eerder hadden teruggetrokken; ik bevond me nu helemaal alleen op de brug. Ik voelde me net als Manuel nadat Basil hem de verantwoordelijkheid voor de receptie heeft toevertrouwd, en nam gretig plaats op de stoel van de schipper, waar ik wat met de verrekijker speelde en wenste dat ik een pijp had. Maar toen liep, net als in het geval van Manuel, alles in het honderd. De automatische piloot, waarin ik toch al nooit een blindelings vertrouwen had gekoesterd, koos uitgerekend dit moment uit om helemaal op tilt te slaan.

Als het apparaat van tijd tot tijd de koers corrigeerde, kondigde een luid gezoem, gevolgd door een klik, aan dat het roer een graadje

of zo was bijgesteld. Maar nu, plotseling, bleef het apparaat onafgebroken zoemen en klikken, en even later begonnen we een cirkel te
beschrijven. Ik wist niet hoe ik de automatische piloot uit moest zetten en greep het stuurrad, maar dat bleek onbeweeglijk geblokkeerd.
We voeren veel te dicht langs een kleine vissersboot die zijn netten
uit had staan. Vanuit de stuurhut staarde een bezorgd gezicht naar
buiten, en ik kon me de reactie van de visser wel zo'n beetje voorstellen: 'Heb je mijn seinvlaggen niet gezien, oetlul? Ik ben aan het traw-
len!' Ik was nu volledig in paniek. 'Eh, help? Hallo! Help!' riep ik met
beverige stem vanaf de brug naar beneden. Er was niemand te zien
of te horen. De automatische piloot had inmiddels besloten dat hij
tevreden was met onze nieuwe koers, die ons tot mijn afgrijzen rechtstreeks in de richting van de hoge vogelrotsen van Noss voerde. Wij
vormden de achterhoede van het konvooi, en toen de overige boten
onze koersverandering in de gaten kregen, begonnen er krakende
berichten in het Noors via de ether binnen te komen. Aanvankelijk
klonken ze geamuseerd, toen nieuwsgierig, en ten slotte oprecht bezorgd, om niet te zeggen angstig.

'Kut kut kút!' jammerde ik. Jan-van-gents cirkelden als gieren
boven de boot. De rotsen wenkten. Een eeuwigheid later kwam Sverre
weer tevoorschijn. 'O,' zei hij, met een onverschillige blik op de voor
ons opdoemende rotsformatie. Hij zette een grote, in het oog springende schakelaar om waarmee de automatische piloot uitgeschakeld
werd, nam het stuurrad (waarvan hij de blokkering zojuist beneden-
deks verholpen had) ter hand en bracht ons weer op de juiste koers.
Toen pakte hij de verrekijker op. 'Heb jij die hier neergelegd, naast
het kompas? Dat kun je beter niet doen. Door het metaal raakt het
kompas van slag, en ook de automatische piloot.'

Beschaamd en schuldbewust ging ik buiten op het dek zitten.
Gelukkig was het een prachtige avond. Ik kon zelfs een beetje zonne-
baden, iets wat in de koude Fisherman's Friend-mistbanken van IJsland en Thorshavn een bespottelijk had geleken. Tevens realiseerde
ik me dat ik me slechts een heel klein beetje misselijk voelde. Had ik
eindelijk mijn zeeziekte overwonnen? Misschien. Maar ondanks de
rustige zee durfde ik het niet aan om af te zien van mijn Stugeron, en
dus meldde ik me pas om 04.00 uur bij Per op de brug voor onze
wacht die om 02.00 uur was begonnen.

We voeren inmiddels door de olievelden van de Noordzee. In het eerste licht van de dageraad doemden overal om ons heen de helverlichte paleizen van de Noorse boorplatforms angstaanjagend op. Niet voor het eerst besefte ik hoe enorm we geboft hadden met het weer, niettegenstaande de mist. De thermometer aan dek gaf aan dat het zelfs nu nog, om 05.00 uur, 17 ° C was. Misschien zat er toch nog iets van een zomer voor me in.

Ten slotte doemden er in de verte lage, in nevelen gehulde pieken op. Het konvooi, dat zich over de horizon verspreid had, sloot zich weer achter de Fridtjofen aan voor het laatste stukje van onze reis. Terwijl we door de archipel van Zuidwest-Noorwegen voeren, droog en stoffig na een schitterende zomer, was het onmogelijk om niet een opwelling van trots te voelen. Het adjectief 'kranig' drong zich aan me op. In de gouden avondzon gleden we, begeleid door een misthoornconcert, naar de kade van Haugesund, waar een groepje notabelen en kinderen stond te wuiven, zelfs toen ik een tros in de haven liet vallen.

Het was een uiterst bevredigende avond. Op de kade werden wimpels uitgewisseld tussen burgemeesters en schippers en echtgenotes van marketing managers, en de nodige 'ankerborrels' naar binnen geslagen. Ik had op de Shetlandeilanden een fles roze champagne gekocht, met de bedoeling om het nuttigen daarvan vergezeld te doen gaan van een roerende en humoristische toespraak over de vriendschappen die gesmeed waren tussen de *Tre Man* (en *Ein Woman*) *I En Båt*. Maar toen klom er een stel konvooigroupies aan boord, landrotten boven wie zelfs ik me hoog verheven voelde, en het moment ging voorbij. Sissel kwam langs met de vraag of iemand gebruik wilde maken van een van de gratis ter beschikking gestelde hotelkamers die ze had weten te regelen, maar helaas wist ze mijn 'Eh, nou ja, ik maak niet echt deel uit van het konvooi, dus...' niet te interpreteren als 'JA. VERBRAND ONDERGEKOTSTE SLAAPZAK. DOE HET. GEEF ME LAKENS EN SLOPEN. GEEF ME EEN KAMER. NU!'

Een wandeling door de stad, waar het om negen uur 's avonds nog altijd heerlijk zacht weer was, deed me goed. Terwijl ik op mijn gemak rondslenterde tussen het talrijke vrijdagavondpubliek van goedgeklede, in de olie zijnde jongeren, hernieuwde ik mijn kennismaking met kosmopolitische geneugten als nachtclubportiers en reparatiewerkplaatsen voor fotokopieerapparaten. Het was goed om weer terug te zijn. Haugesund mocht dan een bevolking van slechts 47000 zielen hebben, maar dat was evenveel als de Færøer en de Shetlandeilanden samen.

Ik had zojuist het hoofdstuk herlezen waarin Dufferin op zijn terugreis Trondheim aandoet, zijn eerste geciviliseerde buitenpost na een maand de onbewoonde woestenij van Jan Mayen, Spitsbergen en de ijsschotsen getrotseerd te hebben. Dat vormde een redelijke parallel met mijn eigen recente omzwervingen, en ik hoopte dat hij ook iets van mijn feestelijke stemming ervaren had.

'Ik heb er gewoon geen woorden voor met welk een gretigheid ik dit heerlijke tafereel indronk,' schrijft hij, nadat hij de kathedraal, het paleis en de haven van de stad beschreven heeft. Ja, dacht ik, dat zou ik zelf ook gezegd kunnen hebben. Als je 'tafereel' door 'bier' verving, tenminste. Maar dan, vlak voordat hij begint aan een romantische beschrijving van Trondheims bloedige vikingverleden, zegt hij dat die gretigheid niets te maken heeft met het toenmalige stadspanorama en zijn 'tekenen van een moderne burgerlijke welvaart':

Starend vanaf het dek van de schoener zag ik de rekwisieten van een vroegere tijd bezit nemen van het landschap... vikinggaleien met rijen blinkende schilden... en de ordentelijke stad schrompelde ineen tot de oorspronkelijke proporties van het oude Nidaros... en de oude tijden van plunderingen en grote piratenkoningen doemden met welkome levendigheid voor mijn geestesoog op.

O. Maar die tekenen van een moderne burgerlijke welvaart waren nu juist de enige waarvoor ik belangstelling had. Het enige wat, starend vanaf het dek, met welkome levendigheid voor me opdoemde, was de avondsupermarkt waar ik me zo dadelijk heen zou begeven om twee flesjes plaatselijk bier en een grote zak paprikachips van hun huismerk te kopen.

Een uur later zat ik mistroostig chips te eten en bier te drinken op het brugdek van de Fridtjofen, terwijl ik me eendimensionaal en geestelijk onvolwaardig voelde. Maar Haugesund was druk in de weer met het najagen van oppervlakkig vermaak en dat werkte aanstekelijk. Dit was mijn eerste fatsoenlijke stadszomeravond van het jaar. Op de kade was het een jeugdige drukte van belang. Oude Volvo's reden luidruchtig af en aan. Na het eerste flesje begon ik welwillend te glimlachen, na het tweede gaf ik me geheel over aan een opgewekt voyeurisme. Als ik Ray Davies was geweest, zou ik mijn akoestische gitaar tevoorschijn hebben gehaald en ter plekke 'Haugesund Sunset' hebben gecomponeerd. En op de B-kant zou dan 'Dedicated Follower of Fishing' komen te staan.

Zelfs de wat onsmakelijker aspecten kregen een onschuldige bacchantische charme. Ik zag reeksen dronken meisjes plassen achter geparkeerde auto's terwijl hun glazig kijkende vriendjes in de buurt rondschuifelden en hun best deden om tegen voorbijgangers op te botsen. Vanuit clubs aan de kade klonk het pulserende ritme van oorverdovende continentale techno. Ik kreeg gezelschap van een andere Lars van een andere boot uit het konvooi, en terwijl we nautische anekdotes (die voornamelijk van één kant kwamen, moet ik erbij zeggen) en rum uitwisselden, verscheen er een hoofd met een grote bos blond haar boven aan het dekladdertje.

De eigenaresse daarvan was in een zodanig gevorderde staat van dronkenschap dat ze het klaarspeelde om een halfuur lang met Lars en mij te praten (of liever gezegd tegen ons aan te praten) zonder in de gaten te hebben dat ik Engelsman was. Het enige wat ik kon opmaken uit haar onsamenhangende monoloog was dat ze een Deense vriend had en een tuin. Ten slotte stommelde ze het laddertje weer af en liep wankelend weg, terwijl wij ts-ts deden en lachten en Lars zich verontschuldigde voor de uitspattingen van zijn jeugdige landgenoten.

Deprimerend nieuws van het thuisfront vormt dikwijls een aanleiding om je eigen omgeving in een nieuw licht te bezien. Nadat ik de volgende ochtend Birna had gebeld en te horen had gekregen dat de kantonrechter in mijn nadeel had beslist in de zaak die ik tegen Teletext aanhangig had gemaakt om mijn ontslag aan te vechten, overwoog ik plotseling om hiernaartoe, naar Noorwegen, te verhuizen. Hier was de lucht schoon en het water helder, en er lagen aardolie-inkomsten ter waarde van zestig miljard dollar te wachten om met kwistige hand uitgedeeld te worden aan een bevolking van slechts vier miljoen zielen.

Ja, dacht ik, terwijl ik door de rustige, zich in de middagzon koesterende straatjes van Haugesund dwaalde, hier zou ik best kunnen wonen. In de advertenties in de etalage van een makelaarskantoor werden houten huizen te koop aangeboden, vele met puntgevel en schelpvormige leiplaatjes als dakbedekking, voor bedragen rond de zestigduizend pond. Het klimaat was mild genoeg om rozen in de tuinen te laten groeien, en de plaatselijke bevolking was kennelijk mild genoeg om er geen aanstoot aan te nemen als je je tuin liever vol zette met kapotte grasmaaimachines en grote kabelhaspels. De nabije omgeving mocht dan misschien niet zo bezaaid zijn met fjorden als ik graag gewild had, maar met de auto was je binnen een paar uur bij de schitterende fjordenkust rond Bergen. En het doorslaggevende argument: het vooruitzicht een graantje mee te kunnen pikken van die aardolie-inkomsten. Voor het zover was, kon ik, door een beetje prijsbewust te winkelen (wat ik al gedaan had, twee keer zelfs) 200-grampakken chips kopen voor 75p. Voorzover ik kon nagaan werd de enige echte barrière gevormd door de torenhoge boogbruggen die de diverse eilandjes rond de stad met elkaar verbinden, zoals in bijna alle Noorse steden het geval is.

Naar mijn mening is hoogtevrees geen irrationele fobie. Kakkerlakken en spinnen zullen over het algemeen niet hetzelfde soort lichamelijk letsel veroorzaken als een val van zestig meter hoogte waarbij je terechtkomt op een met flessen volgeladen aak. Het is niet meer dan logisch dat hoogtevrees in directe verhouding staat tot de hoogte zelf en het besef je op die hoogte te bevinden.

Gedachten als deze waren niet echt bevorderlijk voor mijn geestelijke voorbereiding terwijl ik met knikkende knieën mijn weg vervolgde in de richting van Haugesunds hoogste brug. Die leek zich te verheffen als een skischans, en het voetgangersgedeelte bestond uit losse metalen platen die opwipten – letterlijk opwipten – telkens als er een auto passeerde. De trillingen, veroorzaakt door een bijzonder zware vrachtwagen, waren zo hevig dat ik me in paniek op handen en knieën liet zakken.

Toen, terwijl mijn vochtige, trillende handpalmen de dunne leuning stevig beetgrepen en ik mijn eerste, duizeligmakende blik wierp op de ver beneden me glinsterende fjord, gebeurde er iets lachwekkends. Met een flinke klets kwam er een handgroot cellofaanzakje boven op mijn hoofd terecht, dat gevuld bleek te zijn met schaaldie-renafval: krabbenpoten, garnalenkoppen, enzovoorts. Terwijl ik over de kwalijk riekende vochtige plek op mijn haar wreef, keek ik naar boven, maar daar was niets te zien – geen vogel, geen vleermuis, geen zich vervelende ballonvaarder. Waarschijnlijk had een zeemeeuw het zakje laten vallen – op de kade beneden bevond zich een vismarkt – maar op dat moment interpreteerde ik het voorval maar al te graag als waarschuwing van een of andere ontstemde of bezorgde noordse godheid. Ik maakte rechtsomkeert en holde met een bevrijd gevoel terug de brug af.

Nu het konvooi ontbonden werd, werd de rest van de dag in be-slag genomen door afscheidsactiviteiten. Met het hele gezelschap woonden we een presentatie bij van Haugesunds voornaamste at-tracties. Na in de vikingtijd een belangrijke rol te hebben gespeeld, schijnt de stad een langdurige magere periode te hebben doorge-maakt, waardoor men zich nu misschien wel iets te veel verlaat op de beperkte aantrekkingskracht die er uitgaat van het feit dat de vader van Marilyn Monroe er geboren is.

Daarna begaven we ons met zijn allen naar een kleine steiger, waar de konvooileiding in een echte vikingboot plaatsnam om naar een eilandje even verderop te roeien. Ze spatten, ze gilden, ze giechelden. Terwijl ik toekeek vanaf het dek van een meer conventioneel toeris-tenvaartuig, verbaasde ik me over de enorme kloof die er gaapte tus-sen deze kluchtige nabootsing van vikinggedrag en de heidense ver-schrikkingen die ik me tien dagen geleden voor de geest had gehaald. Het was voorbij.

De volgende twee dagen, waarop we noordwaarts richting Florø tuf-ten, waar ik aan boord zou gaan van de boot die me naar de Noorde-lijke IJszee zou brengen, verliepen uitermate ontspannen. We had-den geen vaste reisroute meer, dus de Fridtjofen kon aanleggen wan-neer en waar we maar wilden. In de beschutte wateren van de archipel werd zeeziekte al spoedig een vage herinnering, een schertskwaal van stripfiguren die groen uitslaan en met opbollende wangen en hun handen voor hun mond naar de reling hollen.

De zon scheen fel, waardoor we ons af en toe bijna in de kust-gebieden van de Egeïsche Zee waanden: gebleekte rotsen met koele,

donkere bergspleten die zacht glooiend uit de kalme blauwe zee op-
rezen. Na de mist en de motregen en het konvooiregime was dit een
ware verademing. Een uur lang keken we met z'n vieren zomaar wat
om ons heen, breed glimlachend en traag knikkend, als mensen die
een licht euforische drugervaring delen. Per vloekte niet eens toen
hij zijn schenen ontvelde doordat hij de onderste vier sporten van
het laddertje miste.

We voeren door de Rannefjord in de richting van de steile heuvels en hangbruggen van Bergen, en zagen op een gegeven moment
op de rechteroever een drietal overwoekerde horizontale silo's. 'Noorse torpedobatterijen uit de oorlog,' zei Per, die in Bergen geboren en
getogen was.

Het schijnt dat de strijdkrachten zich niet bepaald van hun beste
kant hebben laten zien in het beginstadium van de nazi-inval. Hitler
had het advies van zijn generaals in de wind geslagen en zijn vloot
het bevel gegeven via de open fjord naar Bergen op te stomen, een
manoeuvre die feitelijk neerkwam op zelfmoord. En daar zou het
ook op uitgedraaid zijn als de Noorse mijnen op scherp waren gesteld, de torpedobatterijen bemand waren geweest en het nieuws over
de binnenvallende Duitse strijdkrachten niet via de post maar via de
telefoon naar Bergen verzonden was. De brief arriveerde twee dagen
nadat de stad gecapituleerd had.

De nazibezetters bouwden een veel effectievere militaire infra-
structuur op, en de Noorse kustlijn, met zijn totale lengte van 45.000
kilometer verreweg de langste ter wereld, is nog altijd bezaaid met
hun bunkers en vliegvelden. Per zei dat Hitler oorspronkelijk van
plan was geweest om zich hier achter zijn laatste verdedigingslinie
terug te trekken, en als dat ook werkelijk gebeurd was, zouden er
vandaag de dag waarschijnlijk nog steeds tachtigjarige guerrilla's van
vergeten klippen geplukt worden.

Mocht de Færoer archipel eerder op onze tocht al een Egeïsche
indruk hebben gewekt, Bergens zeven groene heuvels, de vrolijk gekleurde huizen en de terracotta daken wekten nog veel overtuigen-
der mediterrane associaties op dan in Thorshavn het geval was geweest. Maar het regende dan ook niet, hetgeen nogal ongebruikelijk
scheen te zijn voor een zo berucht natte stad, de natste in Europa.
'Ooit vroeg een doorweekte toerist aan een jeugdige inwoner van de

stad of het in Bergen nooit ophield met regenen,' zei Per grijnzend. '"Dat weet ik niet," zei de jongen, "ik ben pas twaalf." Pas twaalf! Is dat niet geestig?'

Ik knikte enthousiast.

'Maar het klopt niet echt,' voegde hij eraan toe. 'De regen hier is niet zo erg als sommigen beweren.'

'Achghhghgcch!' was Sissels spottende reactie op Pers pogingen het regenprobleem te bagatelliseren. 'Er is een vallei even ten noorden van Bergen waar in één jaar tijd vijf meter regen is gevallen, en één meter in een maand!'

Per rolde met zijn ogen.

'Dat is meer dan drie centimeter per dag,' zei ik.

'Dat is Bergen,' zei ze.

'Nietwaar,' zei hij.

En toen begon het te motregenen.

Toch beviel Bergen me wel. Zodra ik de ruime buitenwijken en de kabelspoorweg en de Burger Kings en de mondaine wandelaars zag, besefte ik pas goed hoe kleinsteeds de dronken tieners van Haugesund waren geweest. In Haugesund had ik een voorproefje van het stadsleven gehad, maar dit was het echte werk. Dit was een stad met een bevolking waarvan de omvang in honderdduizenden geteld kon worden, en waarin sprake was van de beschaafde anonimiteit waarnaar ik verlangde na een maand van primitieve, gemeenschappelijke claustrofobie. Ik wilde ergens heen waar niemand mijn naam kende.

Toen ik in mijn eentje op pad ging, op zoek naar een pølse waarnaar ik al tijden verlangde, kreeg ik een voorproefje van de eenzame weken die me te wachten stonden. De pølsezaak was bijzonder on-Scandinavisch, een smerige kiosk met een kapotte drankenkoeling, één enkele zoemende tl-buis en, naar het scheen, geen bediening. Nadat ik een tijdje had staan neuriën en begon te overwegen een niet-gekoelde Coke te stelen, hoorde ik ergens achterin twee stemmen – een zwaar ademende, smekend klinkende mannelijke en een sussend klinkende vrouwelijke. Even later verscheen de bezitster van de vrouwelijke stem, terwijl ze haar buitengewoon verwarde blonde lokken probeerde te fatsoeneren en haar verfomfaaide T-shirt rechttrok. Ik bestelde een hotdog van dertien kronen en probeerde mijn blik af te wenden terwijl ze die klaarmaakte met handen die duide-

lijk even tevoren nog innig contact hadden gehad met de liefdes-
pølse van haar vriend. Maar het strekte haar tot eer dat ze, hoewel ze
duidelijk het liefst zou doorgaan met datgene waarmee ze bezig was
geweest – om de paar seconden suggereerde een zacht maar indringend gekreun dat haar partner de zaak zelf ter hand genomen had –
me even later een soort bleke, met spataderen doorregen *bratwurst*
ter grootte van een forse zaklantaarn overhandigde en daar vrolijk
24 kronen voor vroeg.

Ik betaalde zonder protest, me erbij neerleggend dat dit het soort
op ordinaire toeristenafzetterij was dat me tot dusver bespaard was
gebleven doordat ik me in het gezelschap van autochtonen bevonden had. In zekere zin toonde het aan dat ik eindelijk helemaal mezelf aangewezen was, en daar putte ik een pervers soort troost uit. Ja,
dit was Noorwegen, en dus lag het meer voor de hand dat ik als eenzame reiziger een enkele keer afgezet zou worden dan dat ik opgepakt zou worden wegens staatsondermijnende activiteiten. Maar de
remouladesaus veegde ik toch maar van mijn pølse af.

De volgende ochtend vertrokken we uit Bergen en voeren in noordelijke richting, behoedzaam manoeuvrerend langs een onafzienbare opeenvolging van vrijwel onbewoonde eilanden. Laat in de middag passeerde de Fridtjofen de eenzame vuurtoren, waarvan de witte
steen het late zonlicht weerkaatste als een Griekse kerk, en die de
nabijheid van onze eindbestemming, Florø, aankondigde.

Iedereen had vol ontzag over het stadje gesproken, maar ik vond
er weinig opwindends aan, afgezien van het feit dat het een ø in zijn
naam had. Het kwam op me over als een pretentieloze en relaxte
gemeenschap; de bescheiden, rommelige kade en de aanwezigheid
van wat lichte industrie konden nauwelijks een verklaring vormen
voor de enorme bedragen die door de meer welgestelde inwoners
aan hun nautische hobby besteed werden. Trouwens ook niet voor
de grote BMW- en Mercedes-stationcars op de kade, waarin de deelnemers aan het konvooi nu zaten te wachten om de overgebleven
voorraden aan dek gestouwde en aan bederf onderhevige proviand
over te laden – tienkilo-verpakkingen Jarlsberg en vaten appelsap.

Nadat ze uitgestapt waren om ons te begroeten, een en al dure
orthodontie en Ralph Lauren, bedacht ik hoezeer hun levensstijl ver-

schilde van die in de matrozenliedjes die ze dronken meegebruld hadden op de Færøer over haringvissers die smachtten naar de mooie jonge Helga die thuis rammentestikels zat in te maken.

De Noorse plattelanders uit Dufferins tijd waren middeleeuws in hun levensstijl en hun bijgeloof. Hij rapporteert hoe, slechts enkele jaren voor zijn bezoek, de inwoners van Alta, in de buurt van Hammerfest, ervan overtuigd waren dat een boot die vlak buiten de haven was vergaan in werkelijkheid de Kraken, het legendarische zeemonster, was. Ze verzamelden zich op het strand om de half verzopen overlevenden met salvo's musketvuur neer te maaien. Evenals in IJsland, waar bij de eeuwwisseling nog meer dan de helft van de bevolking in plaggenhutten woonde, is het intrigerend om je te realiseren hoe snel en volledig deze keuterboertjes en vissers, die nauwelijks in staat waren in hun levensonderhoud te voorzien, zich ontwikkeld hebben tot welvarende technofielen, en hoe probleemloos die transformatie verlopen is.

Nadat de hotemetoten met de overgebleven proviand vertrokken waren, dronken Sissel, Per en ik ten afscheid een Bergen Pimm (rum, appelsap en selderij). Er werd thuis op hen gewacht. Mijn boot vertrok pas om 04.20 uur. Het was een aangrijpend moment. Deze mensen hadden mij, een volslagen vreemde, een buitenlander, aan boord genomen; ze hadden me door mijn langdurige zeeziekte en bijbehorende deliriums heen geloodst, mijn onbenullige incompetentie voor lief genomen, en dat alles zonder hun goede humeur te verliezen.

Ik zou hen missen. Ik zou Sissel missen met haar soms wat merkwaardige uitspraak van het Engels en haar verhalen over haar avontuurtjes. Ik zou Per missen met zijn weetgierigheid en zijn hulpeloze zelfverminking.

Sverre hielp me met het doen van nog een laatste was die we te drogen hingen in de nog warme machinekamer van de Fridtjofen, en daarna ik trok me terug voor een zinloos dutje van twee uur. Toen ik, nog wankelend van de slaap, van boord van de onvolprezen Fridtjofen de kille dageraad in stapte, verscheen hij aan dek in trainingsbroek en op blote voeten en riep me terug.

'Je hebt het gastenboek nog niet getekend,' zij hij opgewekt, terwijl hij me het gastenboek en een ballpoint toestak. Alle fantasieloze clichés die ik in de loop van mijn leven al in dergelijke boeken had genoteerd, vormden nauwelijks een goede voorbereiding op dit moment. Ik kan me niet meer herinneren wat ik opschreef, of liever gezegd, dat kan ik wel, maar het was volstrekt ontoereikend. Ter compensatie gaf ik hem een stevige omhelzing alvorens op weg te gaan naar een stille grijze kade waar ik op mijn boot wachtte in het gezelschap van een knaap op een vorkheftruck met vier pallets dakpannen met bestemming Tromsø.

9

De Kustexpres, oftewel Hurtigrute, is een instituut. Al meer dan honderd jaar lang vervoert hij post, familieleden en dakpannen langs de gehele kust van Noorwegen, of althans van Bergen tot aan Kirkenes, vlak bij de Russische grens. Als dat misschien niet indrukwekkend klinkt, meet het dan maar eens na op een opblaasbare globe met de steel van een tandenborstel, en dan zul je zien dat dat eenzelfde afstand is als die van Southampton naar Lvov. Ik zou slechts net zo ver meevaren als de dakpannen, naar Tromsø (met een tussenstop in Bodø voor mijn dagtocht naar Jan Mayen), maar zelfs dat was al een afstand vergelijkbaar met die vanaf Land's End naar John O'Groats.

Vandaag de dag vervult de Hurtigrute een dubbelfunctie: buitenlandse gepensioneerden die goed in hun slappe was zitten De Mooiste Reis Ter Wereld aanbieden; en de autochtone bevolking dolle pret bezorgen door ze in staat te stellen te luisteren naar toeristen die het woord Hurtigrute proberen uit te spreken. Het was een van de tragedies van mijn verblijf in Noorwegen dat de twee inheemse zelfstandige naamwoorden die voor mij het moeilijkst te vermijden waren, tevens de twee waren die ik het moeilijkst uit mijn mond kon krijgen. Noren zeggen 'Sverre' alsof ze proberen een pint bier in één teug achterover te slaan, en 'Hurtigrute' alsof dat op spectaculaire wijze mislukt is. Niet één van mijn misschien wel drie dozijn pogingen tot het uitspreken van een van beide woorden was succesvol. Ik wist hoe Dufferin zich gevoeld moest hebben toen tijdens een bal in Trondheim zijn dame aan hem voorgesteld werd als 'Madame Hghelghghagllaghem.'

Aangezien de boot al tien minuten te laat was en nog in geen velden of wegen te bekennen, probeerde ik een aarzelend 'Hurtigrute?' uit op mijn vorkheftruckvriend. Hij reageerde met een blik die zei: 'Hoor eens, knaap, het is 04.30 uur, ik ben hier niet voor mijn lol, jij bent hier niet voor je lol, dus laten we nou gewoon onze kop houden en wachten, en haal die stomme paarse rugzak van mijn pallet.' En dus keken we zwijgend toe hoe de zwarte bergen aan de overkant van de fjord langzaam op begonnen te lichten in de dageraad, terwijl de stilte slechts af en toe verbroken werd door de plons waarmee een springende vis weer in het water belandde.

Na twintig minuten, toen ik er al min of meer van overtuigd was dat er sprake moest zijn van een vreselijk misverstand, waarschijnlijk van mijn kant, sneed er een vlijmscherpe zwart-witte boeg door de optrekkende mist. Langzaam, heel langzaam, gleed de statige romp van de Harald Jarl naderbij en meerde te midden van woest kolkende watermassa's af aan de kade, waarna met één enkele machtige stoot van de misthoorn heel Florø uit bed geblazen werd.

Ik was blij dat het de Harald Jarl was. De Hurtigrute heeft een dozijn schepen in de vaart, bijna allemaal van die opzichtige, zielloze, moderne exemplaren die in de praktijk als drijvende bars fungeren. Er zijn nog maar twee 'traditionele' schepen over, en de Harald Jarl is er daar één van. Het schip is halverwege de jaren vijftig gebouwd, als een soort 1:4 schaalmodel van de Queen Mary, met galerijen die bestemd waren om naar de achterblijvers op de wal te wuiven en een glanzend houten achterdek, en een kleine hijskraan om pallets met dakpannen aan boord te hijsen. Het geheel maakte een degelijke, solide indruk, zoiets als het Koninklijk Jacht Britannia.

Wachtend op de kade had ik me zo jeukerig en vuil en onuitgerust gevoeld, dat ik besloten had om een hut te nemen, wat het ook mocht kosten. Nou ja, het moest natuurlijk wel binnen de perken blijven. Maar toen ik me bij het kantoortje van de purser meldde, herinnerde ik me dat het op alle schepen van de Hurtigrute 's zomers behoorlijk druk was, en dat de Harald Jarl het kleinste van de vloot was. Een hut zou nog wel eens een probleem kunnen worden. Het was belangrijk een goede indruk te maken, en mijn rugzak/anorak/stoppelbaard-verschijning zat me daarbij enigszins in de weg. Ik zou het van mijn vlotte babbel moeten hebben.

Vermoeidheid maakt sommige mensen neerslachtig, anderen overdreven opgewekt. Helaas bleek uit mijn tamelijk eenzijdige gedachtewisseling met de mollige purser dat hij tot de eerstgenoemde categorie behoorde, terwijl ik mezelf vol afschuw allerlei zinloos gewauwel hoorde uitslaan dat mij onmiskenbaar in de tweede categorie plaatste.

'Mijn naam? Ja. Ik heet Tim. Hallo!' Ik stak een hand op. 'Maar dat wilt u waarschijnlijk helemaal niet weten. U wilt waarschijnlijk mijn achternaam weten, en die is Moore. Net als James Bond. De oude. Een van de oude. Roger, om precies te zijn. Maar er zijn er zoveel – met mijn naam, bedoel ik, en...'

Mijn stem stierf weg terwijl ik me afvroeg waar de aristocratische falset vandaan kwam die ik op een of andere manier ontwikkeld scheen te hebben. Toen deed hij zijn mond open. 'We hebben geen hutten,' zei hij op zwaarmoedige toon. 'Helemaal geen hutten vandaag.'

Hij printte een ticket naar Tromsø voor me uit. Voor £200 zou ik drie nachten op een bank in de bar moeten slapen, waar ik om vijf uur 's ochtends gewekt zou worden doordat er een stofzuiger over mijn gezicht werd gehaald. Ik had me beter kunnen vermommen als een pallet dakpannen, dan zou ik £150 uitgespaard hebben en qua comfort zou het weinig uitmaken. Ik sleepte mijn bagage blindelings door de halfduistere gangen, waarbij ik af en toe in de art deco-spiegels een glimp opving van mijn merkwaardige zwangere silhouet, veroorzaakt door het feit dat ik een van mijn beide rugzakken op mijn borst droeg. Er waren twee pas nieuw ingerichte salons met veel pluche, allebei bezaaid met de inerte gestaltes van hetzelfde soort rondtrekkend tuig als ik. Velen hadden hun T-shirt over hun hoofd getrokken om het binnendringende daglicht te weren. Het was een afschuwelijk gezicht.

Ik begaf me naar de cafetaria, waar zich verder niemand bevond, afgezien van de schoonmakers. Achter ons verdween het landschap met ongehoorde snelheid. De vorige dag, aan boord van de Fridtjofen, was de kenmerkende klauwvormige bergpiek even ten zuiden van Florø ons een hele middag tot gids geweest; in minder dan een uur had de Harald Jarl diezelfde piek gereduceerd tot een stipje aan de horizon achter ons. Niet langer zouden we overgeleverd zijn aan de intimiderende hekgolven van de grote schepen. Nu waren wij het die de golven veroorzaakten. Vrij baan voor de Golvenmaker! Ik ben de Golvenmaker!

Mijn ijlhoofdigheid maakte plaats voor een diepe slaap in een niet bepaald elegante houding, een slaap die onderbroken werd, zoals dat dikwijls gaat, door het afschuwelijke geblèr van een verwende Franse kleuter. '*Maintenant! Maintenant!*' gilde hij, een refrein dat hij, niet tot mijn verbazing overigens, kracht bijzette door met een vilten muis ritmisch in het gezicht van zijn sussend kirrende moeder te slaan. Om niet langer getuige te hoeven zijn van dit gênante tafereel, draaide ik mijn hoofd voorzichtig naar het raam – twee uur slapen met je hoofd op je borst is nooit een goed idee, zoals Wilson al ondervonden had in Reykjavík – en zag op de achtergrond heuveltoppen uit de vroege ochtendmist oprijzen als op het etiket van een goedkope Ierse likeur. En voor het eerst sinds ik uit Engeland vertrokken was, zag ik bomen – niet zomaar een alleenstaand exemplaar dat zich verontschuldigend ergens achter een schuur ophield, maar hele bossen vol spits toelopende groene bomen die de lagere regionen van de bergen volledig bedekten. Ik betreurde het dat ik mijn leven lang de aanwezigheid van bomen als iets vanzelfsprekends had beschouwd, en bij wijze van boetedoening besteedde ik enige tijd aan het bedenken van slagzinnen voor houtexporteurs. 'Zo eerlijk als goud – Noors hout!' was de eerste die me te binnen schoot, direct gevolgd door het op het sjamanisme geïnspireerde 'Bomen Zijn Goed'. Maar als ik het voor het zeggen had, kon het alleen maar worden 'Met Arctisch timmerhout zit u nimmer fout!'

Terwijl ik het me in de cafetaria zo gemakkelijk mogelijk maakte, probeerde ik me het Hurtigrute-ritme eigen te maken. Om de paar uur legt de boot in een of andere vergeten kreek net lang genoeg aan om een paar pallets diepgevroren kabeljauwwangetjes aan boord te nemen en vier slungelige tieners om te wisselen voor een verwarde oom. Misschien twee keer per dag wordt er langer gestopt in grotere steden, waar iedereen van boord gaat om een tijdje rond te slenteren en overbodige inkopen te doen. Volgens de dienstregeling zou ik moeten wachten tot we in Ålesund aanlegden voor ik op zoek kon gaan naar een goedkoper alternatief voor de cheeseburgers à raison van £5 in de cafetaria. Rond het middaguur klonk er uit de geluidsinstallatie plotseling een luchthavenachtig ding-dong, gevolgd door een of andere dienstmededeling in het Noors. Ik knikte wijsgerig. Ik kon alleen maar hopen dat mijn uiterlijke verschijning door de vingers zou worden gezien door me voor te doen als plaatselijke visser of zoon van het land. Toen, met een apocalyptisch tumult vanuit de machinekamer, begonnen de schroeven achteruit te slaan en kwamen we even later tot stilstand.

Het enige wat ik van Ålesund verwachtte tijdens de drie uur dat de stad een rol in mijn leven speelde, was dat ik er een supermarkt zou aantreffen, en daarin werd ik niet teleurgesteld. Nadat ik de nodige proviand had ingeslagen, liep ik terug naar de onaantrekkelijke, functionele haven, waar een matrozenkoor van een bezoekend groot Russisch zeilschip in de motregen uit volle borst stond te zingen. Terwijl de accordeonist voor de derde keer 'Those Were The Days' inzette, zette ik mijn tanden in een supermarkthotdog waarvan de uiterste verkoopdatum al twee dagen verstreken was. Toen ik de dop van mijn eveneens aangeschafte fles barbecuesaus losdraaide, zag ik enigszins verontrust dat er zich rond de hals van de fles reeds een soort groteske zwarte voorhuid had gevormd. De Rus die met de pet rondging, kwam mijn richting uit, maar maakte toen geschrokken rechtsomkeert. Kritisch vroeg ik me af hoeveel van het opgehaalde geld aan drank zou worden besteed, omdat ik gelezen had dat de gemiddelde Russische man een halve fles wodka per dag drinkt. De *gemiddelde*. Dat wil zeggen dat voor iedere man die niet drinkt, er een andere is die een hele fles soldaat maakt. Jezus nog aan toe, dacht ik, terwijl ik hoofdschuddend op weg ging naar de bierwinkel.

Ik was erachter gekomen dat slechts bepaalde supermarkten dispensatie hebben om bier met een hoger alcoholpercentage dan 2,2 te verkopen, en Ålesund beschikte niet over een dergelijke supermarkt. 'Er is een bierwinkel vlak bij de haven,' zei het meisje achter de kassa. Maar de haven besloeg een nogal uitgestrekt gebied. Ik zwierf maar zo'n beetje doelloos rond. De boot zou over 25 minuten vertrekken. Ik zette het op een sukkeldrafje. Het vragen van de weg naar een bierwinkel is op zich al een tamelijk gênante activiteit, en het feit dat je lichtelijk buiten adem bent en in het bezit van de stoppelbaard en anorak met capuchon van een passerende terrorist op de videoband van een bewakingscamera, maakt het er niet bepaald beter op.

Ik liep hijgend het VVV-kantoor binnen, waar mijn smakeloze, mo-
nomane vraag me slechts nutteloos vage informatie opleverde en
blikken van het type wie-heeft-er-hier-zojuist-een-wind-gelaten. Nog
twaalf minuten. Voortgedreven door de gedachte aan de pinten à
raison van £4 aan boord van de Harald Jarl, zette ik het nu op een
hollen. Ondertussen sprak ik links en rechts verkopers in sportwin-
kels en jonge moeders aan totdat iemand naar een niet van een nadere aanduiding voorzien houten gebouwtje wees waar ik al een paar
keer eerder langsgekomen was en dat in mijn ogen een viswinkel of
zoiets was.

Als klasse-A drugs ooit gelegaliseerd worden, zal de verkoop
plaatsvinden in onaanlokkelijke, steriele verkooppunten, gebaseerd
op de door de staat gerunde drankwinkels van Scandinavië. In het
harde licht van tl-buizen stonden rijen opeengestapelde bierkratten
op het versleten linoleum, allemaal van hetzelfde alcoholpercentage,
allemaal voor dezelfde prijs. Ik griste vier flesjes van £2 per stuk mee
en haastte me naar de onbemande kassa. Twee mannen bekeken me
vanuit een kantoortje achterin de winkel met een vermoeide, van
walging vervulde blik die zei: daar heb je weer zo'n gebruiker. Bij
elke andere gelegenheid zou ik me beschaamd hebben gevoeld. Maar
nu kon ik alleen nog maar denken: vier pond per pint. Nog zes minuten. Vier pond. Nog vijf minuten. Ik knipte zelfs met mijn vingers
en wenkte hen. Ik haastte me buiten adem de loopplank op net toen
de misthoorn van de Harald Jarl het afscheid van Ålesund aankondigde.

Zoals te verwachten viel, kreeg mijn nest in de cafetaria al spoedig een invasie te verduren van koekoeken, Franse koekoeken, waarvan de jongste even later luidruchtig de nectarine zat te verorberen
die moest dienen als bolwerk tegen scheurbuik. De mist benam ons
het uitzicht. Ik haalde mijn hotdogs, mosterd en barbecuesaus tevoorschijn, en maakte er met behulp van een plat brood dat ik in
Ålesund gekocht had, een soort crêpes van. Het viel niet mee om dat
heimelijk te doen, en sommige van de blikken die naburige Noren
me toewierpen, suggereerden dat ik voor hetzelfde geld een veelge-
bruikte dildo had kunnen zitten uithollen om er een crack-pijp van
te fabriceren. Ik kon inmiddels twee nieuwe zinnen toevoegen aan
mijn beperkte Noorse vocabulaire: 'Mammie, wat eet die vieze man?'

en 'Niet op letten, liefje, volgens mij is het dezelfde man die we schreeuwend om bier rond zagen rennen.'

Het ergste van mijn bijna zen-achtige gematigdheid is dat ik nauwelijks het idee heb dat ik iets tekortkom. Vrijwel geen geld uitgeven aan wat dan ook is voor mij de gewoonste zaak van de wereld. Toen ik naar Malta ging om voor de *Independent* een artikel te schrijven over hoe het mogelijk was om van £4.87 per dag rond te komen, was dat voor mij geen nachtmerrie vol ongemak en zelfonthouding. Voor mij was het gewoon vakantie.

We bleven een uur in Molde liggen, een moderne, sfeerloze stad waar het om vijf uur 's middags zo uitgestorven was alsof er een avondklok was ingesteld. De natte straten waren leeg, het openbare groen lag er onberispelijk bij als kunstgras. Nergens een spoor van graffiti, zelfs niet op het gemeentehuis, dat zo saai was dat het er als het ware om vroeg. De lege taxi's die als voor een begrafenisstoet op de kade geparkeerd stonden, waren allemaal splinternieuwe Mercedessen. Plotseling kon ik me heel gemakkelijk hele steden vol Noren voorstellen die met stukjes metaaldraad zaten te prutsen totdat iemand bij toeval de paperclip uitvond. Ik raakte zo verveeld toen ik door de onberispelijke en anonieme hoofdstraat liep dat ik bijna een verrekijker had gekocht.

Maar toen ik weer aan boord ging, vonden er twee positieve gebeurtenissen plaats. Ten eerste kwam de zon tevoorschijn. Ten tweede kreeg ik een hut. Een efficiënt uitziende vrouwelijke purser had het overgenomen van mijn sombere dikzak, en ik besloot om mijn geluk nog maar eens te beproeven. Natuurlijk bleken er tientallen hutten beschikbaar, en dat was waarschijnlijk al die tijd al het geval geweest.

Mijn koninkrijk voor £18 per nacht ergens in de ingewanden van het schip was een juweeltje. Ik had de beschikking over een patrijspoort, twee bedden en een wastafel. Op een of andere manier maakte het feit dat het zo klein was – ik zou met mijn handen en voeten allevier de wanden tegelijk aangeraakt kunnen hebben als ik wat fitter was geweest en pakweg drie meter lang – het des te aantrekkelijker. Het beddengoed (voor mij het eerste sinds exact 104 jaar), de overvloed aan gelakt hout en chroom – alles was een lust voor het oog. Hier kon ik in alle beslotenheid ongezonde troep eten en bier drinken, en dat deed ik nu dus ook, en bij elk flesje werd de nostalgische romantiek van mijn omgeving bekoorlijker. Nu werd het pas een echte zeereis. Hoe het was in de jaren vijftig van de negentiende eeuw zou ik nooit meer aan den lijve kunnen ondervinden, maar hier was ik in elk geval terug in de jaren vijftig van de twintigste eeuw.

We lagen al drie uur aan de kade in Trondheim toen ik wakker werd, zodat er nog maar een uur of twee overbleef om een wandeling te maken door wat ik me van een vorig bezoek zeven jaar eerder herinnerde als een vriendelijke, leefbare stad met het hoogste houten een of ander van heel Europa. Skischans? Kathedraal? Puppy? Ik kon het me niet meer herinneren. Trondheim, tot 1380 de hoofdstad van Noorwegen, was nog altijd groter dan Oslo toen Dufferin zijn misprijzende opmerkingen maakte over het vulgaire commerciële karakter van de stad. Het centrum, herbouwd aan het eind van de zeventiende eeuw na een van die grote branden waar ze indertijd het patent op hadden, is tot op de dag van vandaag vrijwel onveranderd gebleven.

Enige tijd geleden kwam ik tot de deprimerende conclusie dat ik niet in een stad kon wonen die niet groot en ordinair genoeg was om over zowel een Burger King als een McDonald's te beschikken. Trondheim beschikte over beide. Zou ik me hier kunnen vestigen? Het was mogelijk. De bergen zorgden voor een aantrekkelijke achtergrond, en het bruine gras voor de met vlaggetjes versierde openbare gebouwen duidde op aangenaam warme zomers. En met mijn Noors ging het ook beslist de goede kant op. Tot mijn grote genoegen was ik in staat geweest de volgende belangrijke mededeling op de deur van een tatoeagesalon te vertalen: 'Piercing pas weer na 5 augustus'.

Maar toen ik een Ierse pub van de Dirty Nelly-keten ontdekte en vervolgens tot de ontdekking kwam dat de vismarkt een betonnen garage was waar ze rendierburgers verkochten aan de Fransen van de boot, bekoelde mijn enthousiasme enigszins. Ten slotte kreeg ik bij het weer aan boord gaan van de *Harald Jarl* te horen dat al die vlaggetjes ter gelegenheid waren van het duizendjarig bestaan van Trondheim. Dat deed de deur dicht. Als ik volgend jaar hiernaartoe zou verhuizen, zou dat een geweldige anticlimax zijn, net zoiets als

verhuizen naar Hastings in 1067 of het doorbrengen van tweede kerst-
dag in Bethlehem. De man die altijd en overal net te laat komt.

Terwijl we in de richting van de poolcirkel voeren, begon ik de
Harald Jarl te verkennen met de nieuw verworven vrijheid van een
paranoïde man die beschikt over een afsluitbare ruimte waarin hij
zijn bezittingen veilig kan achterlaten. De vorige avond had ik een
Noor tegen zijn transatlantische gespreksgenoten horen zeggen: 'Ik
neem nooit de nieuwe Hurtigrute. Dit is tenminste een *schip*.' Ik kon
het alleen maar eens zijn met zijn verbale cursivering. Er was een
kleine bibliotheek met lambriseringen. Passagiers op leeftijd zaten
aan dek met dekens van de rederij over hun knieën. Door een open
deur op het promenadedek aan stuurboord kon je een blik werpen
in de machinekamer waar de enorme glanzende zuigers op en neer
stampten alsof het een demonstratie in het Science Museum betrof.
Het diner, voor diegenen die zich niet bezighielden met het achter-
nazitten van glibberige hotdogs over de vloer van hun hut, werd aangekondigd door een gong, zij het dat het wat blikkerige geluid daarvan geproduceerd werd door het omroepsysteem. Je kreeg een vaste
plaats toegewezen in de eetzaal, en je kon port per fles bestellen.

De vorige avond had ik in een bui van koloniale nostalgie *Helen's
Tower* uit de stinkende gevangenis van mijn rugzak bevrijd en me
naar de bibliotheek begeven om me te verdiepen in Dufferins bege-
renswaardige diplomatieke standplaatsen. Alle pracht en praal waarover ik las, plaatste de ambiance van de Harald Jarl weer in de juiste
verhoudingen. In Canada omvat een gemiddelde week 'picknicks,
recepties, "drums", diners, bals, fakkeloptochten, tuinfeesten, liefda-
digheidsbazaars en regatta's'. Dat alles wordt betaald door Dufferin
zelf. 'Ik hoor vreselijke dingen over je uitgavenpatroon,' schrijft de
Hertog van Argyll.

In India was het anders. Als misschien wel de machtigste man ter
wereld, hoefde je je geen zorgen te maken over het bekostigen van je
eigen 'drums'. Tijdens een staatsbezoek aan de Emir van Afghanistan
in 1885 slaan Dufferin en zijn gevolg hun kamp op in Rawalpindi.
Bij deze operatie komt wel iets meer kijken dan een paar slaapzakken en een ingenaaid grondzeil: 'Het Kampement van de Onderkoning,' vermeldt Lady Dufferin, 'bestaat uit zesendertig tenten voor
het personeel, opgesteld in twee rijen van achttien, in de vorm van

een laan met aan weerszijden een brede strook gras, voorzien van fonteinen en rotstuinen en varenaanplant. Aan het eind daarvan bevindt zich onze paleistent... het kantoor van Zijne Excellentie, haar slaapvertrek, zijn slaapvertrek, met kleedkamer en badkamers... mijn boudoir komt uit op een klein pleintje, vol bakken met bloemen en een fonteintje... Alle vertrekken zijn voorzien van Perzische tapijten en sofa's... langs de hele "straat" staan lantaarnpalen; we beschikken over telefoons en een postkantoor... '

Nadat hij in 1886 Birma heeft ingelijfd (twee jaar later voegde hij de naam van de voormalige Birmaanse hoofdstad, Ava, toe aan zijn titel), stoomt hij Rangoon binnen. De schitterende versieringen die ter ere van zijn komst zijn aangebracht, blijken onder meer een levensgroot trompe-l'oeil te omvatten met daarop het poorthuis dat deel uitmaakt van het familiebezit van zijn echtgenote, Killyleagh Castle. In de balzaal van zijn paleis in Calcutta hingen 24 kroonluchters; tot zijn favoriete tijdverdrijven behoorde het organiseren van een defilé van radja's die hem trouw betoonden terwijl hij vanuit zijn massief zilveren staatsiezetel toekeek. Telkens wanneer hij zich vooroverboog en 'de nederig aangeboden nazar' lichtjes aanraakte, vuurde buiten het paleis een batterij kanonnen saluutschoten af. Zoals Nicolson zegt: 'Hij was er niet de man naar om de pracht en praal van de macht te versmaden'.

Ik moest weer denken aan Lindy's opmerking tijdens het diner: 'Natuurlijk was ik al een tamelijk bekende persoonlijkheid, maar toen ik echt *heel* beroemd werd... ' Het leek me een adequate omschrijving van Dufferin op middelbare leeftijd. Niettegenstaande de onthullingen met betrekking tot het treiteren van Wilson, was het moeilijk om de lispelende, in flodderhemd geklede dichter zoals afgebeeld op de krijttekening te vereenzelvigen met een dergelijke hooghartige arrogantie. Misschien was het de invloed van zijn echtgenote met haar formalistische opvattingen. Misschien besefte hij, professional die hij nu eenmaal was, dat al dat vertoon van keizerlijke almacht deel uitmaakte van zijn functie, een manier om opstandige radja's duidelijk te maken wie er de baas was. Maar op een of andere manier had ik het gevoel dat er meer achter stak, en opnieuw leek het me waarschijnlijk dat de schaamte over het tweede huwelijk van zijn moeder, haar verraad, de doodsteek had betekend voor de speelsheid en het vermogen tot zelfspot die zo kenmerkend waren geweest voor hun relatie.

Het weer werd beter naarmate het landschap vlakker werd. Achter ons baadde Trondheim in het zonlicht, maar al spoedig was de stad uit het zicht verdwenen, en de vrouw van de omroepinstallatie begon steeds wanhopiger te klinken. Het was me al eerder opgevallen dat alle Noren hun zinnen beginnen met een aarzelend 'Ja...', gevolgd door een lange pauze, waardoor ze de indruk wekken dat ze geen idee hebben wat ze nou eigenlijk precies willen gaan zeggen. Meestal is dat natuurlijk wel het geval, maar zij wist het duidelijk niet. 'Ja... Heren en dames. Ja. Over tien minuten... passeren we... een vuurtoren!' Er klonk altijd een triomfantelijke stemverheffing als ze weer iets had bedacht. 'Ja... een eindje voor ons uit en... rechts?... kunt u zien... een zeearend!... Deze arend is nu inmiddels weer verdwenen, maar er zullen er meer komen. Hier in Noorwegen hebben we een kwart van het totale aantal zeearenden!'

Uiteindelijk werd ze gered door de gong die de uitverkorenen aan tafel noodde, en het dek liep weer leeg. Ik bleef achter om van een prachtige avond te genieten, in het gezelschap van twee flesjes Trondheim-bier. Op deze geografische breedte bleef de avondzon gewoon schijnen. Vanaf 21.30 uur stond hij urenlang vlak boven de horizon, waar hij de zee in een schitterende gloed zette alvorens weer langzaam omhoog te klimmen. Slechts één keer eerder, in Haugesund, was het mogelijk geweest een avond aan dek door te brengen, en toch bevond ik me nu op dezelfde noorderbreedte als Archangelsk. Voor het eerst had ik het gevoel dat ik met mijn ticket van £200 niet alleen waar voor mijn geld had gekregen, maar dat het een ongelooflijk koopje was geweest.

Ik bleef op in de cafetaria om het moment mee te maken dat we de poolcirkel bereikten, in het gezelschap van twee oude Amerikanen met honkbalpetten op het hoofd. Ze hadden sigarettenas op hun kin en ademden luider dan ze spraken. Om 01.00 uur was het zover, en het was een treurige maar onvermijdelijke anticlimax. Er was geen sprake van enige ceremonie; niet eens een aankondiging via de omroepinstallatie. Ik was bij de Amerikanen in de buurt gebleven omdat een van hen een draagbare satellietnavigator had waarnaar hij zo onafgebroken zat te turen dat ik eerst dacht dat het een miniatuur-tv'tje was. Toen het zover was, hield hij zijn hoofd schuin en deed een kortademige, sobere mededeling: 'Yep. Nou, dat was het dan, Dave.' Dave imiteerde zijn hoofdbeweging. 'Yep,' zei hij.

Was dat alles? Het was triest om deze gemompelde gedachtewisseling te vergelijken met de uitzinnige inwijdingsrituelen aan boord van de Reine Hortense toen die met de Foam op sleeptouw de poolcirkel bereikte:

Begeleid door mysterieuze muziek, en omringd door een troep afzichtelijke monsters, bood een witgebaard, gebrild personage – gekleed in een berenvel, met een driekante steek schuin op zijn hoofd – de officieren van de wacht een enorm bord aan, met daarop de woorden

'LE PÈRE ARCTIQUE'

bij wijze van visitekaartje... en toen brak er op het hele schip een compleet gekkenhuis los. Op de ra's bevonden zich rode duivels en zwarte apen... officieren en matrozen dansten zonder onderscheid des persoons de cancan met elkaar... de noordpoolvader smeet harde erwten op het dek, als symbool voor hagel, terwijl men elkaars gezichten met handenvol meel inwreef ten teken dat we de breedtegraad van de sneeuw bereikt hadden...

Ik zou met liefde en plezier Daves gezicht met meel ingewreven hebben, maar hij en zijn vriend hadden zich teruggetrokken direct nadat we de poolcirkel bereikt hadden. De bardame liet het rolluik voor de bar neer, dus ik moest Dufferins met een groot glas grog uitgebrachte toast beantwoorden met de cola die Dave niet in zijn whisky had gedaan. Daarna begaf ik me naar het lege achterdek en zei hardop: 'Het lijkt hier verdomme de noordpool wel.'

Ik verwachtte niet dat het noordpoolgebied er anders uit zou zien, maar op een of andere manier was dat wel zo. De volgende ochtend vertoonden de bergpieken langs de kust donkere zaagvormige insnijdingen die deden denken aan Dufferins etsen van Spitsbergen;

zelfs de licht glooiende eilanden aan onze zeewaartse kant zagen er merkwaardig onherbergzaam uit. Maar ik kon me nog steeds nauwelijks voorstellen dat zich daar ergens voor ons uit Europa's meest geïsoleerde gemeenschap bevond, het onwaarschijnlijke vulkaaneiland Jan Mayen.

Toen Dufferin het eiland naderde, had het weinig gescheeld of er had zich een ramp voltrokken. Vlak na de Père Arctique-uitspattingen daalt de temperatuur drastisch en komt er een dichte mist opzetten; het begint te sneeuwen. 'Wat ons verder ook nog te wachten mag staan, vanaf dat moment was er beslist geen sprake meer van gebrek aan nieuwe ervaringen en opwinding,' schrijft hij met zijn kenmerkende gevoel voor understatement. Hij toont zich schaamteloos opgetogen als de gezagvoerder van de Reine Hortense zich na het in zicht komen van 'een onafzienbare massa ijsschotsen' neerlegt bij de nederlaag en met krijt 'Nous retournons à Reykjavík!' op een zwart bord schrijft dat over de achtersteven gehangen wordt. 'Het scheen zo'n hard gelag om terug te moeten keren... het kon niet veel meer dan 180 kilometer zijn naar Jan Mayen.'

En dus wordt de sleepkabel losgegooid en worden de zeilen bijgezet, en de dappere Britten zwaaien de slappe Fransozen vaarwel en gaan alleen verder, omzichtig tussen de ijsschotsen door manoeuvrerend. Dufferin geeft het niet zo gemakkelijk op; hij is geobsedeerd door het idee Jan Mayen te bereiken sinds hij vier jaar eerder een schets van de reusachtige vulkanische uitstulping heeft gezien, vervaardigd door een van de Shetlandeilanden afkomstige walvisvaarder.

Terwijl ze de steven wenden om Jan Mayen vanuit het oosten te benaderen, wordt de mist steeds dikker, en het weinige uitzicht dat ze nog hebben, wordt beheerst door ijsschotsen, 'glinsterend rond het schip als een cirkel lichtgevende geestverschijningen'. Scherp luisterend of ze golven op de kust horen breken ('het was gemakkelijker om land te horen dan om het te zien'), drijven ze uur na uur in mistige stilte voort. 'Om de verveling te verdrijven, verzocht ik de Dokter een van mijn kiezen te trekken,' schrijft hij vervolgens, volkomen ongerijmd. Ten slotte, om 04.00 uur, terwijl hij zich in zijn eentje aan dek bevindt, vangt Dufferin door een opening in de mistbanken een glimp op van de bergpiek van Jan Mayen, de Beerenberg.

Maar de acht mijl zee die de Foam nog van het eiland scheidt, is bijna letterlijk geplaveid met ijsschotsen. Drie keer proberen ze erdoorheen te komen; drie keer dreigen ze door het ijs ingesloten te raken en moeten ze terug. 'Door deze ongebruikelijke natuurverschijnselen dreigden enkele van mijn mensen enigszins het hoofd te verliezen, dus nam ik plaats op de boeg terwijl Mr Wyse vanaf de ra roercommando's gaf. Toen begon een van de fraaiste en opwindendste staaltjes nautisch manoeuvreren... Iedereen aan boord werd aan dek geroepen... alle opvarenden, gewapend met rondhouten en stootwillen, haastten zich naar voren om slag te leveren met de ijsschotsen.'

Desondanks volgen er 'twee of drie behoorlijk zware klappen', en Dufferin merkt dat hij zich schrap zet 'in afwachting van het gekraak waarvan ik wist dat het moest komen'. Jezus. Ze bevonden zich 500 mijl van de bewoonde wereld. Eén gat in die vijf centimeter dikke houten romp en het was met ze gedaan – verdrinking, onderkoeling of, in het ergste geval, een ontsnapping over het ijs naar de kust van Jan Mayen om daar een langzame, ijzige hongerdood te sterven. Dufferin zet het idee van een normale landing uit zijn hoofd en gaat voor anker in de buurt van de noordoostelijke voet van de Beerenberg, onder een 300 meter hoge klip, waarna hij overstapt in de sloep van de Foam, met het oude boegbeeld, een Britse marinevlag en 'een blikken beschuittrommel met daarin de naam van de schoener, de datum van aankomst, en de namen van de opvarenden'. Hij brengt deze aandenkens met de sloep aan land en legt ze op een rotsblok.

Plotseling was ik blij dat Jan Mayen tegenwoordig uitsluitend nog per vliegtuig te bereiken was.

Tijdens het ontbijt las ik het Jan Mayen-appendix van de *Bradt Guide to Spitzbergen*. Het eiland schijnt ontdekt te zijn door een Venetiaan, Nicola Zeno, aan het eind van de veertiende eeuw, maar de eerste officieel bevestigde waarneming vindt pas plaats in 1614, als de Hollandse kapitein Jan May, ondanks het feit dat zijn schip het vierde was dat het eiland dat jaar aandeed, op een of andere manier het eiland naar zichzelf weet te noemen. Binnen een jaar of tien krioelt het er van de Hollandse walvisvaarders, wier onverzadigbare lust naar walvisblubber hen, net als in Spitsbergen het geval was, binnen een generatie werkeloos maakt. Daarna gaat het snel bergafwaarts,

High Latitudes

EEN GLIMP VAN DE BERGPIEK VAN JAN MAYEN, DE BEERENBERG.

en in Dufferins tijd is Jan Mayen vrijwel vergeten. Maar tegen het eind van de negentiende eeuw beginnen poolwetenschappers het eiland te bezoeken; de eerste geslaagde overwintering vindt plaats in 1882.

Dan begint het interessant te worden. Tussen 1916 en het einde van de Eerste Wereldoorlog arriveert er een hele reeks Noorse halvegaren die allemaal aanspraken maken op een deel van het eiland. Het had wel iets weg van de trek naar Afrika, zij het op aanmerkelijk bescheidener schaal. De een claimt de zuidwestkust; een ander het noorden; weer een ander de minerale rechten. De Noorse staat, die Jan Mayen als niemandsland beschouwt, negeert sommige claims en koopt andere af (er is iemand die een levenslange uitkering van 100 kronen per maand ontvangt); en uiteindelijk zijn de enige twee overgebleven spelers Ekerold in het zuiden en zijn noordelijke tegenstrever, Jacobsen. Jacobsen denkt dat hij op rozen zit – de enige brandstof op het eiland is drijfhout, en dat spoelt vrijwel allemaal aan in het noorden. Maar Ekerolds troefkaart is zijn radiostation, met behulp waarvan hij de regering bestookt met leugenachtige anti-Jacobsenpropaganda. Een verbitterde Jacobsen trekt zich terug, na voor zijn vertrek misschien wel op zijn drijfhout geürineerd te hebben. Maar Ekerold, zwelgend in triomfalisme, overspeelt zijn hand door het hele eiland te claimen, wat voor de tot dan toe besluiteloze Noren aanleiding vormt het in 1930 officieel in bezit te nemen. Geen enkel ander land schijnt er notitie van te nemen. Jacobsen, of althans zijn familie, heeft het laatste woord – tien jaar na zijn dood in 1942 betaalt de regering zijn nabestaanden 170.000 kronen op voorwaarde dat ze afstand doen van alle aanspraken.

Na wat incidenten tijdens de oorlog – er storten twee Duitse vliegtuigen neer; de redelijk ongeschonden wrakken liggen nog steeds duidelijk zichtbaar op de boomloze berghellingen – wordt er op Jan Mayen een klein radar- en weerstation gevestigd. Er breekt een voorspelbare serie conflicten uit met IJsland over de visserijzones (Jan Mayen ligt veel dichter bij zowel Groenland als IJsland dan bij Noorwegen). Verder gebeurt er niet zoveel bijzonders. In 1950 komt een van de technici om het leven tijdens een storm. In 1959 wordt er een postkantoor geopend. In 1989 komt er een ijsbeer op bezoek aan boord van een ijsschots. In 1992 vraagt een technicus aan een collega of hij wel beseft dat Jan Mayen de enige actieve vulkaan op Noors grondgebied is, waarop de ander zegt dat hem dat inderdaad bekend is.

Terwijl ik op het achterdek stond, had ik moeite me de woeste onherbergzaamheid van Jan Mayen voor te stellen. Het was nog altijd warm genoeg om in een T-shirt rond te lopen, en er hing een aangename dennengeur in de lucht. Het enige teken dat we een gebied binnenvoeren dat zichzelf zo'n beetje als het uiteinde van de wereld beschouwde, was de manier waarop elke nederzetting door middel van grote borden haar exacte geografische breedte vermeldde: 'SANDNESSJØEN 66° 03 21'. Niet dat die kale getallen me veel zeiden. Wat mij betreft hadden het net zo goed de maten van een misvormde zeerob kunnen zijn. Rond lunchtijd bereikten we mijn bestemming, het zonovergoten Bodø. Zoals onderhand min of meer gebruikelijk bij verontrustend avontuurlijke vooruitzichten, slaagde ik erin de gedachte aan mijn nu toch wel angstig naderbij komende vlucht aan boord van een toestel van de Noorse Luchtmacht te onderdrukken tot op het moment dat een kwintet gevechtsvliegtuigen met een oorverdovend geraas van nabranders opsteeg van achter een batterij gecamoufleerde hangars en radarkoepels, en met enorme snelheid over de bergen heen verdween. Het hele stadje bleef nog zeker een minuut op zijn grondvesten natrillen, zo ongeveer als Tom nadat Jerry een vuilnisbak over hem heen heeft gezet en die vervolgens met een honkbalknuppel bewerkt. Het was mij een beetje té opwindend. In een enigszins bedrukte stemming sjokte ik over de stoffige rangeerterreinen van Bodø's bescheiden achterland, mijn voeten weer stevig op de aarde gedrukt door het gewicht van de beide rugzakken. Het was erg warm, en Bodø was erg saai. Druipend van het zweet liep ik over afbrokkelende trottoirs, voorbij verlaten hoofdkantoren van regionale verzekeringsmaatschappijen en meer van dat soort fantasie- en karakterloze halfhoge jaren-vijftigbouwsels, voordat ik moeizaam een trapje afstommelde en het plaatselijke VVV-kantoor binnenging. Daar werd ik verwezen naar Hotel Norrøna (een van de voordelen als je eruitziet als een rondtrekkende milieuactivist is dat je altijd naar het goedkoopste hotel wordt doorgestuurd zonder dat je erom hoeft te vragen, wat toch altijd weer een tamelijk gênante aangelegenheid is).

Vijfendertig pond per nacht mag dan misschien niet echt als een koopje klinken, maar geloof maar rustig dat het voor Noorse begrippen spotgoedkoop is. En omdat het nu eenmaal in Noorwegen lag, was het Norrøna nog altijd redelijk comfortabel, zij het op een onpersoonlijke manier. Mijn kamer was niet echt groot te noemen – het besluit om hem te voorzien van een bankstel hield in dat een uitstapje naar de wc in het donker onvermijdelijk begon met pijnlijke schenen – maar na een maandlang doorgebracht te hebben in kajuiten, tenten en hutten, voelde ik me de koning te rijk. Uit gewoonte stouwde ik mijn spullen zo dicht mogelijk tegen het bed aan en wierp daarna een blik uit het raam, dat uitzicht bleek te bieden op een troosteloos betonnen gebouw.

Maar toen zag ik de tv, en alles was vergeven en vergeten. Heerlijke tv met je live voetbal en je Zweedse Disney Club! En bovendien, hoewel misschien niet voor iedereen even aantrekkelijk, drie betaalkanalen met pornofilms!

Pornokanalen in hotels vormen een interessant maatschappelijk verschijnsel. Mijn enige eerdere ervaring ermee deed ik op tijdens een rondreis per auto door Californië met mijn vader en mijn grootvader. Mijn arme grootvader. Als verwoed reiziger, gewend aan de onkostendeclaraties van Fleet Street, nam zijn toch al niet geringe hang naar luxe met het verstrijken der jaren alleen nog maar toe, zoals het een man van in de tachtig die niet in het hiernamaals gelooft, betaamt.

De elke avond weerkerende zoektocht naar een overnachtingsplek was dan ook een moeizame aangelegenheid. Na een week had hij zich erbij neergelegd dat er dikwijls geen andere mogelijkheid was dan een motel, maar toen hij daar eenmaal van doordrongen was, stond hij erop dat het dan ook wel een kwaliteitsmotel moest zijn. Telkens als zijn steeds slechter wordende ogen een 'Best Western'-neonreclame in het vizier kregen, zei hij: 'Zou ik een voorzichtige suggestie mogen doen om hier te stoppen?'

Achteraf schaam ik me ervoor, maar als mijn vader en ik samen zijn, ontwikkelt onze vrekkige schraperigheid zich van alleen maar een nare karaktertrek tot een fanatieke, allesoverheersende wedstrijdsport. Elke ochtend, terwijl mijn vader wankelend op weg ging voor zijn zesde bezoek aan het ontbijtbuffet dat bij de kamerprijs was inbegrepen, bestudeerde ik wegenkaarten en motelgidsen om een zodanige route uit te stippelen dat er zich aan het eind van de dag binnen redelijke afstand van onze geplande bestemming een zo goedkoop mogelijk motel zou bevinden. De woorden 'Best Western' waren afkomstig uit een buitenaards woordenboek, evenals uitdrukkingen als: 'Laat maar zitten' of: 'Dit is pas het goede leventje'.

En dus negeerden we de schuchtere pleidooien van mijn grootvader of we maakten hem wijs dat we een bordje 'Vol' hadden gezien. Op die bepaalde avond leek het goedkope motel waar we terechtgekomen waren geen al te slechte keus – ik herinner me althans niets van de parasitische of aasvretende fauna waarmee we die twee weken regelmatig het bed gedeeld hadden – maar de spiegelplafonds in onze kamers en de veelbetekenende blik van de niet al te snuggere nachtportier hadden een waarschuwing voor ons moeten zijn.

Even later kwam mijn grootvader naar de kamer van mijn vader en mij voor onze gebruikelijke fles rode wijn voor het eten, en terwijl ik langs de tv-kanalen zapte op zoek naar het nieuws, gebeurde het. Plotseling, onontkoombaar, werd het scherm, het vertrek, de wereld gevuld met een forse fallus die verwoed gepijpt werd. Gedurende misschien vijftien seconden stonden drie generaties Moore als aan de grond genageld. Toen deed mijn grootvader een stapje vooruit naar het aan de wand gemonteerde tv-toestel, en leverde met schuin gehouden hoofd op bijna teleurgestelde toon het commentaar: 'Nou, hij zou toch onderhand wel eens klaar mogen komen.'

Ofschoon met deze opmerking de angel werd gehaald uit een potentieel uitermate gênante situatie, hield ik er toch een soort schuldige angst voor kabelporno aan over. Gedurende mijn hele verblijf in het Norrøna was ik ervan overtuigd dat ik op een of andere manier, waarschijnlijk terwijl ik in het donker de weg naar de wc probeerde te vinden, per ongeluk precies die knopjes van de afstandsbediening zou indrukken waardoor het pornokanaal geactiveerd zou worden. En daarop zou een kakofonie van claxons en flikkerende neonlichten alle medegasten attent maken op mijn eenzame, gulzige zucht naar viezigheid.

Het was 22.00 uur, maar de zon scheen nog steeds volop. De straat onder me was stoffig en steriel, maar kwam me toch op een of andere manier knus en vertrouwd voor. Er was een ijzerhandel. Er was een Engelse pub, de Piccadilly. Ik kon me nauwelijks voorstellen dat ik over tien uur aan boord van een militair transportvliegtuig zou zitten dat me over een afstand van 1000 kilometer naar het midden in de Noordelijke IJszee gelegen, belachelijke, zinloze, angstaanjagende eiland Jan Mayen zou brengen.

Onverstandig genoeg herlas ik de passage waar Dufferin met de grootste moeite het eiland verlaat door een zo dichte massa enorme ijsschotsen dat er 'geen spoor van open water te zien is'. Na een groot aantal mislukte pogingen om tussen het ijs door open water te bereiken, draait de wind, waardoor er een doorgang in het ijs ontstaat en ze eindelijk op weg kunnen gaan naar hun volgende bestemming, het 1200 kilometer verderop gelegen Hammerfest, in de buurt van Noorwegens noordkaap. Het was op het nippertje geweest, en de les liet aan duidelijkheid niets te wensen over: Jan Mayen laat niet met zich spotten.

Doordrongen van dit feit las ik, misschien wel voor de dertigste keer, de brief die ik zes weken geleden van het Noorse ministerie van Defensie had ontvangen:

Onze referentie: 97/01705-002/NODECA/D/RNS/KG/kg/005
1. Mr T. Moore heeft toestemming om op 1 augustus gebruik te maken van de transportvlucht naar Jan Mayen.

2. Melden bij de oude militaire vertrekhal in Bodø, 08.00 uur. Deze bevindt zich 300 meter van de vertrekhal voor de burgerluchtvaart.

3. Het toestel blijft slechts 3 uur aan de grond. Op Jan Mayen moet u uw paspoort tonen.

4. Ingesloten treft u enige informatie aan over Loran C.

5. Uw contactpersoon bij NODECA zal zijn: Kaare Gulbrandsen.

p/o Hoofd Operaties

De eerste keer dat ik de brief las, en ook alle volgende keren, had ik me nogal vrolijk gemaakt over de wat geheimzinnig aandoende tekst. Maar in het licht van Dufferins flirt met een ijzige dood, vond ik het lang zo grappig niet meer. Nu vond ik het een krachtige, vertrouwelijke, autoritaire missive, die me deed denken aan mijn oproep voor militaire dienst of een in code gestelde brief die een jonge Michael Caine zou kunnen vinden in de uitlaatpijp van een Wartburg in de buurt van Checkpoint Charlie. Ik stelde me ongeïdentificeerde in zee stortende straaljagers voor en mijn familie die een korte en bondige kennisgeving ontving dat ik gestorven was in dienst van Noorwegen. Ik stelde me zware jongens van NODECA voor die me op een stoel vastbonden, terwijl de angstaanjagende Kaare Gulbrandsen me steeds weer opnieuw vroeg wat ik wist over Loran B 12 en me dringend aanraadde om mijn volgende woorden zeer zorgvuldig te kiezen.

Na weer de nodige misdaden tegen de gastronomie te hebben begaan, ging ik vroeg naar bed, nog voor het einde van de wedstrijd die Liverpool met 3-1 van Noorwegen won. Ik bracht een rusteloze nacht door waarin ik geplaagd werd door zorgen over mist en lava en mijn reiswekker die misschien niet af zou gaan, wat hij dan ook prompt niet deed.

Maar om 06.25 uur, slechts tien minuten nadat mijn Remington Traveller zwijgend zijn onmacht had aangetoond, werd ik ruw gewekt door een plotselinge uitbarsting in het Scandinavisch. Ik ging rechtop zitten en bevond me oog in oog met een pijnlijk veelkleurig testbeeld, volgens regionale gewoonte begeleid door een radio-uitzending. Ik had geen timer ingesteld. Ik wist niet eens dat mijn toestel er een had.

Terwijl ik me aan een bij de prijs inbegrepen, en dus enorm ontbijt te goed deed, probeerde ik mezelf er uit alle macht van te overtuigen dat dit merkwaardige voorval een aansporing was van Dufferin, die op mysterieuze wijze pogingen in het werk stelde om mij in zijn spoor te houden.

Het was een schitterende ochtend. In mijn nerveuze rusteloosheid ging ik al vroeg op weg, zodat ik ruimschoots de tijd had om op mijn gemak door de zonnige, verlaten buitenwijken van Bodø te slenteren, maar toen ik mijn plattegrond nog eens goed bekeek, kwam het bij me op dat het ballpointkruisje in de linkerbovenhoek waarmee de receptioniste de plaats van het militaire vliegveld aangegeven had, toch wel een stuk verder verwijderd was van het burgervliegveld dan de 300 meter waarvan in mijn oproep sprake was.

Ik haalde de NODECA-brief maar weer eens tevoorschijn. Het leek wel zo'n examennachtmerrie. Op een of andere manier had ik, ondanks het feit dat ik dit korte document vrijwel om het uur had herlezen, tot nog toe nauwelijks aandacht besteed aan het cruciale adjectief 'oude'. De *oude* militaire vertrekhal. Ik was helemaal de verkeerde kant op gegaan en had nu, wat was het, nog zeventien minuten om de twee kilometer terug te lopen. Oké. Niet best. Maar niet onmogelijk. Ik zette een stevige looppas in en arriveerde twaalf minuten later, bezweet maar presentabel, bij de vertrekhal voor de burgerluchtvaart. '*De oude militaire vertrekhal?*' zei het meisje achter de Braathens SAFE-balie na enig nadenken. 'Dat is dat grote, hoge, groene gebouw even verderop,' zei ze, met handgebaren die op een groot, hoog gebouw duidden. Ik liep de moderne vertrekhal uit en keek om me heen. Daar zag ik het: hoog, groen, groot – maar het zag er niet bepaald militair uit en het lag beslist verder weg dan 300 meter.

Hoe dichterbij ik kwam, hoe minder militair het gebouw er begon uit te zien. Bovendien was er in geen velden of wegen een startbaan te bekennen. Toen ik uiteindelijk tegengehouden werd door een omrastering, bleek het gebouw onmiskenbaar een cementfabriek te zijn.

Terwijl mijn horloge 07.59 aangaf, holde ik over een parkeerterrein, sprak in onsamenhangende bewoordingen twee mannen aan die uit het raam van een kantinewagen leunden, en nadat die me terugverwezen hadden naar het vliegveld – 'Nee, nee – niet hoog. Een klein gebouw. Rond dak, en groen' – holde ik weer terug in dezelfde richting waar ik vandaan gekomen was. Mijn hart ging als een razende tekeer; ik proefde het ontbijt van die ochtend weer in mijn mond. Om 08.07 kreeg ik een olijfkleurige hangar in het oog met een deur die voorzien was van het redelijk duidelijke opschrift 'JAN MAYEN VLUCHTLEIDING', op pakweg 300 meter van de vertrekhal voor de burgerluchtvaart. Terwijl ik erheen holde, klonk er een luid, jankend gegrom dat toenam tot een oorverdovend gebrul en toen langzaam wegstierf.

Met openhangende mond staarde ik een vrachtvliegtuig na dat laag over de gebouwen scheerde en even later een bocht naar zee beschreef. Ik boog me voorover met mijn handen op mijn knieën terwijl ik buiten adem een aantal krachttermen liet ontsnappen en zweet en speeksel zich aan mijn voeten vermengde. Het volgende vliegtuig ging pas over acht maanden.

'Hallo?'

Een gebruinde man met een verweerd gezicht en een blauw overhemd met epauletten was in de deuropening verschenen. Hijgend probeerde ik iets uit te brengen, maar dat was duidelijk niet voldoende, want hij begon verontschuldigend in het Noors te ratelen.

'... Eng... els.'

'Ah! Oké. Dus. Nee. De vlucht naar Jan Mayen... vliegt niet. Vandaag. We hebben wat problemen met sommige piloten. We proberen het morgen om dezelfde tijd.' Hij draaide zich om en verdween met kwieke pas en kaarsrechte rug.

Een ramp was me goddank bespaard gebleven, wat restte was niet meer dan ongemak. Ja, ik zou nu nog een nacht in het Norrøna moeten doorbrengen; ja, ik zou nu het vliegtuig naar Tromsø moeten nemen om mijn boot naar Spitsbergen te halen, en ja, dit zou betekenen dat mijn reeds betaalde Hurtigrute-ticket voor het traject Bodø – Tromsø nu zou verlopen. Maar in elk geval stond Jan Mayen nog steeds op het programma.

Ik zou me opgelucht moeten hebben gevoeld, maar ik kan toch niet zeggen dat dat het geval was. Ik geloof niet dat ik ooit zo luid en zo lang achter elkaar gevloekt heb. Over het algemeen kost het me in dit soort situaties weinig moeite om mezelf van alle schuld vrij te pleiten, en het duurde dagen – nee, maanden – voordat het besef tot me door begon te dringen dat het allemaal mijn eigen schuld was geweest. Eén simpel telefoontje de dag tevoren zou genoeg zijn geweest. Maakt niet uit. Ik vervloekte die stomme honden van de Noorse Luchtmacht. Dit was gewoon weer een zoveelste blunder van die lui van 'Laten we het bericht over Hitlers inval maar per briefkaart versturen.' Terwijl ik mijn ticket naar Tromsø boekte bij hetzelfde meisje achter de Braathens SAFE-balie, moest ik me inhouden om haar niet de huid vol te schelden omdat ze me dat hele eind voor niets had laten lopen, ondanks het feit dat ze me onuitsprekelijk opgewekt

was en waarschijnlijk nog mooi ook, en dat het ticket dat ze me verkocht onverklaarbaar goedkoop was, slechts £50.

Bodø kwam eindelijk tot leven, en in de haven begon het al flink
druk te worden met watersporters en garnalenverkopers. Ik wachtte
op de aankomst van de Hurtigrute die omstreeks het middaguur
aanlegde, en begaf me aan boord in de hoop op restitutie van het
bedrag voor het traject Bodø – Tromsø, dat ik nu niet per boot maar
per vliegtuig af zou leggen. 'Daar kunnen we niet aan beginnen,' zei
de purser met zijn glimmende gezicht. Terwijl ik aanstalten maakte
om te protesteren, snoerde hij me de mond met een Fawlty-achtig
'Dank u!' Dat was de druppel die de emmer deed overlopen.

'Oké, het punt is, ik ben een boek aan het schrijven,' begon ik,
met de overslaande stem van een verontwaardigde puber, 'dus hoe
zou u het vinden als ik schrijf dat u lomp en... ' (hier liet, zoals zo
vaak in dergelijke gevallen, mijn vocabulaire het afweten) '... ongemanierd bent, lompe, ongemanierde man die u bent?'

Dit was niet de meest geëigende manier om hem tot andere gedachten te brengen, en hij reageerde met een letterlijke herhaling
van zijn eerdere woorden, grotendeels gericht tegen mijn zich verwijderende rug.

Met de pest in mijn lijf keerde ik terug naar de beschaafde wereld. Opgevrolijkt door het feit dat ik in de bierwinkel te veel wissel-
geld terugkreeg, pikte ik ergens een brochure op over de geschiedenis van Bodø en ging op een bankje bij de jachthaven zitten te midden van de echtparen van middelbare leeftijd die zwijgend zakken
garnalen zaten te verslinden.

Onder andere omstandigheden zou deze publicatie een onwaarschijnlijke kandidaat zijn geweest voor het meest stimulerende literaire werk, verkrijgbaar in een stad van 40.000 inwoners. Ik las met
lichte verbazing over de omstandigheden die ten grondslag lagen aan
de opkomst van de stad waar in 1796 het eerste ziekenhuis van de
regio gevestigd werd. 'Geslachtsziekten verspreidden zich in hoog
tempo en het ziekenhuis was dan ook hard nodig,' vermeldde de brochure zakelijk. Jammer dat ze dit gegeven niet op een of andere manier in het stadswapen hadden kunnen verwerken. Vluchtig door-
liep ik de gebruikelijke visserijconflicten en kwam toen bij de komst
van de spoorlijn in 1962, een ongelooflijk staaltje ingenieurswerk

waarbij dwars door Noorwegens bergachtige ingewanden werd gegraven. Met 's werelds op één na noordelijkste spoorwegstation kwam Bodø's schip (of liever trein) met geld binnen; vandaag de dag krijgt het 1,5 miljoen reizigers per jaar te verwerken. Even verderop las ik dat Bodø ook zonder dit logistiek belangrijke gegeven een onweerstaanbaar doelwit voor de Luftwaffe had gevormd.

Op 27 mei 1940 vernietigden bommenwerpers in slechts twee uur tijd 400 van Bodø's 600 gebouwen. Prompt veranderden de onaantrekkelijke, fantasieloze betonnen blokkendozen uit de jaren vijftig in monumenten voor Bodø's verloren gegane erfgoed en de vastberaden veerkracht van zijn dappere bewoners. (Het schijnt dat alle minder aantrekkelijke steden die ik met de Hurtigrute had aangedaan – Molde, Kristiansund, Måløy – eenzelfde lot ondergaan hadden.) Ik voelde me schuldig, niet alleen vanwege mijn eigen geringschattende gedachten bij het zien van die steden, maar ook vanwege het feit dat Groot-Brittannië Noorwegen tijdens de oorlog in de steek had gelaten, en de lust verging me om me vrolijk te maken over de beschrijving van Bodø's jaarlijkse hoogtepunt: het Grootmoedersfestival. 'Het festival, dat een hele week duurt en 15.000 deelnemers vanuit de hele wereld trekt, is bedoeld om Grootmoeder eens flink in het zonnetje te zetten.'

De volgende dag begon niet veelbelovend. Weer dat ontwaken met testbeeld en radio-uitzending; weer dat gevaarlijk overdadige ontbijt; weer die *Day of the Triffids*-achtige verlaten straten. Maar er was één verschil. De zon die de afgelopen twee dagen zo heerlijk geschenen had, was verdwenen. Ik hoopte maar dat dit geen slecht voorteken was.

In de met formica en linoleum gestoffeerde hangar waar de Jan Mayen Vluchtleiding gevestigd was, bevonden zich een stuk of tien zwijgende burgers die op bezoek gingen bij de bemanning van het radarstation: vriendinnen, moeders, snotterende kleine broertjes in te strakke, te korte broeken, voorzien van ponykapsels die de dorpsgek niet misstaan zouden hebben. Het waren kennelijk veteranen; ik scheen de enige te zijn die onder de indruk was van het reusachtige, plompe, viermotorige Hercules-transportvliegtuig van de Noorse Luchtmacht dat vlak bij de hangar stond en al het licht wegnam dat normaal gesproken door de ramen naar binnen viel.

Een in camouflagekleuren gespoten tankwagen stopte naast het toestel, slangen werden uitgerold en er stapte een officier uit, van het type Lee Marvin met metaalkleurig haar, glimmende schoenneuzen en een aktetas onder een arm van zijn keurig gesteven vliegeniersjack. Hij inspecteerde met kwieke bewegingen de Hercules, kwam toen naar de hangar en zei een heleboel in het Noors. Het enige wat ik eruit meende te kunnen opmaken, was dat het over tickets ging. Tickets? Bekijk het. Ik had geen tickets. Toen begon hij een namenlijst voor te lezen, namen als Kennetsen en Nyhamar en Steinbakk. Ik kon me onmogelijk voorstellen dat mijn naam op een dergelijke lijst zou voorkomen. Waarom had ik niet even opgebeld ter bevestiging? Ik begon in gedachten al een pathetisch 'Neem me niet kwalijk, meneer...'- verhaaltje te repeteren toen zijn zelfverzekerde voordracht haperde.

'Tim... Mour. Mourr. Tim Mooerrr.'

Hij overhandigde me een computerformulier, een nabootsing van een vliegticket voor een nabootsing van een luchtvaartmaatschappij. Luchthavencodes zijn over het algemeen gebaseerd op de ingekorte versie van hun naam: LHW voor London Heathrow, CDG voor Paris Charles de Gaulle. Die van Bodø, zag ik tot mijn genoegen, was BOO. Maar de code van Jan Mayen diende uitsluitend ter bevestiging van het feit dat het zich aan het uiteinde van de wereld bevond. Het was ZXB.

Hij gebaarde dat ik de achterkant in moest vullen. Tot mijn opluchting bleek de tekst zowel in het Noors als in het Engels gesteld. Maar toen voelde ik me ineens wat minder opgelucht. 'Naaste verwanten'? Zeg, doe me een lol. 'In geval van overlijden beperkt de verantwoordelijkheid van de Noorse Luchtmacht zich tot... ' Nou, dat was dan geregeld. Nadat we tegen de Beerenbergs vulkanische flanken te pletter waren gevlogen, wisten ze precies waar ze de droevige boodschap en de tegoedbonnen van de kantinedienst heen moesten sturen.

We liepen over het betonplatform en beklommen een ladder die naar de donkere, spelonkachtige buik van vliegtuig voerde. Het was een Jonas in de walvis-achtige ervaring. Een wirwar van leidingen en kabels, de slagaders en haarvaten van het vliegtuig, kronkelde zich open en bloot langs het hoge, flauw verlichte plafond. We moesten plaatsnemen op een soort hangmatten die aan weerskanten van het toestel over de gehele lengte van de romp waren aangebracht, en onze veiligheidsriemen vastmaken.

Alle anderen trokken dikke truien aan, klikten hun riemen vast, en verdiepten zich vervolgens in hun puzzeltijdschriften. Als ze een nonchalante bravoure voorwendden, slaagden ze daar uitstekend in. Mij lukte het niet eens mijn gordel dicht te krijgen, en ik moest mijn zwaargebouwde, bebaarde buurman vragen om rond te wroeten in mijn liesstreek.

Het was ongelooflijk oncomfortabel. Met onze ruggen zaten we tegen een ladingnet waarmee pallets vol pornoblaadjes voor het nieuwe millennium en andere al even ongerieflijk hoekige voorraden voor Jan Mayen min of meer op hun plaats werden gehouden. De linkerdij van Baardmans drukte tegen mijn rechterdij. Vlak voor mijn knieën bevond zich een hendel; ik was er vrij zeker van dat, als ik er per ongeluk te hard tegenaan zou stoten, het landingsgestel afgeworpen zou worden of de cabine zich zou vullen met een wolk aluminiumsnippers, bedoeld om een vijandelijke radar om de tuin te leiden.

De motoren sloegen aan. Iedereen haalde oordopjes tevoorschijn. Nou ja, zeg, dacht ik bij mezelf. Een gesprek voeren was onmogelijk, maar het lawaai was niet veel erger dan in de metro. Een dienstplichtige met oorbeschermers op bood me een in krimpfolie verpakt paar schuimrubber oordopjes aan. Ik schudde zelfgenoegzaam van nee. Hij trok zijn wenkbrauwen op alsof hij wilde zeggen: 'Weet u dat wel zeker?' Ik had kennelijk hun gehardheid overschat.

Toen werden de andere drie motoren gestart.

We reden hobbelend over het platform, terwijl het oorverdovende lawaai minstens twee andere zintuigen uitschakelde. Toen de brullende motoren hun maximum-toerental bereikten, wilde ik heel graag ergens anders zijn, bij voorkeur ergens waar ik niet het gevoel had dat ik een pissebed onder het mondstuk van een krachtige stofzuiger was.

Terwijl we over de startbaan denderden – ik geloof niet dat een Hercules ooit iets anders doet dan denderen – ontsnapten er sissende stoomwolken aan een leiding boven mijn hoofd. We kwamen los van de grond en de piloot zette een zeer geleidelijke stijging in, waarbij ik langzaam maar onontkoombaar tegen de welgevulde flank van Baardmans aan werd gedrukt. Aanvankelijk verzette ik me nog tegen de zwaartekracht, maar ik realiseerde me al spoedig dat zijn vlezige schouder wel een stootje kon hebben, en even later liet ik ongegeneerd mijn hoofd tegen zijn schouder rusten.

Er verstreek een uur. Het werd erg koud, toen erg warm, toen weer erg koud. Een potige para verzorgde met behulp van gebarentaal een soort drankenservice, waarbij hij oploskoffie en bouillon schonk uit een apparaat dat hij nonchalant aan een soort singelband haakte. Nadat hij de ronde had gedaan, kwam hij even later tot mijn niet geringe verontrusting terug met een camcorder waarmee hij alle passagiers begon te filmen. Waarom deed hij dat? Onder de mogelijke verklaringen waren er maar weinig die me echt op mijn gemak stelden.

Gedurende korte tijd vloog het toestel horizontaal, waarna we aan een daling begonnen die nog een uur zou duren. Leidingen en kabels drongen zich onontkoombaar aan me op. Door een klein raampje op hoofdhoogte zag ik hoe we de wolken in gleden.

Plotseling helde het toestel sterk terwijl het met wanhopig brullende motoren een scherpe bocht naar rechts beschreef. Iedereen hing voorover of achterover in de gordels. Toen ik mijn hals rekte en door het raampje keek, werd ik geconfronteerd met een zo onverwacht beeld dat ik het aanvankelijk niet goed thuis kon brengen. Maar toen het eenmaal tot me doordrong, barstte ik bijna in tranen uit. Zelfs diegenen onder de vaste passagiers die het ook gezien hadden, konden slechts een uiterst pips glimlachje opbrengen. Het was een door de mist enigszins wazige, verticale close-up van een zeemeeuw, dobberend op de kop van een grijze golf. De wolken waren geen wolken, maar mist, een afschuwelijke dichte bruine mist die steeds dikker werd naarmate we lager kwamen. We waren langzaam gedaald, en plotseling was er iets uit die mist opgedoemd, zeg bijvoorbeeld een 2300 meter hoge vulkaan, en de piloot had een zo drastische uitwijkmanoeuvre moeten uitvoeren dat het maar een meter of wat gescheeld had of we waren in de Noordelijke IJszee gestort. Pas later kreeg ik het gevoel dat ik nu echt een ervaring met Dufferin gedeeld had. Net als hij was ik bijna ten slachtoffer gevallen aan de dichte mist rond Jan Mayen. Maar op dat moment was ik me er alleen maar van bewust dat ik op zeker moment mijn hand als een klauw in het dijbeen van Baardmans geslagen had, dat ik trouwens nog steeds niet losgelaten had.

Na een lange klimmende bocht beschreven te hebben, begonnen we zo'n twintig minuten later opnieuw te dalen. We gingen het gewoon nog een keer proberen. Een wat behoedzamer benadering leek me op zijn plaats, maar de piloot leek geen weerstand te kunnen bieden aan de verleiding van een opeenvolging van scherpe bochten. Iedereen probeerde nu een blik door de raampjes te werpen.

Tijdens een heftige links-rechts-linkscombinatie zag ik het onder me opdoemen uit de mist. Een langgerekte, lage, vuilzwarte, golvende vlakte, en een omvangrijk, afgeknot uitsteeksel. Jan Mayen, de Beerenberg. Het was veel groter dan ik verwacht had. Vergeleken met IJsland dat er, met niets dan Noord-Atlantische Oceaan eromheen, op een atlas ongeveer even groot uitziet als het Isle of Wight, is Jan Mayen niet veel meer dan een vergeten komma in de onmetelijke oceaan. In werkelijkheid is het zo'n zestig kilometer lang.

We vervolgden onze grillige daling. Opnieuw waren er door de raampjes angstaanjagende beelden te zien: vleugels waarvan de uiteinden de golven bijna raakten, het rood van de ogen van een noordse stormvogel... toen een grijze strook en rotsen. De landingsbaan, had ik ergens gelezen, bestond uit lavaslakken, en had sinds de aanleg in 1961 minder dan 300 landingen te verwerken gekregen. Het leek me van het grootste belang een dergelijke landingsbaan uitsluitend via exact de juiste aanvliegroute te benaderen, en aangezien we zo'n 30 graden uit de koers lagen, was ik niet verbaasd of verontrust toen de motoren weer op volle kracht begonnen te brullen en we weer traag en in een wijde bocht begonnen te stijgen.

Voor de tweede keer kwamen de flanken van de Beerenberg kort in zicht; heel even was er de sensatie dat er zich daar hoog in de wolken een eenzame berg bevond van zodanige afmetingen dat hij het weer boven een groot deel van Noord-Europa ongunstig beïnvloedde, zoals iemand van het IJslands Meteorologisch Instituut me verteld had. Een seconde later was hij weer door de mist opgeslokt.

Ditmaal pakte de piloot het kennelijk anders aan. We bleven geleidelijk aan stijgen zonder bochten te beschrijven, en de motoren bleven een gelijkmatig toerental draaien. Na een paar minuten kwam de para van de oploskoffie de cabine binnen. Hij begon een charade op te voeren. Verontschuldigend neergetrokken mondhoeken, hoofdschudden en herhaalde gebaren met de handen kruiselings over elkaar vormden het eerste deel; het tweede hield in dat hij over zijn schouder naar achteren wees en met zijn mond een woord vormde dat op 'Bodø' leek. Het was allemaal redelijk ondubbelzinnig, maar ik wilde het gewoon niet geloven. De stoïcijnse onverschilligheid waarmee mijn medepassagiers op zijn voorstelling reageerden, hield bij mij de hoop levend dat er misschien nog andere interpretaties mogelijk waren. 'Achter ons bevindt zich geen boot,' of iets van dien aard.

Twintig minuten verstreken. We probeerden het niet opnieuw. Dat was het dan. Geen Jan Mayen. De laatste vlucht van het jaar. Ik bedoel, er *is* daar per slot van rekening een groot weerstation. Hadden ze ons voor het vertrek niet even kunnen waarschuwen? 'O, tussen haakjes, het zicht hier is ongeveer twintig centimeter, dus jullie kunnen met geen mogelijkheid landen.' Als we gisteren gegaan waren, zoals ook de bedoeling was geweest, zou de lucht onbewolkt en blauw zijn geweest en hadden we de Beerenberg al vanaf Bodø kunnen zien liggen. En wat was er aan de hand met die verdomde passagiers? Allemaal waren ze verdiept in die stomme puzzelboekjes, alsof er niets aan de hand was. Ik heb metroreizigers verongelijkter zien kijken bij de mededeling dat ze op het afstapje moesten letten. Was het een nationale karaktertrek? Een Brits gezelschap zou toch op zijn minst afkeurend gemompeld hebben te midden van het gebrul der motoren. Een dozijn Fransen zou de cockpit bestormd hebben en hartstochtelijk de 'Marseillaise' hebben aangeheven alvorens zich tegen de vulkaan te pletter te vliegen. Maar slechts een van mijn medepassagiers maakte de indruk enigszins van streek te zijn, de huisvrouw schuin tegenover me, die verbitterd zat te frunniken aan het zwarte behabandje dat verleidelijk uitstak boven de halsuitsnijding van haar gebreide vest.

Plotseling bekroop me een afschuwelijke gedachte. De eenzame echtgenotes bezochten hun mannen voor het eerst in zes maanden. Ik had te horen gekregen dat mijn verblijf op het eiland slechts drie uur zou duren. Hoe ik geacht werd die tijd door te brengen was niet helemaal duidelijk, maar de moeite die Zwarte Beha zich getroost had, wekte sterk de indruk dat voor velen het bezoek een koortsachtig vervullen van de echtelijke plichten zou omvatten. Ik stelde me de landingsbaan op Jan Mayen voor, geflankeerd door een dozijn hitsige technici die met furieuze erecties en brullend van primitieve frustratie de zich verwijderende Hercules nastaarden.

In tegenstelling tot de vorige dag ging mijn woede vrij snel over in aanvaarding. Het had er alle schijn van dat de hele onderneming voorbestemd was om te mislukken. Ik had er ook nooit van uit moeten gaan dat ik me serieus met Dufferin zou kunnen meten. Het was gewoon weer de zoveelste onvermijdelijke overwinning voor hem. Als hij onze piloot was geweest, had je er donder op kunnen zeggen dat we nog een volgende poging gewaagd zouden hebben.

Al spoedig gaf ik me over aan de troostrijke melancholie van het heldhaftig falen. Nooit zou ik eenzaam over de met wrakhout bezaaide zwarte stranden van Jan Mayen dwalen, als een nietig schepsel onder zijn zeven machtige gletsjers staan, praten met zijn merkwaardige bewoners. Het oude boegbeeld van de Foam zou ongestoord zijn eeuwige wake op de onherbergzame noordkust van Jan Mayen voortzetten. Het was mijn lot om me aan te sluiten bij de selecte groep reizigers die Jan Mayen als een voorhistorisch eiland uit de mist hadden zien opdoemen en er de voorkeur aan gegeven hadden om het links te laten liggen.

Twee uur later voerden we een krankzinnige landing uit in Bodø, met inbegrip van een schuiver waardoor ik het op slag een stuk minder erg vond dat we het op Jan Mayen niet nog een keer hadden geprobeerd. We taxieden in de richting van de hangar, de motoren werden uitgeschakeld, en de in de loop van vijf uur opgehoopte decibellen begonnen met een suizend geluid uit mijn oren te sijpelen, een proces dat nog bijna drie volle dagen zou aanhouden. Er volgde een korte nabespreking, die een knaap van de Luchtmacht behulpzaam voor me vertaalde. Het bleek helemaal niet de schuld van de mist te zijn geweest.

'De wind was... slecht. Slechte wind. Van de verkeerde kant. Mist is normaal. In een jaar slechts drie dagen zonder mist. Beerenberg zien is niet gemakkelijk. Drie dagen per jaar.'

De mensen begonnen het toestel te verlaten. Baardmans deelde me vriendelijk mee dat we het over een uur opnieuw zouden probe-

ren. De weersomstandigheden rond Jan Mayen konden binnen enkele minuten omslaan, zei hij. Inderdaad, dacht ik. Het ene moment
kun je je eigen hand niet voor je gezicht zien vanwege de mist, het
volgende moment omdat hij eraf gewaaid is.

Ik volgde de andere passagiers naar de vertrekhal voor de burgerluchtvaart, betaalde £3 voor een hotdog en kocht een paar Engelse
kranten van vijf dagen oud om tijdens de vlucht te lezen. Maar terwijl ik op mijn gemak terug naar de hangar slenterde, zag ik Zwarte
Beha en een paar anderen wegrijden. De luchtmachtfiguur haalde
met opgewekte berusting zijn schouders op en overhandigde me een
paar oordopjes bij wijze van souvenir. 'Vandaag lukt het niet meer.
We proberen het morgenochtend opnieuw. Half negen?'

Om eerlijk te zijn, op dat moment was ik blij dat mijn reisschema
deze hernieuwde poging uitsloot. Morgen moest ik in Tromsø zijn,
om aan boord te gaan van het schip dat me naar Spitsbergen zou
brengen. Ik was zelfs blij dat we diezelfde dag geen nieuwe poging
meer waagden. Nog eens vijf uur lang in die vliegende doodskist met
een net in je rug en een man op je schoot terwijl horen en zien je
verging, was nu niet direct een beproeving die ik vol enthousiasme
zou willen herhalen.

10

Ik keek nog eens goed toen ik de pokdalige monochrome romp van de Nordstjernen aan de kade van Tromsø zag liggen. Het was een tweede Harald Jarl, identiek qua ontwerp en afgeleefdheid. Maar toen ik aan boord ging, werd me duidelijk dat dit een nog 'traditioneler' vaartuig was. Loodgieterswerk dat vermoedelijk niet misstaan zou hebben in een Victoriaans armenhuis, produceerde onheilspellende geluiden. De enige recente aanpassingen, zag ik tot mijn verontrusting, waren de zware metalen veren waarmee alle meubilair aan de vloer was verankerd. Arme Nordstjernen. Veertig jaar trouwe dienst als kustvaarder en dan, in plaats van een gerieflijke oude dag als drijvende bibliotheek of zo, krijg je het Doodstraject toegewezen: zesendertig uur lang door 's werelds beroerdste wateren naar de ijzige, verraderlijke zee-engtes van Spitsbergen.

Maar de gedachte aan de Noordelijke IJszee bracht in elk geval het besef bij me terug dat ik me, na wekenlang maar wat rondgelummeld te hebben en na het enorme echec van het uitstapje naar Jan Mayen, weer in Dufferins kielzog bevond.

Vanaf Jan Mayen was hij zonder problemen naar Hammerfest gevaren, een onschuldig vissersdorp dat hij uitkiest om op een voor hem ongebruikelijke manier zijn gal te spuwen. 'Hammerfest is het nauwelijks waard om er mijn papier aan te verspillen. Als ik vertel dat het de meest noordelijk gelegen stad van Europa is, heb ik meteen het enige interessante kenmerk vermeld. Het heeft een bevolking van zus-en-zoveel, de voornaamste exportartikelen zijn dit en dat... het produceert melk en slechte aardappelen.' Ik veronderstel dat deze uitbarsting een equivalent was van de bovenmenselijke superioriteit die ik had gevoeld na het volbrengen van mijn fietstocht dwars door IJsland. Na de beproeving die hij op Jan Mayen had doorstaan, kwamen kleine vissersstadjes en de met merkwaardige hoofddeksels getooide Laplanders die er woonden, hem als volstrekt onbeduidend voor. Ze kopen truien, nemen een geit in ontvangst, dineren bij de Consul en bieden hem op hun beurt een diner aan. Terwijl ze voorbereidingen voor het vertrek treffen, spreekt Wilson de dokter aan met een 'blik van droefgeestige triomf in zijn ogen':

> 'Heeft u het al gehoord, meneer?' Dat was altijd de inleiding tot buitengewoon sombere tijdingen. 'Nee – wat?' 'O, niets, meneer; alleen zijn er zojuist twee schepen gearriveerd, meneer, uit Spitsbergen, meneer – waar ze niet konden komen, meneer, vanwege al het ijs – 200 mijl van het vasteland – en, o, meneer, ze zijn teruggekomen met hun boegen helemaal lek geslagen!'

Nu was Wilson er niet bepaald de man naar om mogelijke gevaren te onderschatten, maar bij deze gelegenheid overdrijft hij niet. Dufferin inspecteert de schepen, walrusjagers, en constateert dat de rompen inderdaad zwaar beschadigd zijn. 'Niettemin was ik van mening dat het een heer niet zou passen om terug te keren bij de eerste glimp van tegenslag.' Terwijl ik mijn blik over de gehavende romp van de Nordstjernen liet gaan, voelde ik een onwelkome affiniteit met Dufferins erkenning van het feit dat zijn reis aan de vooravond stond van werkelijk gevaar. Ik haalde diep adem, stak mijn borst vooruit, ging op weg naar het kantoortje van de purser en eiste een betere hut.

Dat was in feite al de tweede keer. De enig mogelijke functie van mijn eerste hut, een raamloos hokje met roestige kranen, leek me die van cachot, als oplossing voor het eeuwenoude dilemma 'What shall we do with the drunken tourist?' Ik betaalde geen £700 om me acht dagen lang bajesklant te mogen voelen. De vrouwelijke purser, die sprekend op Martina Navratilova leek, had me met een zuur gezicht een alternatief aangeboden. 'Die is wat groter,' zei ze, zonder op te kijken. En hij was inderdaad wat groter, in dezelfde mate waarin een schoen groter is dan een voet. Met een zeldzaam vertoon van autoriteit ging ik terug en deelde haar mede dat ik nog steeds niet tevreden was.

'Tja, dat is alles wat ik heb in die categorie. Als ik u een hut in een hogere categorie geef, komt straks iedereen met hetzelfde verzoek.' 'Nee hoor... geen sprake van,' wierp ik onzeker tegen. 'Weet u, het blijft gewoon... *ons geheimpje.'*

Ik zweeg, me ervan bewust dat mijn joviaal-samenzweerderige toon niet bepaald in goede aarde was gevallen. Ik voelde me alsof ik vergeefs geprobeerd had een politieagent om te kopen. Ze wierp me een vernietigende blik toe en pakte toen een andere sleutel. 'Vooruit dan maar. Hut 354. In dezelfde categorie, maar iets groter.' Nog voordat ik haar kon bedanken, zei ze: 'Maar denk eraan dat u de hut zult moeten delen zodra we in Longyearbyen arriveren.'

Natuurlijk was de hut niet van dezelfde categorie. Dat was alleen maar een leugentje van haar om de woedende muiterij te voorkomen van verongelijkte en jaloerse cachotbewoners die ik ongetwijfeld een kijkje zou laten nemen in mijn luxueuze kajuit. Goed, ik had nog steeds geen patrijspoort, maar wel een bureautje, een eigen douche en wc, en de onderste kooi kon worden omgebouwd tot sofa – ideaal voor het ontvangen van verongelijkte en jaloerse cachotbewoners. Alleen al de slaapruimte was groter dan mijn eerste hut, en ik voelde me zeer met mezelf ingenomen.

De sloepenrol bood me een kans om mijn fatalistische Wilsonismen de vrije teugel te laten, alsook om mijn ongeveer zeventig medepassagiers in ogenschouw te nemen, merendeels Italianen van in de twintig, Franse stellen van in de veertig en Duitsers van in de zestig. Terwijl we met onze reddingsvesten achterstevoren om naar de purser stonden te luisteren die uitlegde hoe je moest watertrappen, werd er hier en daar nerveus gelachen. Dit was een echte zeereis, over echte zeeën, en met het risico van een echte ramp. Ik vroeg me af of nog iemand anders het artikel had gelezen over het cruiseschip dat een paar weken geleden aan de grond was gelopen op de verlaten noordoostkust van Spitsbergen, waardoor 150 bejaarde Amerikanen drie dagen lang vastzaten op een schip dat twintig graden slagzij maakte.

En toen, nadat er met de nodige problemen twee Mercedes-minibusjes aan boord waren gehesen en op het voordek waren vastgesjord, lichtten we het anker en stoomden door de Grøtsund, een traag schuimspoor trekkend door het nog zwarte water. Terwijl Tromsø achter ons verdween, voegde ik de laatste kruiderijen toe aan mijn definitieve recept voor een Noors kuststadje. Neem één vissersnederzetting. Voeg een houten kathedraal toe. Regelmatig met de grond gelijk maken en weer opbouwen. Roer er een nazi-bombardement doorheen, een reusachtige betonnen brug, en een klein woud van olieopslagtanks. Garneren met een wit betonnen kerkje, 400 schoenenwinkels en... ach, laat ook maar. Ik *hield* van Noorwegen. Had ik niet in minstens drie van de plaatsen die ik bezocht had, overwogen om er te gaan wonen? Nee. Niet serieus. Maar het was een eenvoudig land, waar het modernisme nog niet overal onherroepelijk toegeslagen had, waar nog altijd sprake was van het onschuldige optimisme van de jaren vijftig, en waar je nog gemeenschapszin aantrof. Het had wel iets weg van IJsland, maar dan met bomen en een zomer. Ik had sterk het gevoel dat ik het over een week enorm zou missen.

Ik was al zo gewend aan mijn vorige Hurtigrute-bestaan als zelfverzorgende semi-verstekeling, dat ik pas reageerde op de gong die het diner aankondigde (ditmaal met een onnozel xylofoonriedeltje dat klonk als een radiostoorsignaal uit de tijd van de Koude Oorlog) toen het al te laat was.

'Stop!'

De jonge vrouwelijke hofmeester hield me tegen terwijl ik op weg was naar een tafel waarvan de geanimeerd pratende aanzittenden een geluidsniveau produceerden dat dat van alle overige tafels overstemde. Ze zaten druk te gebaren en flessen te ontkurken, en zogen haast zichtbaar de laatste restjes plezier op die zich eventueel nog schuilhielden tussen de stuurse, zwijgende, gepensioneerden.

'Nee! Alstublieft! Dat is de Italiaanse tafel!'

'Maar er zijn nog een heleboel lege plaatsen... ' zei ik, terwijl ze me meetroonde naar haar op apartheid gebaseerde plattegrond waarop de tafelindeling aangegeven stond.

'U kunt misschien naar Duitse Tafel Drie gaan,' bood ze aan, terwijl ze haar plattegrond bestudeerde als een gevangenisdirecteur die een modelgevangene een felbegeerd baantje op de gevangenisboerderij aanbiedt. Ze wees op een stel aan een tafel een eind verderop.

Het vooruitzicht met de heer en mevrouw Erich Honecker te dineren, trok me niet erg aan. Ik wierp haar een mistroostige blik toe.

'Misschien,' zei ze, terwijl ze plotseling een zalvende toon aansloeg, 'zou u liever bij de eerste zitting worden ingedeeld?' Ik maakte haar duidelijk dat dat een beetje te vroeg voor me was, zonder erbij te vermelden dat alleen mensen in verpleegtehuizen en tuchtscholen om 18.30 uur eten. 'Maar er zijn twee aardige Zweedse meisjes...' Ze knipoogde. 'Asa en Iris. Donker en blond – net als Abba. Heel aardig. Jonge meisjes. Zweeds.' Jezus, wat was dit? Ik kreeg zin om haar te vragen of ze ook eh, je weet wel, *schoon* waren.

Uiteindelijk werd ik ingedeeld bij het zooitje ongeregeld – een sympathiek Frans echtpaar van middelbare leeftijd en een oude Zwitser, die jarenlang voor Nestlé in het Verre Oosten had gewerkt. Hij was een Hurtigrute-groupie die de afgelopen paar jaar al vier keer de hele kust langs gevaren was. 'Nu heb ik genoeg van die verdomde fjorden,' zei hij met een merkwaardig aanstellerig Germaans accent terwijl onze Poolschotel werd opgediend. 'Ik wil nu wel eens wat ijs zien. Zeg, zou dit misschien rendiervlees kunnen zijn?'

We verlieten de normale Hurtigrute-route en zetten koers naar het noorden en naar open zee, hoewel ik tegen die tijd sliep als een roos. Dat was waarschijnlijk maar goed ook, want kort nadat de Noorse kust uit het zicht verdwenen was, scheen het er nogal levendig aan toe te zijn gegaan. Ik was me vaag bewust van het feit dat de prullenmand over de vloer rolde, en in de gang klonk het onrustbarende geluid van een kokhalzende vrouw. Van onderuit het schip klonken dreunende geluiden die gemakkelijk geïnterpreteerd zouden kunnen worden als aanvaringen met ijsbergen, en net toen ik overeind wilde gaan zitten, werd ik door een onverwacht krachtige zijdelingse deining mijn (niet van een opstaande rand voorziene) kooi uit gesmeten.

Na een halfhartig (kwarthartig zou misschien een accuratere omschrijving zijn) bezoek aan het ontbijtbuffet, samen met het Franse echtpaar in een vrijwel lege eetzaal, waggelde ik lichtelijk onpasselijk naar het verlaten achterdek. Er stond een zware deining waarin de nietige boeggolven van de Nordstjernen volkomen verloren gingen. Het was ook behoorlijk koud geworden, zo'n negen graden, en er kwam een lichte mist opzetten. Telkens als ik te lang naar de Noordelijke IJszee keek, moest ik onwillekeurig denken aan het lot van de zeven vrijwilligers – *vrijwilligers* – die in 1633 op Jan Mayen over- winterd hadden om te bezien of het plan om er een permanent be- mand walvisstation te vestigen, levensvatbaar zou zijn. Dufferin ci- teerde uitgebreid uit het dagboek dat gevonden werd toen het schip dat hen kwam oppikken, in juni arriveerde, acht maanden nadat ze er afgezet waren.

Op 8 september werden ze 'opgeschrikt door geluiden van op de grond ploffende voorwerpen' – waarschijnlijk een kleine vulkani- sche uitbarsting. Een maand later wordt het zo koud dat hun lin- nengoed, na slechts heel even aan de openlucht blootgesteld te zijn geweest, zo stijf als een plank is. Enorme ijsmassa's belegeren het eiland, de zon verdwijnt... Op 12 december doden ze een beer, nadat de gevolgen van een dieet van gezouten voedsel zich al hebben doen gelden... Op 25 februari komt de zon weer tevoorschijn. Tegen 22 maart doen de eerste verschijnselen van scheurbuik zich voor: 'Bij gebrek aan vers voedsel beginnen we de moed te verliezen, en we raken zo verzwakt dat onze benen ons nauwelijks meer kunnen dra- gen.'

En zo gaat het door. De schrijver overlijdt op paaszondag, de laatste twee kippen worden opgegeten door de enige twee vrijwilligers die nog in redelijk goede gezondheid verkeren, en dan gaat de een na de ander de pijp uit. De laatste overlevende noteert plichtsgetrouw de weersomstandigheden en dergelijke tot 30 april, toen 'hij met zijn laatste krachten nog slechts een niet-afgemaakte zin aan het papier kon toevertrouwen'.

Dat zou genoeg moeten zijn. Maar niet voor Dufferin. Ik begon me langzamerhand te realiseren dat hij, zoals ook al het geval was geweest bij zijn opgewekte beschrijvingen van vikingwreedheden, van dit soort verhalen smulde.

Op 4 juni verschijnen aan de horizon de zeilen van de Zeelandvloot, maar de schepen worden niet verwelkomd door blije gezichten; en als hun kameraden op zoek gaan naar hen die ze gehoopt hadden aan te treffen, dan blijkt ieder dood in zijn eigen hut te liggen – de een met een open gebedenboek naast zich; een ander met zijn arm uitgestrekt naar de zalf die hij gebruikt had voor zijn reumatische gewrichten; en de laatste overlevende met het onafgemaakte dagboek naast zijn lichaam.

Enerzijds vormde dit een aanwijzing dat Dufferin in feite Wilsons (en dus ook mijn) macabere instelling deelde. Maar anderzijds duidde het erop dat alle verhalen over heldhaftige ontberingen voornamelijk bedoeld waren om zijn eigen onvermoeibaarheid te benadrukken. De onderliggende tekst bij elk verslag van arctische ongemakken was: 'Zie je? Dit is het soort ellende dat je hier in het noorden voor je kiezen krijgt. Maar daar laat ik me niet door kisten!'

Ik herinnerde me dat die luchtmachtknaap in Bodø me vertelde dat de Beerenberg slechts drie dagen per jaar zichtbaar was. Een maand geleden zou ik Dufferins eenzame waarneming van de spookachtige, gedeeltelijk in mist gehulde piek beschouwd hebben als een kwestie van mazzel. Nu was het alleen nog maar een grote leugen, een gedenkwaardig en episch schouwspel dat hij gewoon verzonnen had uit effectbejag. Je kunt me wat, Freddy.

Ik realiseerde me hoezeer mijn vertrouwen in de Dufferin-cultus weggesmolten was. Hij had zo onaantastbaar volmaakt geschenen, een symbool van al het goede van het Victoriaanse Groot-Brittannië, de grootse visies, het zelfvertrouwen, de filantropie. Maar er was ook de bijna-ramp met de Foam bij Jan Mayen geweest en het voortdurende harteloze gesol met Wilson. En ik was tot de conclusie gekomen dat Dufferin gewoon een wat verfijndere versie was van die halvegare landjonkers in tv-kostuumstukken die het aangaan van krankzinnige uitdagingen als een carrière beschouwden, en voor wie bedienden de onbelangrijke slaven waren die het het hardst te verduren kregen.

Een waarschijnlijk niet minder belangrijke factor was dat Dufferin mijn enige onafscheidelijke metgezel was geweest, en als zodanig werden kleine onvolkomenheden in zijn karakter opgeblazen tot buitensporige proporties. Hoe viel anders te verklaren waarom ik me steeds weer zo ergerde aan Dufferins voorliefde voor het woord 'lila'? Afhankelijkheid van één enkele gids door vijandelijke en afgelegen gebieden kan gemakkelijk leiden tot het ontstaan van een knagende wrok die net zo reëel is als wanneer de schrijver in persoon aanwezig zou zijn. Ooit, in Roemenië, hadden Birna en ik een hele week besteed aan de choreografie van de dans die we de auteur van de Lonely Planet-gids zouden dwingen uit te voeren terwijl hij een van tevoren opgestelde bekentenis zou jodelen tijdens zijn showproces.

Dat was een van de redenen dat ik me, ondanks het feit dat ik vrijwel niets over hem wist, aan Wilson gehecht had. Hij was iemand anders; hij was niet Dufferin. En zou hij ook geen fantastische steward zijn geweest aan boord van de Nordstjernen? 'O, mevrouw, wat ziet u er *slecht* uit! Misschien iets om uw maag tot rust te brengen, mevrouw? De kok heeft me verzekerd dat de gekookte vossentongen bijzonder smakelijk zijn.' 'Wel, meneer, het zou kunnen zijn dat u zich een beetje rillerig voelt, meneer, vanwege het grote gat in de boeg waardoor de Noordelijke IJszee naar binnen stroomt.'

Terwijl de deining steeds zwaarder werd en steeds meer passagiers zich met wit weggetrokken gezichten wankel terugtrokken in hun hutten, keek ik naar de diapresentatie van die ochtend, getiteld *Dit Is Spitsbergen*. De in veel te hoog tempo voorbijflitsende dia's werden vergezeld van onsamenhangend commentaar... Barentsburg, Russische mijnstad, afschuwelijke brandewijn uit Azerbeidzjan, arbeiders die al negen maanden geen loon meer hadden ontvangen, al drie weken lang ijsberen in de noordelijke fjorden, 's werelds meest noordelijke wafels, Europa's laatst ontdekte uithoek – 100 jaar na Amerika, meer sneeuwscooters dan mensen, katten verboden, 'Haal de walrus niet aan', Europa's grootste parochie, priester met helikopter, fossiele pootafdrukken van een dinosaurus, het hele gebied lag ooit nabij de evenaar en is in noordelijke richting opgeschoven, Amundsen, drijfhout, vossen, rendieren, hondsdolheid, walvisvangst...

Tegen de tijd dat het me te veel werd, waren we nog maar met zijn vieren. Terwijl de dia's elkaar in steeds hoger tempo opvolgden, drong zich onwillekeurig de herinnering op aan de subliminale aversietherapie van Alex in *A Clockwork Orange*. De gong kondigde de lunch aan, maar ondanks het feit dat ik ervoor betaald had, moest ik erkennen dat het waarschijnlijk beter was om de lunch over te slaan dan om hem weer uit te braken. Ik stommelde naar mijn hut, waar ik met een beverige zucht mijn ziel weer overleverde aan de Stugeron. Kennelijk was ik nog altijd geen volleerde zeebonk.

Met de smaak van zemelen in mijn mond en gedesoriënteerd begaf ik me om 17.00 uur weer onder de mensen. De omstandigheden waren er niet bepaald beter op geworden. Al het meubilair schoof eensgezind op en neer, rukkend aan de stalen veren waarmee het aan de vloer was verankerd. Twee Duitsers op leeftijd caramboleerden van de ene tafel naar de andere in de verder verlaten salon. Gewoon nonchalant rechtdoor lopen bleek inderdaad volkomen onmogelijk, hoewel de bemanning daar geen probleem mee scheen te hebben.

'We bevinden ons op 74 graden en 40 minuten,' kondigde de omroepinstallatie in vier talen aan, terwijl we ons met z'n drieën vastklampten aan diverse spijkervaste voorwerpen in de salon. 'De captain's cocktailparty in de Blauwe Salon wordt uitgesteld vanwege de zware zeegang.' Het zou wel door de Stugeron komen, maar het was me een waar genoegen om in leven en bovendeks te zijn.

De gong kondigde de tweede zitting van het diner aan; de vrouwelijke hofmeester kwam schuchter op me af toen ik de eetzaal betrad. 'U vindt de Zweedse meisjes niet aardig?' Ik zei nogmaals dat ik 18.30 uur wat te vroeg vond (ik zei er niet bij dat ik de meisjes in kwestie gezien had en dat ze inderdaad op die twee van Abba leken, maar dat ik me helaas nooit zo aangetrokken had gevoeld tot Björn of Benny). 'Zou ik niet gewoon aan... [hier wees ik op een van de ongeveer twaalf lege tafels]... die tafel kunnen gaan zitten?'

'Die? Natuurlijk,' zei ze met een wrang glimlachje.

Ik nam plaats terwijl er vanuit de keuken allerlei slapstick-achtige geluiden van kapot vallend aardewerk klonken. De Italianen waren er ook, druk rokend en pratend en gesticulerend, evenals de meeste Fransen, van wie de chique dames wel erg scherp afstaken tegen hun dikbuikige, in hun vesten zwetende echtgenoten. Ik was blij dat ik alleen zat en bestelde een pint bier en een fles wijn à raison van £15. Die was nog maar nauwelijks ontkurkt toen ik aan mijn tafel plotseling gezelschap kreeg van vier personen. Een van hen was de oude Zwitser, de andere drie waren een pijprokende Duitse vrouw en haar twee metgezellen, een ziekelijk uitziend type met slordig opgebrachte lipstick, en een voortijdig kale dertiger met een vollemaansgezicht.

Publiekelijk te schande gezet door mijn alcoholvoorraad, richtte ik mijn blik op het raam. Er stond nog steeds een zware deining, maar de zon liet zich nu af en toe zien door de optrekkende mist heen. 'Het weer is goed,' riep Martina om, 'dus misschien kunnen we walvissen zien spuiten.' Mensen haastten zich naar hun hut om hun camcorder op te halen. Ze wisten dat hun bij terugkomst vier vragen zouden worden gesteld: Heb je een walvis gezien? Heb je een ijsbeer gezien? Heb je een ijsberg gezien? Heb je gezien hoe die dronken Engelsman overboord werd geduwd door de vrouwelijke hofmeester? De kans om een van deze vier te kunnen afvinken maakte al die uren die men zeeziek op bed had gelegen meer dan goed.

'Zit er iemand per vergissing aan uw tafel?' De vrouwelijke hofmeester stond schuin achter de dame met de pijp met een vals glimlachje om haar lippen. 'Nee... nou ja, er is een plaats gereserveerd voor mijn echtgenoot, maar die ligt ziek in zijn hut.'

'Ja. Maar ik herinner me dat u om een plaats aan het raam vroeg, ja?'

Ik zat natuurlijk op de plaats aan het raam, waar ik me inmiddels wat ongemakkelijk begon te voelen.

'Dat geeft niet. Ik kijk momenteel toch liever niet uit het raam,' zei Pijpdame gemoedelijk, terwijl er een plens zeewater tegen het glas sloeg. Ik realiseerde me plotseling hoe lachwekkend het was dat ik, na enkele van Noord-Europa's meer prozaïsche zeeën te zijn overgestoken aan boord van containerschepen en onder auspiciën van de rotary georganiseerde vikingkonvooien, nu de eenzaamste en vijandigste zee van het continent bevoer aan boord van een doodordinair toeristenschip.

'Maar... de... de plaats aan het raam... die is...' stamelde de hofmeester, terwijl ze me een 'Jou krijg ik nog wel, kereltje'-blik toewierp alvorens zich terug te trekken.

'Neem me niet kwalijk. Ik realiseerde me niet dat deze plaats gereserveerd was,' zei ik tegen Pijpdame, blij dat ze het zo sportief had opgevat. Maar ze draaide zich naar me om en stak met een nijdig gebaar de steel van haar pijp mijn richting uit.

'Ja! Het is mijn plaats! Morgen zoekt u een andere plaats, en dan is mijn man er ook!'

Maar ik kreeg haar man nooit te zien. Die drie waren gevaarlijke fantasten, besloot ik, en voortaan dineerde ik buiten het bereik van haar pijpensteel.

Alles was nu weer rustig, maar het was een beroerde nacht geweest. Urenlang had ik met gespreide armen op bed gelegen, me vastgrijpend aan de zijkanten van mijn kooi om te voorkomen dat ik uit bed zou rollen. En het was maar goed ook dat ik daarin geslaagd was, want toen ik het licht aandeed zag ik het verfomfaaide, roodverkleurde, doorweekte restant van een paperback naast een omgevallen wijnfles liggen die nog voor een kwart vol was geweest.

Nadat ik een douche had genomen, haastte ik me naar het achterdek om mijn eerste glimp van Svalbard op te vangen. Dat is de correcte naam van de archipel die naast Spitsbergen nog een heleboel kleinere en nog troostelozer eilandjes omvat waarvan ik de namen niet eens weet. Spitsbergen klinkt afgelegen en onverschrokken; Svalbard klinkt als een Zweedse warenhuisketen.

Maar hoe je het ook noemt, het was er niet. Niet om 09.00 uur, niet in de ijskoude, dichte mist die vlak boven de zee hing. Zelfs niet na het ontbijt, toen de omroepinstallatie aankondigde dat we de Isfjord waren binnengevaren en nu langs de zendmasten van Isfjord Radio voeren, Spitsbergens meest vooruitgeschoven nederzetting, als je tenminste de negen Poolse wetenschappers niet meetelt (en niemand doet dat) die zo'n 250 kilometer verderop van God en iedereen verlaten opgesloten zitten in Hornsund.

Ik had me zeer verheugd op mijn eerste blik op Spitsbergen. Dufferin had die ervaring, zoals bij hem gebruikelijk, op weeïg poëtische wijze beschreven.

De onbewolkte atmosfeer was van een onbeschrijfelijke transparantie, en daarbinnen vertoonde zich geleidelijk aan – boven het ijs aan stuurboord – een woud van spitse, lila pieken, zo vaag en zo bleek dat, ware het niet vanwege de heldere omtrek ervan, men ze gemakkelijk had kunnen aanzien voor de onwezenlijke torens van sprookjesland.

Ditmaal was het niet eens zozeer het lila. Het was de onbeschrijfelijke transparantie. Later zou ik overigens precies zien wat hij bedoelde. De lucht is zo ongelooflijk helder dat een kust die zo te zien redelijk dichtbij lijkt, zich in werkelijkheid op een afstand van wel 150 kilometer kan bevinden. Maar op dat moment, in de dichte mist, kwam het me voor als alleen maar weer een van zijn fantasieën.

Misschien was het ook wel passend dat er geen sprake was van een dramatische, Dufferineske ontsluiering. Om ongeveer 11.00 uur zag ik met betraande ogen van de kou enkele vage omtrekken opdoemen die me deden denken aan de plompe bergruggen van IJsland. Ik was weliswaar via dezelfde zuidelijke route gekomen als Dufferin, maar als hij zich uiteindelijk een weg door het ijs weet te banen, is dat zo'n 120 kilometer ten noorden van Isfjord, boven Prins Karls Forland, waar het land oprijst in die kale, woeste pieken die Willem Barentsz er in 1596 toe brachten het eiland Spitsbergen te noemen.

Toen begonnen er langzaam enorme, natte klippen uit de mist op te doemen, en kreeg ik een eerste indruk van de ontzagwekkende woestenij van Spitsbergen. De archipel is half zo groot als Engeland, maar er wonen slechts 2800 mensen, verspreid over vijf nederzettingen, en aangezien lieden die daar uit vrije wil gaan wonen duidelijk te gestoord zijn om meegeteld te worden, kan dat getal rustig teruggebracht worden tot 310, het aantal kinderen onder de achttien. Afgezien van wat eenzame pelsjagers en het kortstondige walvisvangst-intermezzo, bleef Svalbard onbewoond vanaf het begin der tijden tot aan het eind van de negentiende eeuw, toen er steenkool werd ontdekt. Pas in 1913 werd op Spitsbergen de eerste baby geboren.

In februari daalt de temperatuur tot ruim onder -40° C; het gemiddelde in juni is een behaaglijke 1,8° C. Het klimaat, en ook het met ijs bedekte landschap, komt blijkbaar sterk overeen met dat van Groot-Brittannië tijdens de laatste ijstijd. Met dat gegeven voor ogen is het niet bepaald verbazingwekkend dat de eerste poging om hier te overwinteren, rond dezelfde tijd als de soortgelijke poging op Jan Mayen, een nog vrolijker aangelegenheid was. In beide gevallen was er niemand die het overleefde, maar het Spitsbergen-contingent kwam op gruwelijker wijze aan zijn einde. Opnieuw verlustigt Dufferin zich in zijn beschrijving:

Voorzover dat uit hun dagboek kon worden opgemaakt, bleken ze het slachtoffer te zijn geworden van het ondraaglijk strenge klimaat – en de verwrongen houdingen waarin hun lichamen werden aangetroffen, getuigden maar al te duidelijk van de folterende pijnen die ze hadden geleden.

En, net als in het geval van Jan Mayen, kon hij geen weerstand bieden aan de verleiding deze passage te laten volgen door een op indirecte wijze zelfverheerlijkend verslag van de klimatologische drama's waarmee bezoekers geconfronteerd werden:

> Geen enkele beschrijving kan een adequaat beeld geven van de barre ongemakken van de zes maanden durende winter in dit deel van de wereld. Rotsblokken splijten met het geluid van een donderslag; in een volle hut neemt de adem van de bewoners de vorm van neerdwarrelende sneeuwvlokken aan; als de huid in aanraking komt met metaal, vriest ze daaraan vast; de onderkant van je kousen kan al van je voeten gebrand zijn nog voordat je ook maar de geringste warmte van het vuur voelt; linnengoed dat uit kokend water wordt gehaald, bevriest onmiddellijk en wordt zo stijf als een plank...

Vooral het Victoriaanse understatement 'barre ongemakken' vond ik fraai.

'Sir, de Lichte Brigade is teruggekeerd.'

'Fantastisch. Hoe is het ze vergaan?'

'Wel, sir, ze hebben uiteraard hun charge uitgevoerd, maar daarbij werden ze geconfronteerd met enige barre ongemakken.'

Door de permafrost waren de verwrongen stoffelijke overschotten van die pioniers in de loop der eeuwen nauwelijks tot ontbinding overgegaan; volgens Dufferin 'liggen er in Magdalena Bay lichamen van mannen die 250 jaar geleden stierven, zo volmaakt geconserveerd dat als je heet water giet over de ijslaag die hen omhult, je zowaar de onveranderde gelaatstrekken van de doden kunt zien, door de doorzichtige ijslaag heen'. (Als je *wat* doet? Mijn hemel, man! Zo zie je maar hoe Spitsbergen het gedrag van normale, fatsoenlijke mensen kan beïnvloeden.)

Met zo'n streng klimaat kan de plaatselijke VVV niet veel anders doen dan dapper het feit rondbazuinen dat er jaarlijks gemiddeld slechts zo'n zeventien centimeter regen valt, waarbij aangetekend dient te worden dat dit gegeven het gebied misschien wel de minst aanlokkelijke klimatologische classificatie bezorgt, namelijk die van 'arctische woestijn'. Om deze en vele andere redenen zou ik een van de slechts 1500 bezoekers per jaar zijn die meer doen dan alleen maar een cruise door de archipel maken.

De uiterste noordpunt van Spitsbergen ligt net zover noordelijk van de poolcirkel als Milton Keynes er zuidelijk van ligt. Nergens ter wereld kun je dichter bij de noordpool komen zonder husky's, ondersteuningsteams, witbevroren baarden en andere voor een expeditie onmisbare benodigdheden. Landbouw is er niet, en de enige industrie bestaat uit kolenwinning. Alles wordt geïmporteerd, en het is slechts te danken aan de belastingvrije status van het eiland dat de prijzen binnen de perken blijven, met name die van sigaretten en sterke drank, die dan ook in zeer ruime mate aftrek vinden.

IJsland is Wildernis Lite vergeleken bij deze Moeder aller Wildernissen. Of misschien wel de Grootmoeder, aangezien sommige rotsformaties al drie biljoen jaar oud zijn, 150 keer zo oud als IJsland. Ik stelde me voor hoe Spitsbergen tijdens de continentverschuiving van onder de evenaar naar het noorden begon te drijven (400 miljoen jaar geleden), Spanje passeerde (250 miljoen jaar geleden), met een bemoedigende knipoog de eerste borrelende lavabellen van een in staat van wording verkerend IJsland achter zich liet, waarna het zich, eenmaal stevig verankerd in het pakijs, huiverend en wel realiseerde waarom Spanje bij het voorbijdrijven zo'n zelfvoldane indruk had gemaakt.

Ik bevond me op het achterdek in het gezelschap van de Italianen, als altijd onberispelijk gekleed in hun moleskin pantalons en sneeuwwitte donsjacks. 'Camping,' zei er een op ongelovige toon, en ik volgde zijn blik naar een zielig groepje tenten dat opgezet was op een troosteloze lap grond tussen een kolenmijn en een vliegveldhangar. Een enorm gevoel van opluchting maakte zich van me meester. Ik was van plan geweest om uit zuinigheidsoverwegingen op de camping te verblijven, en veranderde pas van gedachten nadat ik gehoord had dat een Frans bedrijf de camping gebruikte als testveld voor tenten die tegen extreme weersomstandigheden bestand moesten zijn, en dat er een paar weken eerder een ijsbeer was gesignaleerd op het dak van het toiletgebouw.

Alles werd steeds onaantrekkelijker. Het water van de Isfjord kreeg de goorbruine kleur van koude koffie, en de granietformaties maakten plaats voor reusachtige, kale uitstulpingen bedekt met leisteen en steenslag; donkere, satanische heuvels. De temperatuur was zo'n 6°C – niet echt aangenaam. Eindelijk kwam Longyearbyen in zicht – dat binnenkort tien dagen lang mijn thuis zou zijn. Het was me inmiddels wel duidelijk dat het de langste tien dagen uit mijn leven zouden worden.

Ik was met Martina overeengekomen dat ik van boord zou gaan als de Nordstjernen over drie dagen op de terugreis Longyearbyen weer aan zou doen, en weer op zou stappen als het schip zo'n anderhalve week later met een volgende lading cruisepassagiers terugkeerde. Nu wenste ik dat ik me bij het standaardprogramma gehouden had. Eén middag hier zou meer dan voldoende zijn, mogelijks zelfs buitensporig lang.

Na al die bijna tot vervelens toe keurige en pittoreske vissersdorpjes, vond ik het een schokkende gedachte dat er Noren waren die hun toevlucht hadden gezocht in deze grimmige, vergeten goelag. Het stadje was aan weerszijden omsloten door puinhellingen, en aan de achterkant door een met gore bruine strepen doortrokken gletsjer, en de 1200 inwoners waren merendeels gehuisvest in betonbarakken van drie verdiepingen aan weerszijden van een rioolachtig bruin riviertje dat aan de voet van de gletsjer ontsprong. Door alle straten lopen roestige halfronde buizen waaronder de afvoeren en kabels schuilgaan die immers niet ondergronds aangelegd kunnen worden vanwege de onstabiele, ondoordringbare permafrost. Nergens was ook maar een spoortje vegetatie te zien. Alles zag er modderig en smerig en roestig en doods uit. Het had nog het meeste weg van de bouwplaats van een overambitieus rondwegplan dat bij gebrek aan financiële middelen afgeblazen was.

Terwijl we afmeerden, zag ik mijn eerste twee Spitsbergenaren, en verbaasde me erover dat ze geen duidelijke gelijkenis vertoonden met door inteelt misvormde afstammelingen van op transport gestelde misdadigers, de enige vorm van menselijk leven die een mens met gezond verstand hier verwachtte aan te treffen. 'U blijft hier vijf uur!' blafte Martina, en het klonk, niet geheel zonder reden, alsof ze een veroordeling uitsprak.

Tijdens de lange, natte wandeling naar de stad werd ik er meermalen aan herinnerd dat ik me niet op een normale plek bevond. De auto's (verrassend talrijk, gezien het feit dat de weg naar het vliegveld de enige weg buiten de stad is, en dat het rijden op de in totaal 33 kilometer teermacadam gedurende zes maanden per jaar onmogelijk is) hadden speciale geelzwarte nummerborden. Overal lagen hopen negentiende-eeuwse mijnbouwapparatuur, griezelig goed geconserveerd door het koude en (theoretisch) droge klimaat. De meeste gebouwen stonden op palen om ze vrij te houden van de onstabiele permafrost; de gebouwen waarbij dat niet het geval was, zo was ons verteld, moesten voorzien zijn van koelapparatuur in de fundamenten om de onderliggende grond hard bevroren te houden. Generaties tieners hadden op een of andere manier de gruwelijke verveling weten te doorstaan zonder ooit te bezwijken voor de verleiding om de oude houten mijngebouwen op de heuvelhellingen aan de rand van de stad in de fik te steken. Het leek wel een spookstad, zo verlaten zag alles eruit.

Wat er ook te doen mocht zijn in dit op het eerste, tweede en derde gezicht godverlaten oord, het kon wachten. Allereerst ging ik mezelf voorzien van de broodnodige belastingvrije antidepressiva, en met dat doel voor ogen liep ik in de richting van het ongerijmd blitse winkelcentrum van de stad.

Maar zelfs hier was het vertrouwdheid suggererende laagje vernis uiterst dun. Net toen ik tot de conclusie was gekomen dat het bord buiten een boetiek waar ze vesten van zeehondenhuid verkochten – 'Geen geladen vuurwapens in deze winkel – dus geen vuurwapens met patronen' – bedoeld was als aardigheidje voor toeristen, werd ik gepasseerd door een tiener met een groot geweer over zijn schouder, terwijl ik naar de automatische deuren van de supermarkt baggerde.

Voor ik goed en wel van de schrik bekomen was, zag ik me geconfronteerd met twee identieke posters, de een met een Noorse tekst, de andere in het Engels. De kop luidde: 'Hij valt aan zonder waarschuwing – HOUD AFSTAND!' Eronder stond een foto van een hooghartig uit zijn ogen kijkende, overdreven gespierde ijsbeer. Tekstfragmenten, nu eens angstaanjagend, dan weer lachwekkend, dansten voor mijn ogen: 'Het enige zoogdier dat actief op de mens jaagt die hem als voedsel dient... valt zonder enige waarschuwing aan... maakt snuivende geluiden als een woedende stier, en knarst met een opvallend smakkend geluid met zijn tanden... grote, soepele sprongen, recht op zijn prooi af... gooi met fakkels... vuur waarschuwings-

schoten af... gooi uw hoofddeksel, handschoen, sjaal op de grond –
de beer zal het kledingstuk besnuffelen, waardoor u tijd wint... meld
het aan de autoriteiten als u een beer heeft moeten doden... stel het
geslacht vast en ontferm u over de schedel en de vacht...'

Mijn achteloze veronderstelling dat al dat gedoe over die ijsberen
zwaar overdreven was ter wille van de toeristen, kwam hiermee totaal op losse schroeven te staan. Dit was geen aardigheidje meer. Dit
was pure ernst. Zelfs in de schappen van de supermarkt viel er niet
aan te ontkomen. Bij het uitzoeken van ansichtkaarten werd ik geconfronteerd met afbeeldingen van ijsberen met vuurrode snuiten
die zich tegoed deden aan de overblijfselen van niet meer te identificeren zoogdieren waarvan het bloed de sneeuw in een frambozen-
sorbet veranderd had ('Having a lovely Tim, wish you were here').
Een op het eerste gezicht oninteressante brochure, getiteld *Algemene
Informatie Over Longyearbyen en Omgeving 1920-1991*, begon met
'Ongevallen (Dodelijk)'. Hier werden, met Wilsoniaanse gedetail-
leerdheid, de gevallen beschreven die mijn angsten gestalte gaven.

Tussen de sobere mededelingen over door het ijs gezakte sneeuwscooters en op hol geslagen kolenwagons die in Mijn 6 dood en verderf hadden gezaaid, doken er regelmatig berichtjes op als het volgende: '18 juli 1977. Oostenrijkse kampeerder, 33, gedood in Magdalenafjord. De man werd herhaaldelijk gebeten en ontving diverse
klappen voordat de beer zijn hoofd verpletterde met de volle kracht
van zijn voorpoten. Hij was vermoedelijk op slag dood.' Het was bijna
op de dag af twintig jaar geleden gebeurd. Ik was 33. Morgen zou ik
in Magdalenafjord zijn.

Ik had me voorgesteld dat ik tijdens mijn verblijf in Longyearbyen in mijn eentje lange wandeltochten in de omgeving zou maken
om wat rond te neuzen tussen de griezelig goed geconserveerde stoffelijke overschotten van zeventiende-eeuwse Hollandse zeelieden en
zo. Nu bleek dat het advies in de brochures om 'een geweer van mi-
nimaal kaliber 7.62 mee te nemen op alle uitstapjes buiten Longyearbyen' wel degelijk seieus bedoeld was. Met groeiende wanhoop las ik
dat 'er elk jaar drie of vier beren uit zelfverdediging worden doodgeschoten'. Het feit dat er in totaal nog geen 3000 mensen woonden,
bracht me tot de conclusie dat er sprake was van een statistisch onacceptabel risico. Ik kon het dus wel vergeten.

Ik dacht weer aan de beer waarvan ik de vergeelde, kraakbeen-
achtige vacht betreden had op Clandeboye, en Dufferins ontmoeting met het dier. De Foam ligt afgemeerd bij Prins Karls Forland als
Dufferin, die ergens op een heuvel bezig is de ontwapenende nieuwsgierigheid van een troep sneeuwhoenders te beantwoorden met salvo's musketvuur, tumult aan boord hoort. Wilson staat hem op te
wachten: '"Met uw welnemen, my Lord, er is een b-e-e-e-e-r!",
waarbij hij het laatste woord rekte tot een vreeswekkende angstkreet.'

Natuurlijk had de ijsbeer, die nietsvermoedend in de buurt van
het schip zwom, inmiddels een half dozijn kogels in zijn lijf gekregen, maar voor het zover was had Wilson, die druk aan het fotograferen was op het strand op het moment dat het dier gesignaleerd
werd, zich genoodzaakt gevoeld zich enige tijd schuil te houden in
een ton. Maar zelfs na zijn dood ziet de ijsbeer nog kans wraak te
nemen. 'Het doden van een ijsbeer was een geweldige ervaring – maar
hem opeten zou nog geweldiger zijn,' schrijft Dufferin, daarmee een
nieuwe bijdrage leverend aan de zich gestaag uitbreidende bloemlezing van uitlatingen waarvan het uiterst onwaarschijnlijk is dat ik ze
ooit in de mond zal nemen. Maar nadat de beer geslacht is en de
mooiste stukken vlees in het want zijn opgehangen, geven ze de tam-
me poolvos een portie ijsberenvlees te eten, waarop het dier prompt
ten prooi valt aan stuiptrekkingen. Het vlees wordt zonder verdere
omhaal overboord gegooid.

Het kwam bij me op dat het voor welk dier dan ook uiterst ris-
kant was geweest om zich op of zelfs maar in de buurt van de Foam
te bevinden. Een van mijn favoriete passages in *High Latitudes* is
Dufferins verongelijkte vaststelling die voorafgaat aan het bloedbad
dat hij onder sneeuwhoenders en ijsbeer aanrichtte: 'We hadden nog
helemaal niets geschoten, afgezien van een paar eidereenden en een
of twee kleine alken.'

Niet rechtstreeks, misschien. De scheepshaan was de eerste geweest die eraan ging, nog voor ze IJsland bereikten. Gekweld (be-
weert Dufferin) door zeeziekte en het feit dat er geen nacht meer
was, 'kraaide hij enkele malen sarcastisch... kraaide vervolgens wat
deemoediger, en fladderde vervolgens overboord, waarop hij ver-
dronk'. De stuiptrekkingen van de poolvos waren het dier vermoedelijk noodlottig geworden, aangezien het in het vervolg nergens meer

ter sprake komt. Kort nadat ze uit Spitsbergen vertrokken zijn, besluit Dufferin dat de geit die ze in Hammerfest aan boord genomen hadden, er neerslachtig uitziet. 'De slager was de enige arts die haar nog kon genezen,' stelt hij vrijmoedig vast, voordat de overblijfselen overboord worden gegooid.

Het meest verontrustende incident deed zich voor op het eerste traject van de reis, als Fitz een slapende rotgans op het water ziet dobberen, evenals de duif van Noach een hogelijk gewaardeerd teken dat het vasteland niet ver meer is. Dus wat doet hij? Haalt haastig zijn geweer tevoorschijn, om vervolgens 'bijna krankzinnig' te worden toen de vogel 'wegvloog op het moment dat we binnen schootsafstand kwamen'.

Maar terwijl ik in de supermarkt stond te lezen over .22-patronen die zonder schade aan te richten afketsten op de schedels van ijsberen die zich met soepele sprongen op hun ten dode opgeschreven prooi stortten, viel het me niet moeilijk om mee te voelen met Dufferin en zijn bemanning. De mens kon hier niet leven, en dus ook niet heersen. Het leek me niet meer dan natuurlijk dat een van de weinige manieren waarop ze zich konden handhaven in die afschrikwekkende omgeving, het doodschieten was van elk dier dat hen voor de voeten kwam.

Het was in alle opzichten een rotdag. De sigaretten kostten weliswaar slechts 90p per pakje, maar daartegenover stond dat de appels £3 per kilo waren. En toen ik mezelf in de drankwinkel opgemonterd had door de aanschaf van meer wodka en Guiness dan ik redelijkerwijs nodig zou hebben, werd me bij de kassa verzocht om alles weer terug te zetten. Als uitvloeisel van een of andere krankzinnige overheidsmaatregel die nog dateerde uit de tijd dat het mijnbouwbedrijf het in de stad voor het zeggen had, had ik een door de gemeente te verstrekken distributiekaart nodig om sterke drank of bier te kunnen kopen. De mededeling dat er wel onbeperkte hoeveelheden belastingvrije wijn konden worden aangeschaft, zorgde voor enige opluchting.

Ik was ook door de modderige hoofdstraat naar het nieuwe en comfortabele Funkenhotell gelopen, waar ik voor tien dagen gereserveerd had tegen een gereduceerd tarief van 600 kronen (£50) per nacht. Het was niet de goedkoopste optie – voor £20 per nacht minder had ik een slaapplaats in de jeugdherberg kunnen krijgen. Maar aangezien ik me inmiddels realiseerde dat ik vermoedelijk drieëntwintig uur per etmaal chagrijnig op mijn kamer zou zitten, vond ik dat het nu, na een levenlang zuinig aan te hebben gedaan, tijd was om het geld te laten rollen. In een poging om althans enkele van die uren op min of meer aangename wijze in te vullen, was ik door het dal naar Nybyen gelopen (waarom heeft een stad van 1000 inwoners in het minst dichtbevolkte land van Europa een voorstad nodig?) met de bedoeling een aantal excursies te boeken bij Svalbard Wildlife Services. 'Fossielen zoeken op de gletsjer', 'Over de Isfjord in kajaks' en 'Rondleiding door Mijn 3' waren de drie activiteiten die ik uitgekozen had. Er waren twee problemen: ten eerste was alles godgeklaagd duur (£36 voor een wandeling door een mijn?), en ten tweede wilde het tamelijk kortaangebonden personeel me geen korting geven, wat naar ik veronderstel min of meer op hetzelfde neerkwam als probleem nummer één. SWS bevindt zich in een benijdenswaardige positie. Akkoord, er zijn maar weinig toeristen, maar zij die wél komen, raken verlamd door ijsbeerparanoia bij de gedachte aan een tocht zonder gids buiten Longyearbyen, en verlamd door verveling na een dag in de stad te hebben doorgebracht. Ik ging ervan uit dat ik het misschien zo'n achtenveertig uur in mijn hotel zou kunnen uithouden met het kijken naar *Scrappy Doo* in het Zweeds; daarna zou ik de straat op hollen en met een dikke stapel bankbiljetten zwaaien naar elke willekeurige voorbijganger die bereid was om een traditionele mijnwerkersballade voor me te zingen.

Toen mijn vijf uren voorbij waren, sjokte ik naar de Nordstjernen, sleepte mijn draagbare wijnkelder achter me aan de loopplank op, langs dekknechten die nog steeds bezig waren het braaksel van de afgelopen nacht weg te spuiten, en daalde, vochtig en moe, af naar hut 354. Toen ik de deur opendeed, bleek mijn hut grotendeels gevuld met een reusachtige bebaarde Noorman.

'Pål,' zei hij op sombere toon. Ik was Martina's grimmige waarschuwing dat ik mijn hut zou moeten delen, helemaal vergeten, en ik liet mijn gedachten gaan over alle schunnigheden die deze Pål inmiddels ontdekt zou hebben. De meeste daarvan hielden verband met de wijnoverstroming van de afgelopen nacht: de verfomfaaide, roodverkleurde paperback, de rode spatten op de badkamerdeur...

zelfs, zag ik nu tot mijn afgrijzen, de grote rode vlek op een onderbroek die op de vloer naast mijn bed lag.

'Pål, Pål, Pål, Pål.' Ik stelde me voor hoe ik als man van de wereld een arm om zijn schouder zou leggen. 'Een man is een... rusteloos dier, Pål. Allemaal hebben we onze kleine... onze kleine eigenaardigheden, onze kleine geheimpjes. Jij, Pål, jij hebt je baard. En ik? Ik bedrink me en vermink mijn genitaliën.'

Maar zelfs terwijl ik geconfronteerd werd met mijn eigen schande, vond ik nog tijd om me de ontberingen voor de geest te halen die Påls aanwezigheid met zich mee zou brengen. Een enorme blote kont die op centimeters van mijn gezicht langs het bedladdertje zou afdalen, om maar eens wat te noemen. Met walging vervuld dumpte ik mijn tassen met wijn op de vloer en ging aan dek om tijdelijk afscheid te nemen van Longyearbyen.

We voeren nu verder de Isfjord op in de richting van Pyramiden, een van de twee mijnstadjes die uitsluitend bevolkt worden door Russen, en terwijl we door het brede, rimpelloze water gleden, werd het landschap zienderogen ontzagwekkender. Hier zagen we eindelijk iets van de spitse bergen, kaal en koud, met hier en daar grauwe sneeuwplakkaten op de onherbergzame flanken. Elke piek was een reusachtig fossiel, onberispelijk geconserveerd maar huiveringwekkend levenloos. Het was net de Grand Canyon in mineur.

Natuurlijk is dat precies wat Dufferin zo aantrok. Spitsbergen is waarschijnlijk de laatste plek ter wereld waar je nog altijd een berg zou kunnen vinden die je naar jezelf kunt vernoemen. Fred Olsen, van de scheepvaartmaatschappij, heeft dat voor elkaar gekregen. Er is een gletsjer naar Prins Albert van Monaco vernoemd. De meeste mijnstadjes, dood of levend, zijn vernoemd naar hun ondernemende stichters – Longyearbyen, Colebukta, Grumantbyen. Dufferin bracht er slechts vijf dagen door, en slaagde er niettemin in om Kapp Dufferin in de wacht te slepen, een groot voorgebergte aan Spitsbergens oostkust, waar hij zelfs niet in de buurt was geweest.

Misschien is het nu het moment om de hoogtepunten van Spitsbergens bizarre geschiedenis te vermelden. Na de opwindende, drie miljard jaar durende continentale drijffase gebeurt er eindelijk iets in 1194, als vikingen het waarschijnlijk ontdekken. Vierhonderd jaar later komt Barentsz er toevallig terecht; niet lang daarna realiseert

Henry Hudson zich de mogelijkheden van een gebied waar zeer grote en trage zeezoogdieren zomaar op de stranden liggen. Nadat de walrussen zijn uitgeroeid, beginnen de Hollanders, Duitsers, Denen en Engelsen aan de walvissen; de slachting neemt zulke indrukwekkende vormen aan dat nog voor het einde van de achttiende eeuw de kustpopulatie is uitgeroeid, en de menselijke bevolking van Spitsbergen gereduceerd wordt tot de incidentele bontjager.

Dan beginnen er poolavonturiers te arriveren. Een van de eersten is Phipps met zijn expeditie van 1773, waarvan ook de veertienjarige Horatio Nelson deel uitmaakt, die een worstelpartij met een ijsbeer overleeft. Maar tegen de tijd van Dufferins bezoek, toen de meeste redelijk denkende mensen zich al hadden neergelegd bij de onmogelijkheid de noordpool per schip te bereiken, is alles weer rustig. 'Gedurende de laatste jaren,' schrijft hij, 'zijn de zeeën rond Spitsbergen net zo eenzaam gebleven als ze waren vóór de eerste avonturier hun eenzaamheid doorbrak.'

Pas als tegen het eind van de negentiende eeuw de eerste steenkoolvoorraden worden ontdekt, gaat de kwestie van de soevereiniteit een belangrijke rol spelen. In 1920 wordt het Verdrag van Spitsbergen door veertig landen ondertekend. De archipel wordt gedemilitariseerd en tot belastingvrije zone uitgeroepen; Noorwegen krijgt de soevereiniteit, maar inwoners van de landen die het verdrag ondertekend hebben, krijgen het recht om zich er vrij te vestigen en er in hun levensonderhoud te voorzien. (Dat verklaart de aanwezigheid van een Turkse taxichauffeur in Longyearbyen; en tevens verleent het mij, heel verleidelijk, het recht om de 60.000 vierkante kilometer niet opgeëist gebied door te trekken, ergens een bordje in de permafrost te slaan en daardoor de minerale rechten voor de komende honderd jaar te claimen.)

Tijdens de Depressie worden ten gevolge van de afnemende vraag naar steenkool de meeste mijnen gesloten; sommige worden opgekocht door de slimme Russen, die zich bewust zijn van het strategische belang van een noordelijke brug tussen Oost en West. Dit ontgaat ook de nazi's niet, die Spitsbergen dermate potentieel zorgbarend achten dat ze er in 1943 de machtige *Tirpitz* heen sturen om de blokhutten van Longyearbyen aan flarden te schieten. Daarbij ontstaat ook brand in een mijn, die maar liefst tot 1966 blijft smeulen.

Na de oorlog breidt Stalin, geïntrigeerd door de mogelijkheid vaste voet te krijgen in een NAVO-land, de sovjet-mijnbouwbelangen in Spitsbergen uit. Tegen het begin van de jaren vijftig tellen Grumantbyen, Barentszburg en Pyramiden elk meer dan 1000 inwoners, en wonen er in Spitsbergen meer Russische staatsburgers dan Noren. De sovjets hebben hun eigen politie, maar staan onder gezag van de Noorse Gouverneur (Sysselmann); dat heeft een wat ongemakkelijke coëxistentie tot gevolg.

De NAVO-bondgenoten verwachten van Noorwegen dat er voor elke Russische mijnwerker een Noorse tegenhanger komt in een tamelijk dwaze parallel met de bewapeningswedloop; de sovjets doen net zo hard mee aan dat puberale gedoe door de faciliteiten in hun stadjes uit te breiden met reusachtige consulaten, hotels en sportcomplexen. Dan doet de glasnost zijn intrede, de sovjets worden Russen en Oekraïners, en het koude-oorlogsdenken op grond waarvan hun aanwezigheid gefinancierd werd, vervluchtigt. In het begin van de jaren negentig worden alle 400 kinderen in Barentszburg naar huis gestuurd, en er is sprake van het definitief verlaten van Pyramiden.

Dit alles heeft zijn weerslag op de Noorse aanwezigheid, die immers weinig méér is dan een tegenwicht voor de aanwezigheid van de sovjets. Nadat uit berekeningen gebleken is dat het voor hun elektriciteitscentrale in Longyearbyen goedkoper zou zijn om steenkool te importeren dan om het spul te gebruiken dat bij wijze van spreken vlak voor de deur ontgonnen wordt, worden in Longyearbyen alle mijnen op één na gesloten. Het heeft plotseling geen enkele zin meer om daar nog langer aanwezig te zijn, en aangezien milieuoverwegingen tegenwoordig een zeer belangrijke rol spelen, gaan de eerste stemmen al op die ervoor pleiten dat de mens zich volledig uit Spitsbergen terugtrekt.

Dat leek me de enige verstandige optie toen de Nordstjernen zich afwendde van Pyramiden en oog in oog kwam te liggen met de overweldigende Nordenskiöld-gletsjer. De motoren stopten en in de ijzige stilte namen we het indrukwekkende gevaarte in ogenschouw. Enorme spleten in het turkooizen kwarts wekten de indruk dat er elk moment een brok ijs ter grootte van een stadsbus op ons voordek terecht kon komen; verscheidene van dergelijke brokken dreven traag om ons heen. Het was onzinnig te denken dat de mens deze omgeving ooit de baas zou kunnen worden. Toen Dufferin deze streek bezocht, had Spitsbergen inmiddels de walvisvaarders verdreven; tijdens mijn bezoek maakte het zich op voor een laatste en beslissende aanval op de mijnwerkers.

Het was een schitterende ochtend toen we Magdalenafjord, Dufferins aanlegplaats, vlak bij de noordelijkste punt van het eiland op voeren. Dit begon er meer op te lijken. Al die opgefokte commentaren van Dufferin over de oogverblindend heldere zon en de maagdelijke, ijzige atmosfeer, de windstille stilte, de doodsheid, de ongerepte rotsen, het eeuwige ijs – dat alles aanschouwde ik nu met eigen ogen. Fantastische met sneeuw bedekte pieken, ontegenzeggelijk spitsgepunte bergen, staken scherp af tegen de blauwe lucht; aan het einde van de fjord daalde de Waggonway Gletsjer af naar de zee in de vorm van een rotswand van blauwig ijs.

De Nordstjernen wendde de steven naar de rotsige landtong die de baai beschutte en ervoor gezorgd had dat Magdalena zo'n populaire ankerplaats was geweest voor zeventiende-eeuwse Hollandse walvisvaarders. De motoren stopten, en er viel een overweldigende stilte.

De verlaten marmergroeve rechts van ons, de graven van de walvisvaarders waarvan ik wist dat die zich op de landtong bevonden, het karkas van de Oostenrijker die als ijsberenvoedsel had gediend: het waren allemaal welsprekende getuigen van het hopeloos falen van de mens in zijn pogingen om Magdalenafjord tot leven te wekken. En hier waren wij dan, aasgieren die gekomen waren om rond te scharrelen tussen het gebeente van mensen en de beenderen van walvissen die door die mensen gedood waren. Ik voelde me bedrogen: de wereld aan mijn voeten, maar zonder schepping om op neer te kijken.

Dat is het soort gedachten dat Spitsbergen bij je opwekt. Ik zou het niet willen aanbevelen als vakantiebestemming voor mensen die over een dramatische echtscheiding of een traumatische schietpartij proberen heen te komen. Hetgeen het schouwspel dat zich een uur later ontvouwde, nadat we voor wat morbide sightseeing aan land waren gebracht met de reddingsboten van de Nordstjernen, des te verrassender maakte.

'Kijk. Botten.'

Ik stond samen met Pål op een zanderige rotsheuvel, en probeerde een andere kant op te kijken terwijl hij zijn blik richtte op de gebleekte planken die half onder het zand aan onze voeten lagen, en in het bijzonder op de bruin geworden ribben en dijbeenderen die ertussen lagen.

'Ik moet de reden zeggen voor mijn bezoek. Ik ben hier niet voor toerist.'

Vanaf het moment dat we onze medepassagiers achter ons hadden gelaten op het koude strand waar ze stampvoetend rondliepen in afwachting van de bemanning die thermoskannen met glühwein zou komen brengen, had hij met enige regelmaat van dit soort verontrustend zwaarwichtige opmerkingen gemaakt. Ik had me verheugd op de graven, en gehoopt dat de open doodskist die Duferin geëtst had, met daarin een skelet dat door een verweerd houten kruis geïdentificeerd werd als dat van 'JACOB MOOR, OB 2 JUNI 1758, AET 44', er nog steeds zou zijn. Maar nu voelde ik me niet helemaal op mijn gemak in het gezelschap van deze grote, bebaarde man en het ongetwijfeld afschuwelijke geheim waarvan hij op het punt stond mij deelgenoot te maken. 'Ik ben een politieman,' zei hij met beverige stem, zijn waterige blik onafgebroken gericht op de beenderen. 'Ik werk in Tromsø. Maar ik ben een speciaal soort politieman.'

Geheim agent? Nepagent? Homoseksuele agent? Ik was plotseling blij met de aanwezigheid, ook al was het dan op enige afstand, van de twee met geweren uitgeruste bewakers die zich aan beide uiteinden van de landtong hadden geposteerd voor het geval er onverwacht een ijsbeer mocht komen opdagen.

'Ik onderzoek ongelukken. Waarom ze gebeuren... en de mensen die omkomen, hun namen.'

En toen kwam het er allemaal uit. Het jaar ervoor was er een Russisch straalvliegtuig neergestort in de buurt van Longyearbyen; Pål was belast geweest met het identificeren van de 141 verbrande en zwaar verminkte lijken die naar Tromsø waren verscheept. Een jaar lang had hij die zware last gedragen; nu was hij op pelgrimstocht om de confrontatie met de demonen aan te gaan, zijn geest te zuiveren van de afschuwelijke herinneringen.

'ET EGO IN ARCTIS!'

High Latitudes

Zijn stem stierf weg. Hoeveel méér dood en verderf kon dit verdomde oord nog herbergen? Ik voelde me overmand door wroeging en melancholie, maar helaas wist ik geen andere reactie te bedenken dan: 'Niet best.'

Ik keek Pål na terwijl hij in gedachten verzonken terugsjokte naar het strand, waar twee Italianen zich meester hadden gemaakt van de oranje overlevingspakken van de bemanningsleden en als idioten door het water liepen te spetteren. Er lagen nog tientallen graven en een traankokerij te wachten om ontheiligd te worden, maar het interesseerde me niet echt meer.

Toch was er nog één ding dat ik absoluut moest doen. Ik maakte een omtrekkende beweging langs de gewapende wachtpost en klauterde een stukje omhoog, zonder stil te staan bij het ijsbeergevaar. Toen ik me omdraaide werd ik, precies zoals ik gehoopt had, vergast op het hetzelfde uitzicht als op Wilsons foto die Lola Armstrong voor me had neergelegd op de biljarttafel van Clandeboye. Ja, Wilsons foto: hoewel Fitz voortdurend opgevoerd wordt als de fotograaf van het gezelschap, was het me niet ontgaan dat op het moment dat Wilson op Spitsbergen de ijsbeer in de gaten krijgt, hij beschreven wordt als zijnde 'druk aan het fotograferen'.

Dus hier stond ik nu op 6 augustus 1997, op dezelfde plek waar Wilson had gestaan op 6 augustus 1856, en maakte ik een foto van een tijdloos panorama, die een vrijwel exacte kopie was van zijn foto, tot en met de positie van onze respectieve boten. *Et in Arctis ego*, dacht ik hoogdravend, in navolging van Dufferins onderschrift bij zijn illustratie van het graf van Jacob Moor, voordat de Nordstjernen me terug naar het strand riep met een enorme scheet van zijn misthoorn, die minstens een halve minuut door de fjord heen en weer bleef echoën.

We voeren verder noordwaarts, en onze nadering van de kennelijk bijzondere 80ste breedtecirkel, even voorbij de noordelijkste punt van Spitsbergen, veroorzaakte op het achterdek een nerveuze activiteit bij het half dozijn bezitters van een GPS-apparaat. We voeren langs het laatste verlaten walvisstation, de ooit drukbevolkte nederzetting Smeerenburg (waarvan ik hoop dat het in het Nederlands beter klinkt dan Blubber Town in het Engels), en even later lieten we Spitsbergen achter ons. Alsof het zo afgesproken was, verscheen er op dat moment een reusachtige afgetopte ijsberg, waarschijnlijk ter grootte van het Isle of Man, aan de verder lege horizon.

Toen klonk er een stoot van de misthoorn, de GPS-jongens staken triomfantelijk hun gebalde vuist in de lucht en hier en daar klonk op het achterdek een bescheiden applausje. We waren de 80ste breedtecirkel gepasseerd, maar zonder eind-van-de-wereld-ijswand die ons de doorgang versperde, vond ik het moeilijk om me daar echt opgewonden over te voelen. Het schip wendde de steven, en met een een lichte zucht van ontgoocheling realiseerde ik me dat ik de weg naar huis was ingeslagen. Van nu af aan ging het alleen nog maar zuidwaarts. We voeren de Woodfjord in, langs twee pelsjagershutten, vreselijk ongezellig uitziende bouwsels die nietig afstaken tegen de enorme stapels verzameld drijfhout. Waarom deden ze het? Beslist niet voor het geld. Ik had gehoord dat er met de verkoop van rendier- en zeehondenhuiden zelden meer dan £3000 per jaar te verdienen viel. Maar eerlijk gezegd interesseerde het me allemaal niet meer zo. Het was me inmiddels allang duidelijk dat dit gebied een themapark was voor onbezonnen excentriekelingen die slechts weinig waarde hechten aan hun eigen leven.

Hoe het ook zij, iedereen kreeg uiteindelijk toch nog zijn ijsberen te zien nadat de kapitein, helemaal in de wat-kan-het-mij-ook-verdommen-geest van Spitsbergen, de Nordstjernen tot vlak aan de voet van de Prince Albert-gletsjer had gemanoeuvreerd dwars door een dodelijke vloot ijsschotsen zo groot als auto's, die met verontrustende regelmaat tegen onze afbladderende, gedeukte romp dreunden. De hele fjord was bezaaid met kleinere schotsen die bewegingloos op het spiegelgladde water dreven, fonkelend in het om 23.45 uur nog altijd helle zonlicht. Het zag eruit alsof iemand een kroonluchter uit een luchtschip had laten vallen.

'We hebben er een... twee. We hebben drie ijsberen aan onze linkerkant! Twee volwassenen en een jong!'

Martina kon haar opluchting niet verbergen. Hoewel het enige wat we zagen drie bruinige, nauwelijks bewegende vlekjes waren die wat rondscharrelden op een rotsige landtong, barstte er onmiddellijk een fotografische orgie los. Honderd zoomlenzen ontsproten als kleine erecties aan hun camera's, ejaculeerden met een flits en schrompelden met een voldaan gezoem weer ineen. Iedereen was tevreden. Er was weer een belangrijk hokje afgevinkt. Het was vreemd om te bedenken dat nog maar twintig jaar geleden de enige toeristen hier deelnemers aan arctische schiet-een-ijsbeer-of-uw-geld-terug-safari's waren. Ik vroeg me af wat er gebeurd zou zijn als ik in een aanval van de Dufferinziekte het ijsberengezin met een jachtgeweer naar de andere wereld had geholpen.

Even na 01.00 uur minderde de Nordstjernen vaart, kwam wat later tot stilstand, en er klonk het ratelende geluid van een takelblok. Ik zat in de voorste salon, waar ik me nog steeds verborgen trachtte te houden voor Pål na diens schokkende onthullingen van die ochtend, en toen ik uit het raam keek, zag ik hoe een vervaarlijk heen en weer zwaaiende aluminium kajak met daarin twee holbewoners aan boord getakeld werd.

Martina zorgde voor een verklaring via de omroepinstallatie. 'We hebben er nu twee passagiers bij. Het is een Zweeds echtpaar dat we volgens afspraak hier met hun kajak op zouden pikken. Ze hebben hier een jaar lang gewoond in een zelfgebouwd onderkomen.'

Ik ving een glimp van hen op toen ze een halfuur later naar hun hut werden gebracht. Inderdaad was een van hen een vrouw, maar je had je gemakkelijk kunnen vergissen: beiden hadden het vette achterovergekamde lange haar en de ongezond bleke gelaatskleur van roadies bij Europe's 'Final Countdown'-tournee.

Ik verwachtte eigenlijk min of meer dat ze na een jaar van afzondering een soort halve wilden zouden zijn geworden, die ineenkrompen bij de aanblik van mensen en communiceerden op ijsberenwijze zoals beschreven op de posters: snuivend als woedende stieren en tandenknarsend met een opvallend smakkend geluid. Maar ze leken me onbegrijpelijk onaangedaan, enigszins verveeld zelfs, bij deze toch niet bepaald geleidelijk verlopende reacclimatisering.

'Welkom terug,' zei ik, en ze knikten beleefd maar, dacht ik, enigszins neerslachtig. Ik veronderstel dat ik het idee had dat we hen gered hadden uit een afschuwelijke verbanning, daarbij vergetend dat ze daar uit vrije wil voor hadden gekozen. 'Zou ik even met u kunnen praten? Ik ben zeer geïnteresseerd in wat u heeft gedaan.'

'Morgen misschien,' zei de man met een vriendelijke glimlach voordat hij de deur van hun hut dichtdeed.

Ik was net terug van mijn kortstondige contact met de halve wilden en zat op mijn gemak op de wc toen Pål luidruchtig onze hut binnenstommelde. Dat was een tegenvaller. Ik heb altijd al ontzag gehad voor mensen die met zorgeloze uitbundigheid hun behoefte kunnen doen in drukke openbare toiletten, en ik ben ervan overtuigd dat dit talent een belangrijke indicator is voor een groot gevoel van eigenwaarde en leiderschapskwaliteiten. Ik beschik niet over dat talent. Ga alsjeblieft weg, smeekte ik in stilte.

Dat deed hij niet.

O jeetje, dacht ik geagiteerd. Klop alsjeblieft niet op de deur.

Hij klopte op de deur.

'Neem me niet kwalijk, alstublieft. Sorry voor vandaag, in Magdalenafjord.'

Ik voelde me plotseling heel ongelukkig. Maar ik moest toch íets zeggen.

'Dat is nergens voor nodig,' zei ik, terwijl ik probeerde om zo stil mogelijk te blijven zitten zodat de de wc-bril geen piepende geluiden zou maken. 'U heeft een... nare tijd achter de rug. Heel... naar.'

'Ja,' zei hij met verstikte stem. 'Naar. En ik heb nog meer naar werk.'

'O,' zei ik, op een vlakke toon waarvan ik tevergeefs hoopte dat die een nadere uitwerking van dit thema zou ontmoedigen.

'Mensen doen slechte dingen... een jongen vermoordt zijn moeder met een hamer. Ik fotografeer het lijk, het bloed... zoveel bloed.'

Nee, nee, nee, nee neeneeneenee. Nee!

'En een andere jongen vermoordt zijn vader met bijl.'

Ik produceerde iets wat voor een begripvol geluid moest doorgaan. Het was een volstrekt belachelijk geluid, een soort klaaglijk gejammer als van een gijzelaar die een gewapende en onberekenbare gijzelnemer probeert te kalmeren. Toen werd het stil, en binnen twee minuten drong het geluid van een zwaargebouwde snurkende man tot me door. Ervan uitgaand dat het risico geslachtofferd te worden om boete te doen voor de onmenselijkheid van de mens tegenover zijn eigen soort inmiddels tot een aanvaardbaar niveau afgenomen was, verliet ik zachtjes de wc en kroop in mijn kooi.

Twee avonden later, na korte onderbrekingen in 's werelds noordelijkste (en minst interessante) stad, Ny Ålesund, en in Barentszburg, een onvoorstelbaar naargeestige Russische mijnbouwnederzetting, voeren we terug door de Isfjord. Terwijl we op weg waren naar Longyearbyen, namen onze halve wilden plaats in de blauwe salon om vragen van passagiers te beantwoorden. Ik vond het onvoorstelbaar dat ze zo spoedig na hun terugkeer uit een jaar van afzondering in een zelfgebouwde wigwam bereid waren om zich te onderwerpen aan deze nieuwe beproeving.

Het enige symptoom van hun eenzame, primitieve ballingschap scheen de robotachtige humorloosheid van hun antwoorden te zijn. 'Om de palissade voor onze wintertent te bouwen, hadden we 200 stukken drijfhout nodig. De afmetingen bedroegen veertien meter bij zes meter en vierenhalve meter hoog. Gedurende de winter gebruikten we veertig kubieke meter drijfhout als brandstof. De eerste sneeuw viel op 20 augustus, en op de koudste dag was het 34 graden onder nul.'

Nou ja, goed, het enige wat we eigenlijk wilden weten was hoe vaak ze zich wasten en hoeveel ijsberen ze hadden gezien, en de antwoorden op die vragen luidden eens per week en een heleboel, maar hun twee honden joegen ze altijd weg. Op dit punt aangekomen, viel er een ongemakkelijke, bijna vijandige stilte. Zij hadden de samenleving de rug toegekeerd, dus nu keerde de samenleving hun de rug toe. Toen er uiteindelijk iemand vroeg hoe ze met ziekte waren omgegaan, en zij antwoordden dat ze in het uiterste geval via de radio een helikopter hadden kunnen oproepen, klonk er zelfs een gedempt boegeroep. Valsspelers.

11

Mijn kamer in het Funkenhotell in Longyearbyen bood uitzicht op een hoop modderig geologisch puin en afgedankte sneeuwscooters. Een buiten het raam bevestigde thermometer gaf aan dat het drie graden boven nul was. In augustus. De tien dagen die ik hier zou doorbrengen, strekten zich voor me uit als een onafzienbare kale vlakte. '"Nou, Wilson, zie je nou wel dat we Spitsbergen toch gehaald hebben?" Maar Wilson was er de man niet naar om zich door feiten van zijn overtuigingen te laten afbrengen; hij glimlachte slechts droefgeestig, met een blik die te kennen gaf: "Waren we alvast maar weer veilig thuis!" Arme Wilson!'

Arme ik. Wat viel er te doen? Terwijl ik me in de lege eetzaal aan het ontbijt tegoed deed, overwoog ik mijn opties. Vanaf mijn tafeltje kon ik een oude mijn zien op een hoogte van zo'n 150 meter aan de andere kant van het dal, een primitieve houten hut die eruitzag als een onthoofde versie van het houten konijn in *Monty Python and the Holy Grail*. Was het... zou ik...? Nee. Dat was het niet, en dat zou ik ook niet. Veel verstandiger om een bezoek te brengen aan... het museum, of de... de... drankwinkel?

Nog lichtelijk van streek door het besef hoe weinig het maar gescheeld had of ik had de hele dag in mijn eentje een belastingvrij wijnfeest gevierd, stond ik een uur later bij de ingang van het museum.

'Alstublieft – uw schoenen.'

De beheerder – een tiener nog maar – hield me verlegen tegen, terwijl hij eerst naar mijn vieze schoeisel wees en toen naar een rek

waar ik dat kon inruilen tegen een paar papieren sloffen. Als ik geweten had dat dit de eerste van misschien wel honderd gelegenheden was waarbij ik in de loop van de komende week te horen zou
krijgen 'Alstublieft – uw schoenen', zou ik niet geglimlacht hebben
toen ik aan zijn verzoek voldeed.

Na het bekijken van een vitrine met daarin het penisbotje van
een ijsbeer (niet langer dan een centimeter of tien, voor wie het weten wil), kwam ik bij het pièce de résistance van het museum: een
tentoonstelling van foto's en herinneringen ter gelegenheid van het
feit dat precies honderd jaar geleden de misschien wel meest tragi-
sche en onbezonnen van alle poolexpedities (en wees ervan overtuigd dat de concurrentie hevig is), die van de Zweed Carl Andrée,
plaatsvond.

In 1897 vertrokken Andrée en twee metgezellen vanaf Dans-
køya, een eiland waar we langs gevaren waren aan de uiterste noord-
westpunt van Spitsbergen, in een poging om de noordpool per ballon te bereiken. Als er een oostpool was geweest, zouden ze het
misschien gehaald hebben: na een paar uur maakten ze een nood-
landing op een ijsschots die uiteindelijk 250 kilometer verderop
aandreef op een bevroren landtong van Kvitøya, een zo onherbergzaam en afgelegen eiland dat het nog altijd niet volledig in kaart is
gebracht. Ze maakten een tent van de ballon en installeerden zich
voor de winter. Ze beseften natuurlijk best dat er nauwelijks kans
op redding bestond, en in die verwachting werden ze dan ook niet
beschaamd.

Hoe we dit alles weten? Wel, 33 jaar later stuitte een andere expeditie toevallig op hun stoffelijke overschotten, zoals altijd GGG (griezelig goed geconserveerd), alsmede op de nodige aandenkens zoals
de bril van Andrée en tientallen onontwikkelde foto's. Toen die spookachtige opnames alsnog ontwikkeld en afgedrukt werden, toonden
ze een glimlachende – *glimlachende* – Andrée die voor de ballontent
poseerde. In een dagboek stond beschreven hoe ze drie maanden
lang op hun voorraden hadden geteerd, en een verschrikkelijke winter overleefd hadden. Ironisch genoeg schijnt het eten van besmet
ijsberenvlees hun noodlottig te zijn geworden. De bemanning van
de Foam had groot gelijk gehad toen ze hun poolschotel overboord
kieperden.

Wat was dat toch met Spitsbergen dat gewone mensen zich ertoe lieten verleiden misdaden tegen het gezond verstand te begaan? Mogelijkerwijs de eerste mens die voet aan wal zette op de drie biljoen jaar oude archipel, de Hollandse eigenaar van het schip van Willem Barentsz, begon onmiddellijk tegen een piek op te klauteren op Prins Karl's Forland en brak prompt zijn nek. Dufferin zelf schrijft over een merkwaardige aandrang om duidelijk levensgevaarlijke bergen te beklimmen.

Maar pas toen ik het museum uitkwam en me er op een gegeven moment van bewust werd dat ik naar de voet van de steile steenslaghelling staarde waarop zich 'mijn' mijn bevond en even later als gehypnotiseerd die richting uit begon te lopen, drong het langzamerhand tot me door. Spitsbergen ademde zo'n allesoverheersende geest van levensbedreigende vijandigheid uit dat zelfs sukkels als ik zich gedwongen voelden de uitdaging aan te gaan, een onbeklommen piek te beklimmen, er een vlag te planten en hem op te eisen voor zichzelf en voor de mensheid.

Aanvankelijk ging alles van een leien dakje, wat naar ik veronderstel dikwijls het geval is bij bergen. De regen had ik best willen missen – de regio staat erom bekend dat het er vrijwel nooit regent – evenals het mijnramp-kerkhof dat ik op een gegeven moment over moest steken, maar het terrein was bedekt met een aangenaam verend mostapijt dat het lopen prettig en gemakkelijk maakte.

Na een tijdje begon het mos dunner te worden en verdween toen helemaal; de helling werd steeds steiler. Na een minuut of tien voelde ik me gedwongen op handen en voeten verder te gaan, waarbij ik soms een stukje weggleed. Toen, terwijl ik mijn capuchon opzette om de regen zoveel mogelijk tegen te houden, keek ik naar boven en zag dat de mijn niet alleen verder weg leek dan aan het begin van mijn wandeling, maar zich ook nog eens recht boven me leek te bevinden. Erger nog: het was alsof ik een reusachtige schuin overhangende rotswand moest beklimmen. Ik voelde me duizelig worden. Nadat ik me naar een richel geklauwd had waar ik even kon uitrusten, draaide ik me langzaam om en ging zitten, in de correcte veronderstelling dat het uitzicht op Longyearbyen dat aan mijn trillende in paarse fietsschoentjes gestoken voeten lag, wel eens een aanval van duizeligheid en paniek teweeg zou kunnen brengen. Er was een touringcar gestopt op de weg recht onder me; ik kon nog net een rij gezichten onderscheiden die mijn richting uit keken. 'Elk jaar waarschuwen we ze,' stelde ik me voor dat hun gids in zijn microfoon verzuchtte.

Toen ik mijn beklimming hervatte, zag ik een hoop verse uitwerpselen op de richel, een alledaagse waarneming waar ik verder nauwelijks bij stilstond. Maar na een paar meter verder geglibberd te zijn, dacht ik bij mezelf: konijnen? Nee. Er zijn hier geen konijnen. Poolvos dan? Nee. Drollen te groot. Ah! Rendier! Niet eh, je weet wel, ijsbeer. Nee. Te klein. Zelfs voor een kleine ijsbeer. Zoals het exemplaar dat ze gezien hadden bij het vliegveld aan de andere kant van deze berg. Een van die kleine springers, je weet wel, met van die soepele sprongen en... *Wat was dat in jezusnaam?*

Ik rukte de capuchon van mijn hoofd en keek met paniekerige giechelgeluidjes wild om me heen naar enig teken van beweging. Het mijngebouw doemde voor me op, een groot maar vervallen houten bouwsel. Erachter kon zich van alles bevinden. Of erin.

Tegen de tijd dat ik het bereikte, zo'n 25 minuten later, was ik er redelijk zeker van dat ik er een ijsbeer zou aantreffen. Als ik probeerde weg te rennen, zou ik naar beneden tuimelen en precies terechtkomen op het kerkhof ver beneden me. En in dat geval, of als de beer me te pakken kreeg, zou ik uiteindelijk op een snijtafel in Tromsø terechtkomen als Påls volgende geval. Plotseling speet het me dat ik hem niet had kunnen vinden om afscheid van hem te nemen toen ik van boord van de Nordstjernen ging. Hij zou boos op me zijn. Hij zou mijn lijk kunnen schenden, of foto's kunnen maken van mijn afgesneden hoofd met een sigaret tussen de lippen gestoken. Na nog een korte blik op het oninteressante houten bouwsel te hebben geworpen, begon ik aan de terugweg.

Het afdalen was nog erger dan het klimmen, en op een of andere manier voelde ik me geroepen om alle bewegingen van mijn ledematen luidkeels en gedetailleerd van commentaar te voorzien. Tegen de tijd dat ik de weg weer bereikte, was ik drijfnat van de regen en de transpiratie en wankelde ik op mijn benen als een pasgeboren Bambi.

Maar nu had ik in elk geval een missie. Tijdens de angstigste, wanhopigste momenten van mijn afdaling (die er, nu ik nog eens omkeek, eigenlijk heel onschuldig uitzag), had ik een pact gesloten met de geesten van de mijnwerkers dat ik, als ik hier ooit levend vandaan zou komen, naar de hoogste gezagsdrager van het land zou gaan, woedend met mijn vuist op tafel zou slaan en met een door emoties overmande schorre stem zou vragen: 'Waarom?'

En zo kwam het dat ik tien minuten later met de nodige moeite mijn schoenen uittrok (al voor de derde keer die dag, en het was pas lunchtijd), en ze verving door een paar door de Sysselmann ter beschikking gestelde teenslippers.

Mocht dit vernederende schoeiselritueel bedoeld zijn om het moreel en de vastberadenheid van bezoekende protesteerders te ondermijnen, dan was men in die opzet aardig geslaagd. Elke klepperende voetstap deed afbreuk aan mijn vastberadenheid terwijl ik de receptie van haar (sinds 1996 is er een vrouwelijke Sysselmann) grote, nieuwe, over de zee uitkijkende hoofdkwartier naderde. De grauwende opgezette ijsbeer tussen de yucca's maakte het er ook niet echt beter op; evenmin als het rumoerige bruiloftsgezelschap dat op de handtekening van de Sysselmann wachtte.

'Ze is een zeer drukbezette vrouw. U kunt met andere mensen praten.' Ik knikte, terwijl ik pas later bedacht dat ze, althans wat betreft het aantal mensen dat onder haar jurisdictie viel, minder belangrijk was dan de burgemeester van Chipping Norton. Waarschijnlijk is er niet eens een burgemeester van Chipping Norton.

Maar de vrouw die ik wel te spreken kreeg, de coördinator van de Russische kolonie, was vriendelijk en behulpzaam. Zij was het die me over Kapp Dufferin vertelde, en over het feit dat Pyramiden waarschijnlijk binnen niet al te lange tijd geëvacueerd zou worden. 'Het is er vreselijk. Nog eenzamer dan Barentszburg,' zei ze, en ik huiverde.

Ze zei ook, en dat vond ik moeilijk te geloven, dat de Russen er echt alleen maar voor de steenkool waren.

'Ze hebben deze speciale soort steenkool nodig voor hun krachtcentrales. Er is geen steenkool in Noord-Rusland.'

'Zou het dan niet eenvoudiger zijn om steenkool uit het zuiden van Rusland of uit Polen of zo te halen?'

Ze glimlachte ondoorgrondelijk, op een manier die inhield dat ik nog heel wat te leren had op het gebied van de politieke en economische realiteit in dit deel van de wereld.

'Maar ik heb het momenteel nogal druk. Neemt u deze informa-tiebrochures maar mee.'

Enigszins overdonderd en nog altijd met wankele benen, voelde ik een wanhopige behoefte om mezelf op te vrolijken. Het schrijven en versturen van een briefkaart vol scheldwoorden aan Teletext hielp wel een beetje, maar pas toen ik op mijn kamer in het Funkenhotell de miniatuurflesjes sterke drank in de minibar verving door beperkt houdbare snacks uit de supermarkt, had ik weer min of meer vrede met mezelf. Althans, totdat ik de badkamer in liep en in de spiegel de langwerpige, grijsgroene sliert snot zag die mijn neus en jukbeende-ren vermoedelijk gedurende het grootste deel van de dag had ge-sierd.

Ik las de brochures de volgende ochtend aan het ontbijt. Er waren nu een half dozijn gasten, die evenals ik op kousenvoeten langs het ont-bijtbuffet schuifelden. Dit schoenloze gedoe was zo vernederend. Mijn enige troost was het feit dat de naamloze haringpapachtige substan-tie op mijn bord een effectieve afleiding vormde van de troep die zich inmiddels aan mijn sokken had gehecht. De derde brochure was getiteld 'Neem de ijsbeer serieus!', en ging aanmerkelijk verder dan de waarschuwingsposters in de supermarkt. 'Span struikeldraden met fakkels rond het kamp. Ga met de ruggen naar elkaar zitten zodat u naar alle kanten een goed uitzicht heeft. Zorg dat u te allen tijde vol-doende bewapend bent. Jachtgeweren van het kaliber 7.62, 30.6 of .308 zijn het minimum. Als u zich in een zeer gevaarlijke situatie bevindt waarin u uw eigen leven en dat van anderen moet bescher-men, moet u schieten om de ijsbeer te doden. Richt op de borst en schiet meerdere malen, niet op de kop die gemakkelijk te missen valt. Benader vervolgens de ijsbeer van achteren en schiet opnieuw totdat u er zeker van bent dat hij dood is.'

'U hoeft zich echt niet zo bezorgd te maken,' zei een serveerster die kennelijk een verband had gelegd tussen de brochure en mijn gelaatsuitdrukking. 'We hebben dit jaar nog geen ijsberen gezien in Longyearbyen.'

'En op de camping dan?'

'O, nou ja. Dat is West-Longyearbyen. Daar zitten er wel een paar.'

'Maar geen... geen, eh, aanvallen.'

'Nee, nee!'

'O... nou, gelukkig maar.'

'Dit jaar niet, tenminste,' vervolgde ze opgewekt. 'Vorig jaar is er op een heuvel een jong meisje gedood door een ijsbeer. Heel triest!'

'Welke heuvel?'

'Ziet u dat houten gebouwtje daarboven, dat deel uitmaakt van de oude mijn?'

Mijn blik volgde behoedzaam haar wijzende vinger naar de heuvel die ik de vorige ochtend beklommen had, terwijl pap en haring het in mijn maag samen uitvochten. Het voorval was van te recente datum om opgenomen te zijn in de brochure Ongevallen (Dodelijk), maar de serveerster beschikte over alle bijzonderheden en vertelde me het verhaal in geuren en kleuren.

'Er zijn daar twee meisjes en ze zien een dier en denken dat het een rendier is, maar het blijkt een ijsbeer te zijn en het is al te laat. Eén meisje blijft staan, het andere meisje rent weg en de beer gaat achter haar aan. Het andere meisje holt de berg af, maar ze glijdt uit en valt een heel eind naar beneden, maar er ligt nog sneeuw dus ze breekt alleen maar deze botten [hier wees de serveerster op haar polsen], maar haar gezicht zit onder het bloed als ze de stad binnenkomt. Dan gaan er mannen met geweren de heuvel op en de beer komt op hen af en ze schieten hem dood, en het is maar een kleine beer, tachtig kilo.'

Er viel een voldane stilte waarvan ik hoopte dat die het einde van het gesprek zou betekenen. Mis. 'Dus! Ze vinden het meisje, maar ze is dood. En bovendien... ' hier keek de serveerster om zich heen als een lagere-schoolmeisje dat op het punt staat 'piemel' te zeggen... 'is haar hoofd verdwenen. Het is triest, maar waarom namen die meisjes dan ook geen geweer mee? Elk jaar waarschuwen we ze... '

Als een gebroken man strompelde ik terug naar mijn kamer om naar de viezigheid en de motregen buiten te staren. Ze konden me allemaal de kont kussen. Het weinige dat er hier te doen was, had ik gedaan, en zelfs de dichtstbijzijnde buitenwijk was nu verboden gebied voor me. Ik kon niet eens naar het bewegen van de gletsjer gaan kijken. Mijn enige hoop om de uren door te komen – snookeren op de tafel van het Funken – was in rook opgegaan bij de ontdekking dat de tafel niet over pockets beschikte. Ik begon me te voelen zoals je je voelt wanneer je te lang in bad hebt zitten lezen en je plotseling realiseert dat het water koud is geworden. Alleen was er geen heet water meer, en moest ik nog een week in het bad blijven zitten. Alles was in het teken van de ijsbeer komen te staan.

Dit, overwoog ik neerslachtig, betekende het miserabele einde van het Dufferin-Moore Duel. Er was sprake van geweest het duel af te blazen na het Jan Mayen-debacle; mijn eindeloos durende zeeziekte had mijn geloofwaardigheid ernstig aangetast. En nu was hier de laatste en schrijnendste parallel: hij zag een mensenetende carnivoor en had die bijna opgegeten; ik hoorde er een angstaanjagend verhaal over en verstopte me.

Een week lang had *Helen's Tower* onder in mijn rugzak gelegen, maar nu, als de verslagen lafaard die de prestatie van zijn overwinnaar probeert te bezoedelen door wat vuiligheid op te graven, haalde ik het tevoorschijn, veegde het schoon en bladerde door naar Dufferins droevige einde.

Het begon allemaal mis te gaan na India. Zijn twee jaren als ambassadeur in Rome verliepen zonder incidenten, maar toen hij in 1892, op zesenzestigjarige leeftijd, naar Parijs werd gestuurd, bleek hij het middelpunt te vormen van een diplomatieke rel. De Franse pers besloot dat hij gestuurd was om de op handen zijnde Frans-Russische alliantie te saboteren. *Le Figaro* noemde hem 'die gevaarlijke man', en hij voelde zich gedwongen om formeel het gerucht te ontkennen dat hij gearriveerd was met drie miljoen francs aan steekpenningen om journalisten en politici ertoe te bewegen het verdrag met Rusland te torpederen. Na drie jaar hield hij het voor gezien.

Van iemand als Dufferin verwacht je uiteraard niet dat hij zijn pensionering zou verbeuzelen met het verzamelen van tinnen Franklin Mint-motorfietsjes op schaal 1:42 en het ronddwalen door supermarkten met een handvol verlopen kortingsbonnen. Eenmaal weer terug op Clandeboye schilderde hij aquarellen, hield zich bezig met tuinaanleg, ging zeilen met zijn jacht en ontwikkelde 'een ongebreidelde hartstocht voor glazen daken' (er waren genoeg oude mannen die er heel wat minder onschuldige ongebreidelde hartstochten op na hielden). Dementie werd op een afstand gehouden met de nodige veeleisende intellectuele inspanningen: 'Dit jaar,' schrijft hij in 1896, als hij inmiddels zeventig is, 'heb ik 786 kolommen van een

Perzisch woordenboek uit mijn hoofd geleerd, in totaal ongeveer 24.000 woorden.' Altijd beter dan een puzzelboekje.

Maar de rusteloosheid van een man die 'nietsdoen verafschuwde' bezorgde hem een onfortuinlijk tijdverdrijf: het president-commissariaat van de London & Globe Finance Corporation.

Toen de tweeënvijftigjarige Amerikaanse financier Whitaker Wright in 1897 een onberispelijke en eerbiedwaardige edelman zocht als president-commissaris van zijn snel groeiende mijnbouwconglomeraat, hoefde Dufferin niet lang na te denken alvorens de functie te accepteren. We kunnen er rustig van uitgaan dat het nieuws van de mysterieuze ineenstorting van de Gunnison Iron and Coke Company of Philadelphia, eig. W. Wright, zes jaar eerder, niet was doorgedrongen tot Clandeboye.

Binnen enkele weken nadat Lord Dufferins naam verschenen was op het briefhoofd van de London & Globe Finance Corporation, werden de aandelen ter waarde van £1 verhandeld voor £2; Whitaker Wright ('WW' voor intimi) zag zijn eigen belang in het bedrijf stijgen tot boven de één miljoen pond, een fantastisch bedrag in het Victoriaanse Groot-Brittannië.

Drie jaar lang ging het de L&G voor de wind; toen, in november 1900, begonnen er geruchten de ronde te doen dat het belang van het bedrijf in de Baker Street & Waterloo Railway (inderdaad, de huidige Bakerloo Line) die toen in aanbouw was, onverantwoord groot was. Meer was er niet voor nodig. De aandelen kelderden, en op 28 december kondigde de London & Globe Finance Corporation zijn insolventie aan.

Duizenden investeerders waren geruïneerd; Dufferin zelf had een groot belang in het bedrijf en raakte alles kwijt. Een jaar eerder had hij zich gerealiseerd hoe weinig hij eigenlijk maar begreep van de werkwijze van L&G en van de beurs in het algemeen. Hij had herhaaldelijk geprobeerd zijn functie neer te leggen, maar zwichtte steeds weer voor Wrights argument dat het vertrouwen in het bedrijf daardoor onherstelbare schade zou oplopen.

Hoe kon Dufferin, de volleerde onderhandelaar, die met zijn charme en vernuft oorlogen in Libanon en India had weten te voorkomen, zich hebben laten inpalmen door zo'n gladde praatjesmaker? Misschien was het gewoon de leeftijd. Net als bij die louche aannemers die bij oude dametjes in het gevlij trachten te komen om hen vervolgens al hun spaargeld af te troggelen met flauwekulverhalen over verrot dakoverstek en de mystieke geneeskrachtige eigenschappen van kunststof raamkozijnen.

Dufferin ging uiteraard zijn verantwoordelijkheid niet uit de weg, en op 9 januari 1901, op vijfenzeventigjarige leeftijd, sprak hij in Londen 2000 boze investeerders toe. En wat misschien nog wel typerender voor hem was, op een of andere manier wist hij zijn gehoor aan het lachen te maken (door te zeggen dat hij geen enkel verstand van zakendoen had, een bekentenis die onder de gegeven omstandigheden minder markante persoonlijkheden vermoedelijk op een flink pak slaag zou zijn komen te staan). Nadat hij duidelijk had gemaakt dat zijn eigen verliezen groter waren dan die van welk van de aanwezigen ook, eindigde hij met de woorden: 'Toch zou ik dat minder betreuren – in feite zou ik het helemaal niet betreuren – als mijn zware persoonlijke verliezen u zouden kunnen overtuigen van mijn goede trouw.' Onder gejuich verliet hij het spreekgestoelte. Het was de ultieme triomf van een briljant diplomaat.

(Drie jaar later stond Whitaker Wright terecht wegens fraude, nadat onderzoekers ontdekten dat hij al vanaf het allereerste begin met de boeken van L&G had geknoeid. Nadat hij tot zeven jaar dwangarbeid veroordeeld was, stak hij een sigaar op en beet een capsule door die bij de lijkschouwing cyaankali bleek te hebben bevat.)

Geruïneerd door de Bakerloo Line. Ik proestte het uit, of ik wilde of niet. *De Bakerloo Line.* Terwijl ik mijn best deed om een passender emotie te voelen, bracht ik een toast uit op de gevallen lord.

Een halfuur en een halve fles later vroeg ik me in een melodramatische gemoedsgesteldheid af of een te schande gemaakte effectenmakelaar zichzelf van het leven zou kunnen beroven door de volledige inhoud van een minibar achterover te slaan, en ik wist mezelf er nog maar net van te weerhouden de proef op de som te nemen door uit te rekenen dat me dat het lieve sommetje van £228 zou kosten.

'Iets te vieren?'

Ik stond bij het wijnrek in de supermarkt, en naast me stond Hilde, een Bergense die ik aan boord van de Nordstjernen had ontmoet, en die hier op bezoek was bij haar zus, die plantkunde studeerde. Ik

keek naar mijn winkelmandje met daarin de drie met raffia omvloch-
ten flessen chianti, en besloot dat geen enkele verklaring afdoende
zou zijn.

'En... hoe is het met je zus?' flapte ik eruit.

'Nou,' zei ze aarzelend, 'we hebben vanavond met een paar mensen afgesproken in haar studentenhuis, en daarna gaan we naar een
disco. Als je na die wijn tenminste nog op je benen kunt staan.'

Dat was in elk geval goed nieuws. Ik maakte weer deel uit van de
samenleving. Terwijl ik over de modderige weg terugliep naar het
Funken, schenen Longyearbyen en zijn naargeestige omgeving me
een heel klein beetje minder afschuwelijk toe.

Net als in IJsland houdt het Noorse weekend-stappen in dat je eerst
bij een vriend thuis afspreekt en pas rond middernacht de stad in
gaat. Tegen die tijd is iedereen uiteraard behoorlijk in de olie, en als
ze op pad gaan om de bloemetjes eens flink buiten te zetten, komt
het maar al te vaak voor dat ze onderweg al over hun nek gaan. Dit
soort gedrag is een gevolg van de prijs van alcohol: het spul is al duur
genoeg voor huiselijke consumptie, maar in bars en clubs is het vrijwel onbetaalbaar. Dat komt nog duidelijker tot uiting op Spitsbergen, waar een halve fles wodka in de drankwinkel net zoveel kost als
een biertje in een bar (£2.50). Dus tegen de tijd dat ik bij het studentenhuis arriveerde, hadden Hilde & Co. (zus Marte, vriendin Eline,
plantkunde studerend vriendje van zus Christian) al het grootste deel
van een maandrantsoen (twee liter sterke drank, een liter likeur en
een krat bier) soldaat gemaakt, en zaten nu, in een groteske parodie
op een beschaafd avondje, aan de koffie met chocolaatjes.

Huset, oorspronkelijk de mijnwerkerskantine, is een opzichtig roze
gebouw op een heuvelhelling een kleine kilometer buiten de stad.
Een paar minuten voor middernacht liepen we er puffend en steunend heen, onze hijgende ademhaling zichtbaar in het koude zonlicht. Er verdrongen zich nogal wat mensen voor de ingang. 'Na middernacht moet je entree betalen,' legde Hilde uit. *Na* middernacht?
Merkwaardig. Maar hoe dan ook, om 02.30 uur groeide de rij nog
steeds aan.

Binnen was het donker en vol. Er werd Europop en de B52s gedraaid, te hard om een normaal gesprek te kunnen voeren; de clien-

tèle bestond voornamelijk uit studenten (Christian, Marte en nog zo'n honderd anderen volgden eenjarige cursussen op UNIS, de Arctische Universiteit) en de weinige plaatselijke jongeren die tijdens de zomer niet terug waren gegaan naar het vasteland. De ernst waarmee de drie mannen van middelbare leeftijd aan de bar zaten te drinken, deed vermoeden dat het mijnwerkers waren.

Iedereen scheen dronken op de tamelijk opdringerige manier waaraan ik in Scandinavië inmiddels gewend begon te raken. Een oud ingelijst krantenartikel in de gang naar mijn hotelkamer vermeldde het feit dat Svalbard 's werelds hoogste alcoholconsumptie per hoofd van de bevolking kende, en hier was ik getuige van een praktijkdemonstratie. Jonge knullen gingen tekeer tegen barmeisjes om hun bestelling maar zo vlug mogelijk door te krijgen, meisjes gilden van het lachen om de pointes van moppen die ze onmogelijk verstaan konden hebben. Overal werd geduwd en met de ellebogen gewerkt, maar ik scheen de enige die daar een probleem van maakte. Ik begon gewoon te oud te worden om me in dit soort gelegenheden nog te kunnen amuseren. De chianti had me een lichte hoofdpijn bezorgd, maar ik had de energie niet om die te verdrijven door me te mengen in de darwinistische worsteling voor de bar.

Terwijl iedereen woest met de armen zwaaide op een nummer van The Cure, drong het in een flits tot me door wat er mis was met Longyearbyen. De studenten die voor slechts een jaar kwamen, de mijnwerkers die een belastingvrij appeltje voor de dorst bijeen spaarden om mee terug te nemen naar Noorwegen, de wetenschappers en avonturiers die kwamen en gingen: de hele stad was een vluchtig samenraapsel van wie er zich die week toevallig bevond, een plaats zonder ziel waar men uitsluitend samenkwam om zich te bezatten. Het deed me denken aan een campus met zijn periodieke wezenloze zuippartijen. Zelfs de mijnwerkers aan de bar zouden voor volwassen studenten kunnen doorgaan.

Om 03.30 uur hield ik het voor gezien en keerde terug naar het Funken onder een vrolijk zonnetje dat niets van doen had met het melkachtige licht van de dageraad dat je redelijkerwijs zou mogen verwachten.

Om 10.29 uur kwam ik mijn bed uit, en om 10.33 uur lag ik er weer in. Wat luistert alles toch nauw. Als het een 75-centiliterfles chianti was geweest, had ik me nu tegoed zitten doen aan een portie bacon van het ontbijtbuffet; maar het was een liter geweest, en mijn herseninhoud was momenteel veel te groot voor mijn schedel. Ik nam twee paracetamol in, terwijl ik me vaag afvroeg waarom iemand er ooit maar één van zou nemen, en ging weer onder zeil totdat ik om 14.00 uur door mijn telefoon gewekt werd. Het was Hilde, die me uitnodigde voor 'een bergwandelingetje'.

Een gratis wandeling in het gezelschap van aardige lui viel te prefereren boven een £50 kostende speurtocht naar fossielen met de norse oplichters van Svalbard Wildlife Services. Ik hoorde mezelf de uitnodiging accepteren.

Met vrijwel mijn gehele garderobe aan mijn lijf – twee paar handschoenen, gevoerd jack, corduroy broek, twee Fred Perry-truien – verliet ik het Funken. De ijskoude wind die van de gletsjer kwam, drong dwars door alles heen. Hier was mijn kleding duidelijk niet op berekend. Zelfs met een winddichte skibroek en een donzig hoofddeksel van Christian liep ik nog te klappertanden terwijl we voor het studentenhuis rondstampten. Het werd er niet beter op toen ik Christian nonchalant een groot geweer zag laden met vijf forse patronen. Studenten, goedkope alcohol en gemakkelijk verkrijgbare grootwildjachtgeweren leken me geen ideale combinatie, maar in elk geval schenen ze te weten wat ze deden. 'We oefenen hier allemaal een dag met het geweer,' zei Christian, terwijl hij zijn wapen opgewekt over zijn schouder hing. 'Ik maak me meer zorgen over jouw schoenen dan over een paar ijsberen. Heb je geen waterdichte schoenen?'

We gingen op weg over de steenslag, en moesten vrijwel meteen een flinke gletsjerstroom oversteken. Christian, die een steenbokachtige lichtvoetigheid tentoonspreidde, was er, gebruikmakend van de stapstenen, in twee sierlijke sprongen overheen. Ik liep stroomopwaarts op zoek naar een smallere oversteekplaats, en keek toe hoe de meisjes met de nodige aarzeling maar veilig de overkant bereikten.

'Kom op!'

Ik nam een lange aanloop en tot ieders verbazing slaagde ik erin de ijzige bruine stroom met één glorieuze sprong te bedwingen. 'Alsjeblieft. Niet slecht voor een ouwe man!' riep ik met een triomfantelijk gebaar.

'Nee, niet slecht,' riep Marte terug. 'Maar je moet nog wel een andere stroom over.'

Mijn triomfantelijke grijns verdween en maakte plaats voor een mismoedige zucht toen ik de vertakking van de stroom zag. Een minuut later, de tenen van mijn rechtervoet inmiddels vrijwel gevoelloos door kou en nattigheid, strompelde ik achter de anderen aan tegen de heuvelhelling op. Ik haalde ze in toen ze bleven staan staren naar een of ander nietig plantje dat tussen het steengruis door de kop opstak.

Dat was het patroon tijdens het volgende uur van onze trage beklimming. Zij verzamelden zich rond een minuscuul arctisch madeliefje, terwijl ik tegen achtergelaten blikjes schopte of steentjes gooide naar mijnkarretjes bij de ingangen van verlaten mijnen. Af en toe kwamen we langs het skelet van een rendier en dan viel hun Dufferineske wetenschappelijke nieuwsgierigheid samen met mijn Wilsoniaanse morbiditeit.

'We mogen rendieren schieten, op voorwaarde dat we de poten afsnijden en die bij een overheidsinstantie laten registreren,' zei Christian met een stralend gezicht. 'En als je nog twee weken langer blijft, is het tijd om papegaaiduikers te schieten.' Sympathiek aangeboden.

We baanden ons nu een weg in de richting van de vuilbruine korst aan de rand van de gletsjer. De wind ging zo tekeer dat er vrijwel niets anders te horen was. Dus toen Eline een hand bij mijn oor hield en iets schreeuwde wat schijnbaar verband hield met de door sneeuwstormen geteisterde Matterhorn waar ze met haar andere hand naar wees, nam ik aan dat ik haar verkeerd verstaan had.

'Daar naar boven?' riep ik ongelovig. Ze knikte. Terwijl we keken, verdween de met ijs bedekte granieten piek in een deken van wolken en sneeuw. Dit ging me toch net iets te ver. 'Op... deze schoenen?' schreeuwde ik wanhopig. Er werd even overlegd. Ten slotte riep Hilde: 'Je hebt gelijk. Op die schoenen is het te moeilijk.'

'Rotschoenen!' zei ik hoofdschuddend tegen mijn gidsen nadat we ons teruggetrokken hadden in een beschut dalletje.

'Jammer,' was Marte het met me eens. 'Maar in elk geval kunnen we zo dadelijk genieten van het uitzicht op Longyearbyen. Dat is heel bijzonder.'

Ik kwam er spoedig achter wat 'bijzonder' in deze context inhield.

Het ene moment bevonden we ons op een breed plateau dat bezaaid lag met achtergelaten bodemonderzoeksapparatuur, het volgende liepen we in ganzenmars over een anderhalve meter brede Grand Canyon-achtige bergkam die aan weerskanten eerst tientallen meters angstwekkend steil naar beneden liep alvorens over te gaan in een wat glooiender helling aan de voet waarvan zich Longyearbyen bevond, bijna 600 meter onder ons.

Tegen de tijd dat we de hoop losse leisteen bereikten die het eind van het begaanbare vlakke gedeelte van de richel markeerde, was ik zo duizelig dat ik me alleen nog maar voorovergebogen kon voortbewegen. 'Nou, dat is inderdaad een heel bijzonder uitzicht,' zei ik met redelijk vaste stem toen we stilhielden bij de wankele hopen losse steen die zich voor ons uit kronkelden.

'Ja, maar dat is niet het uitzicht waarvoor we gekomen zijn,' zei iemand, ik weet niet meer wie. 'We gaan naar het eind van deze richel.'

Dat was te veel voor me. 'Nee! Nee. Sorry. Daar kun je niet heen. Er is niets om op te staan of om je aan vast te houden – het is alleen maar afbrokkelend puin. Kijk dan! Jullie zijn toch wetenschappers – dit is een schoolvoorbeeld van erosie. Al die hopen leisteen zijn voorbestemd om af te brokkelen en neer te storten naar hun soortgenoten daarbeneden! Zie je wel?'

'We gaan.'

'Waarom? Kijk: daar ligt Longyearbyen! Zie je? Daarbeneden? Dit uitzicht is verdomme precies hetzelfde!'

'We gaan.'

Nou, ze gingen hun gang maar. Vier studenten komen om als stunt verkeerd afloopt. Als ze mij er maar buiten lieten. 'Oké! Ga gerust jullie gang! Ga maar! Ik zie jullie hier over een halfuur wel terug.'

'Best,' zei Christian. 'In dat geval geef ik jou het geweer.'

Hij haalde het van zijn schouder en stak het mij met de kolf naar voren toe.

'Dit is de veiligheidspal, deze handel moet je overhalen om te herladen. Niet meer dan één waarschuwingsschot, en... '

O, verdomme. Verdomme, verdomme, verdomme.

'Oké! Prima! Kom op! Laten we dan maar allemaal naar de verdommenis gaan, en als iemand het toevallig mocht overleven, zou ik graag willen dat mijn vrouw en kinderen te horen krijgen wat er zich hier precies heeft afgespeeld.'

Ik zou niemand de ellende toewensen die ik de daaropvolgende 45 minuten doorstond, behalve natuurlijk een aan elkaar geketende, naakte en geblinddoekte ploeg Teletextbonzen. De enige andere gelegenheid waarbij ik gedurende zo lange tijd de onafwendbare zekerheid van een naderende dood onder ogen heb gezien, was toen Birna en ik gingen roeien bij een eilandje voor de kust van Helsinki en 'in de problemen raakten' toen we door de stroming richting Oostzee dreigden af te drijven.

Maar dit was erger. Ik kon geen kant meer op. Om de paar stappen zette ik een trillende voet op een wiebelend stuk leisteen, waarop een kleine lawine van steentjes zich in de peilloze diepte stortte.

Christian huppelde nog altijd onbekommerd rond en vond het niet nodig zijn handen te gebruiken om steun te zoeken, maar de meisjes waren aanmerkelijk rustiger geworden. Terwijl we ons behoedzaam een weg baanden naar het uiteinde van de richel, lachten ze niet langer om mijn onbeheerste vocale uitbarstingen van paniek.

Ik slaagde er zelfs in terrein te winnen op de voor me lopende Eline. Maar dat bleek nou juist weer niet de bedoeling. 'We moeten een paar meter uit elkaar blijven,' had Marte gezegd, en ik zou spoedig begrijpen waarom.

Er lag een plat stukje leisteen ter grootte van een cd op een stuk rots waarop ik mijn voet wilde neerzetten. Ik wipte het weg met een natte schoen, een paarse schoen, een belachelijke schoen. Het viel omlaag, naar de richel anderhalve meter lager waar Eline haar volgende stap stond te overwegen, en kwam een stukje voor haar terecht. Totaal onverwacht brak er een flink stuk van die richel af en stortte zich vergezeld van een kleine lawine van los gesteente in de richting van Longyearbyen. Verbijsterd en met doodsangst in haar ogen keek ze naar me op.

'Waarom deed je dat?' piepte ze.

'Eh, sorry,' zei ik onbeholpen. 'Ik had niet... ik... sorry.'

Voetje voor voetje schuifelden we naar het uiteinde van de richel. Afschuwelijk duizeligmakende vergezichten op Longyearbyen ontrolden zich voor onze ogen toen we dicht tegen elkaar aan zaten in een soort uitholling van een vierkante meter boven een gapende diepte. Christian liet zijn benen over de rand bungelen terwijl hij peinzend op een McVitie's Digestive knabbelde waarvan ze, heel roerend, een pakje speciaal voor mij hadden gekocht. Ik begroef mijn gezicht in een rotsspleet, ervan overtuigd dat ik, zodra ik ook maar een deel van mijn lichaam zou oprichten, door de ijzige stormwind over de rand zou worden geblazen. 'Je bent misschien niet zo... extreem,' riep hij vriendelijk, terwijl hij kruimels uit zijn beatnikbaard veegde die over mijn hoofd heen de oneindigheid in werden geblazen. Dat adjectief zou ik in de loop van de komende dagen nog heel wat keren horen, meestal voorafgegaan door 'niet' en verwijzend naar mijn kleding, mijn fysiek en mijn karakter. Door je omgeving beschouwd te worden als 'extreem', wat zoiets als 'ruig' of misschien ook wel 'roekeloos' betekende, scheen de hoogste eer te zijn voor een student op Spitsbergen.

De wandeling over de gletsjer leek meer op het soort activiteit dat ik in gedachten had gehad. Hysterisch dankbaar dat ik nog in leven was, huppelde ik door de modder, waarbij ik af en toe bleef staan om de verbazingwekkende overvloed aan fossielen te bekijken. Op vrijwel elk stukje gesteente was de zwarte afdruk van een vijftig miljoen jaar oud varenblad te zien, met elke bladnerf haarfijn in het gesteente geëtst.

'Hier kun je zien hoe diep de gletsjer is,' zei Christian, terwijl hij bleef staan bij een soort draaikolkvormige opening waaronder zich een spiraalvormige gang in het zwarte ijs boorde. 'Alle studenten dalen 's winters in zo'n soort grot af.' Hij en ik pakten allebei een grote platte steen op en lieten die in de opening vallen. 'Pas op dat je niet uitglijdt,' zei Hilde. De opening was groot genoeg om een idioot op te slokken.

De stenen zoefden als bobsleeën door de eerste bocht en verdwenen uit het zicht. Zoef... schraap... zoef... stilte. Ik haalde mijn schouders op en draaide me om. Tien seconden later klonken er vanuit de opening twee gedempte dreunen.

'Jezus. Dalen jullie *daarin* af?'

'In de winter is het veilig. Maar nu moeten we goed oppassen voor spleten,' zei Christian.

Het deed er ook allemaal niet toe. Het was nu wel duidelijk: tel-

kens als het ernaar uitzag dat ik me in dit belachelijke oord misschien wel eens zou kunnen gaan amuseren, was er wel weer sprake
van een of andere levensbedreigende situatie. Overmand door vermoeidheid en angst, rondde ik het uitstapje af door uit te glijden in
hetzelfde stroompje waarin ik op de heenweg ook al een natte voet
had gehaald.

Ik bedankte mijn gidsen, wat ik toch wel heel beleefd van mezelf
vond, en strompelde terug naar het Funken in een toestand van
moegestreden verdoving. Daar wachtte me goed nieuws – een bericht dat ik de volgende dag de Sysselmann in hoogst eigen persoon
kon interviewen – en diep tragisch nieuws – de ontdekking dat ik tot
nog toe een 'door het hotel aangeboden lichte avondmaaltijd' misge-
lopen was. Maar in mijn uitgeputte toestand was mijn reactie in beide gevallen hetzelfde, namelijk een nauwelijks merkbaar het-zal-me-
een-zorg-wezen schouderophalen.

Pas toen ik de gordijnen van mijn kamer opentrok, voelde ik weer
iets van emotie. De bergkam die we beklommen hadden, Sarkofa-
gen, zag er hiervandaan afschuwelijk ongenaakbaar uit. Zelfs vanuit
mijn bed kon ik de onmogelijk steile rotswanden en de pieken en spleten onderscheiden, en terwijl ik wegdoezelde, nam ik me heilig voor
om nooit, maar dan ook nooit meer met Noren te gaan wandelen.

De volgende dag was er geen melk bij het ontbijt, niet in het Funken,
nergens. Net als al het andere wordt ook de melk per vliegtuig aan-
gevoerd, en de vlucht was afgelast. Opnieuw werd het vernislaagje
van Spitsbergens gekunstelde beschaving genadeloos blootgelegd. Een
paar weken aanhoudend slecht weer en alle bewoners zouden veranderen in grommende roofdieren.

In een niet bij de gelegenheid passende gelouterde gemoedsgesteldheid ging ik met mijn geteisterde lijf op weg naar mijn afspraak
met de Sysselmann, terwijl ik me zo goed mogelijk probeerde in te
stellen op de ongebruikelijke uitdaging iemand te interviewen met
geleende teenslippers aan mijn voeten.

Notulen van een gesprek tussen Anne-Kristin Olsen, Sysselmann
van Svalbard, en Timothy Moore, hansworst, Longyearbyen, Spits-
bergen, 11 augustus 1997, 12.04 uur.

Mr Moore begon met te vragen hoeveel mijnwerkers er in Longyear-byen waren. Ms Olsen antwoordde dat er 210 mijnwerkers in Long-yearbyen waren. Vervolgens rommelde Mr Moore geruime tijd in wat papieren die hij bij zich had. Ms Olsen begon over haar neus te wrijven en uit het raam te kijken. Mr Moore begon iets te zeggen, zweeg toen, keek weer in zijn papieren, en vroeg na enige tijd of het waar was dat Spitsbergen 's werelds hoogste alcoholgebruik per hoofd van de bevolking kende. Ms Olsen keek Mr Moore recht in de ogen en vroeg of hij misschien Svalbard bedoelde. Hij verontschuldigde zich en zei dat hij dat inderdaad bedoelde. Ms Olsen antwoordde dat dit beslist niet het geval was. Het maandelijkse rantsoen, zei ze, be-stond uit slechts één liter sterke drank. Mr Moore zei dat het, naar hij vernomen had, twee liter was. Ms Olsen antwoordde dat dit niet het geval was. Hoe stond het met het bier, vroeg Mr Moore. Ms Ol-sen gaf met een wuivend handgebaar toe dat er mogelijk ook wel wat bier gedronken werd. En de wijn, zei Mr Moore. Op dat punt glimlachte Ms Olsen, richtte haar blik op de teenslippers van Mr Moore en trok haar wenkbrauwen lichtjes op. Mr Moore slikte en bevochtigde zijn lippen. Vervolgens vroeg hij of het toerisme de plaats van de mijnbouw overnam als Spitsbergens voornaamste bron van inkomsten. Ms Olsen vroeg of hij misschien Svalbard bedoelde. Hij antwoordde dat hij dat inderdaad bedoelde. Zij adviseerde hem de richtlijnen te raadplegen die in het meest recente beleidsdocument waren opgenomen. Mr Moore vroeg of het idee van georganiseerde wildernisexcursies geen contradictio in terminis was. Ms Olsen ad-viseerde hem de richtlijnen te raadplegen die in het meest recente beleidsdocument waren opgenomen. Daarna vroeg Mr Moore of het ijsbeergevaar niet overdreven werd om het op eigen houtje rond-trekken te ontmoedigen. Ms Olsen adviseerde hem te rade te gaan bij de vele gezinnen die een dierbare verloren hadden ten gevolge van een ijsbeeraanval.

Mr Moore mompelde iets onverstaanbaars. Ms Olsen vroeg hem om dat hardop te herhalen. Mr Moore zei dat, naar hem verteld was, de positie van de Sysselmann in feite die van een dictator was. Ms Olsen legde haar handen plat op haar bureau en boog zich voorover. Ze staarde Mr Moore gedurende enige tijd aan, leunde toen weer achterover en richtte haar blik op het raam. Ze kon de houding van sommige inwoners niet begrijpen, zei ze. Haar functie kwam voornamelijk neer op het instandhouden van de Noorse soevereiniteit over Svalbard, zei ze. Die was vastgelegd in het verdrag van 1920. Dat er hier überhaupt mensen woonden, was uitsluitend omdat de regering dat wilde. De regering was eigenaar van het mijnbouwbedrijf en stelde daar mensen tewerk op basis van een tijdelijk arbeidscontract, zei ze. En nu de mijnbouw ten einde liep, had de regering besloten dat haar werknemers op Svalbard eraan zouden meewerken om van Svalbard een winstgevende wildernis te maken. Maar niet zomaar een wildernis. Dit zou de best georganiseerde wildernis ter wereld worden, zei ze. De toegang zou aan strenge regels worden gebonden. Maar sommige inwoners konden dit niet begrijpen. Onderwerp de toeristen maar aan regels, zeiden ze, maar niet ons. Dat waren de mensen met de grootste mond, zei Ms Olsen, degenen die zelf meer macht wilden, die vergaten dat ze alles te danken hadden aan de regering, die 400 miljoen kronen per jaar uittrok om hen daar te houden. Maar ze waren niet tevreden. Sommige mensen waren nooit tevreden, zei ze. Dan eisten ze tijdens hun gemeenteraadsvergaderinkjes meer macht voor het plaatselijke bestuur, maar beseften ze dan niet dat ze werknemers waren? Geen burgers, werknemers, zei ze. Ik heb zelfs aangeboden om hen de openingsuren van de plaatselijke hotelbars te laten vaststellen, maar dat was niet genoeg. Niet voor hen. Voor hen was het nooit genoeg, zei ze. Ze praten wel, maar ze denken niet, zei ze. Hoe zou een onbeduidende Noorse gemeenteraad een stad vol Russische burgers kunnen besturen? Ik ben het hoofd van de politie, zei ze, ik ben verantwoordelijk voor het handhaven van de soevereiniteit. Ze nemen mij mijn macht niet af.

Na even gezwegen te hebben, keek Ms Olsen Mr Moore weer aan. Na enig gekuch vroeg hij waarom de steunmasten van de oude kabelbaan die door de hele stad verspreid stonden, nog altijd niet weggehaald waren. Ms Olsen slaakte een diepe zucht en antwoordde toen dat alle bouwsels die van vóór 1946 dateerden, een beschermde status genoten als deel van het industriële en culturele erfgoed van Spitsbergen. Svalbard, zei Mr Moore. Ms Olsen glimlachte, kwam toen overeind, liep naar de deur, en hield die open. Mr Moore bedankte haar voor haar tijd en vertrok, nadat hij een teenslipper had opgepakt die van zijn voet gegleden was.

Nadat ik mijn schoenen weer aangetrokken had, liep ik naar buiten en kwam terecht in een zo hevige storm dat ik bijna mijn ribben kon zien door vier lagen kleding heen. Nou ja, dacht ik, ik kan het haar eigenlijk ook niet kwalijk nemen. Als ik een hoge ambtenaar in het knusse Oslo geweest was die plotseling hier gestationeerd werd, zou ik óók alles persoonlijk opvatten. Maar het was jammer dat mijn poging om, net als Dufferin, opgenomen te worden in de kring van plaatselijk hoogwaardigheidsbekleders, op een zo vernederende mislukking was uitgedraaid. Die geweldige zwelgpartijen kon ik wel vergeten. Ik had verdomme niet eens een kop koffie gekregen.

Met toegeknepen ogen en voorover leunend tegen de storm in, vocht ik me een weg naar de supermarkt, waar ik tevergeefs naar souvenirs zocht te midden van de blikjes gedroogd rendiervlees en de tandenborstels in de vorm van een drijvende ijsbeer, om vervolgens weer op weg te gaan naar het Funken. In mijn badkamerspiegel zag ik dat de wind een keurig stroompje tranen vanuit beide ooghoeken naar de bovenkant van beide oren had geblazen, en dat zich op deze vochtige ondergrond, evenals in het vocht in mijn oogkassen, minieme deeltjes steenkoolgruis en verpulverd fossiel gesteente hadden vastgezet, zodat het leek alsof iemand een soort clownsbril op mijn gezicht geschilderd had. Geweldige grap, geweldig oord, dacht ik bij mezelf terwijl ik me installeerde om uren- en urenlang naar beroerde televisieprogramma's te kijken.

Ik begon een zekere routine te ontwikkelen. Uitgebreid ontbijt naar binnen werken, schoenen aantrekken, naar supermarkt lopen, ongezonde levensmiddelen voor tussen de middag kopen en daarmee fles wijn onder in mandje bedekken maar vergeten souvenirs te kopen. Schoenen uittrekken, gebouw van overheidsinstantie betreden in poging interessante brochures te vinden maar te horen krijgen dat iedereen met vakantie is. Schoenen aantrekken, teruglopen naar het Funken, schoenen uittrekken, aan souvenirs denken, schoenen aantrekken, naar supermarkt lopen, in vredesnaam dan maar tandenborstels in de vorm van een drijvende ijsbeer en blikjes rendiervlees kopen, terug naar het Funken, schoenen uit, lichte avondmaaltijd, schoenen aan, studentenhuis, schoenen, wijn, schoenen, hotel, schoenen, bed.

Maar de routine slaagde er geen moment in de lelijkheid en geest-
dodendheid van Longyearbyen te maskeren. Op een ochtend viel het
me op dat de straten nummers in plaats van namen hadden. Je woont
in een gebouw dat eruitziet als een kantoor van de sociale dienst op
stelten met een betoverend uitzicht op de nasleep van de War of the
Worlds, en dan luidt je adres Weg 12, nummer 17.

Geen wonder dat iedereen tijdens de zomer maakt dat-ie weg-
komt, dacht ik terwijl ik mijn schoenen uittrok in de verlaten hal
van weer een andere gemeentelijke instantie, ditmaal op zoek naar
de kaartenwinkel van het Noors Poolinstituut. Tot mijn grote verbazing was de winkel open. Tot mijn iets minder grote verbazing bleek
hij bemand door Christian.

Hij was niet verbaasd toen ik hem vertelde over mijn nogal verwarrende ontmoeting met de Sysselmann. 'Ze is niet zo populair.
Sommigen vinden dat ze... met haar neus in de lucht loopt.' Daar
kon ik me wel iets bij voorstellen. Met haar onberispelijke zilvergrij-
ze kapsel en haar houding van een walkure straalde ze een bepaalde
zakelijke heerszuchtigheid uit. 'Maar ik voel met haar mee. Mensen
in Noorwegen – vooral kranten – zeggen dat het te duur is om Svalbard op de oude manier te besturen. De Russen vertrekken, dus waarom zouden wij nog langer blijven? Maar ze moet zich aan het verdrag houden, en het hoofd bieden aan bepaalde mensen in Longyearbyen die meer macht willen... het is moeilijk. Je moet niet vergeten
hoe snel alles hier veranderd is.'

Dat was zeker waar. Tot 1984, toen er een satellietontvanger werd
geïnstalleerd, had Longyearbyen niet eens live-televisie gehad. Voor
die tijd hadden ze zich moeten behelpen met videobanden van programma's die twee weken eerder in Noorwegen uitgezonden waren.

Maar nu is alles in een stroomversnelling terechtgekomen. Kassa's met laserscanners in de supermarkten, geldautomaten, 's werelds
noordelijkste fotowinkel met éénuursservice. Meer dan elders leek
al deze technologie hier een wanhopige poging van de mens om zijn
superioriteit over de Moeder aller Naturen te bewijzen.

Ik graasde de planken af en vond een onwaarschijnlijk uitgebreid
boekwerk over Jan Mayen, met daarin een boeiende foto van zeven
bebaarde technici die naakt de branding van de Noordelijke IJszee in
holden, ongetwijfeld achter een verdwijnende Hercules vol vrouwen

en vriendinnen aan. Er was ook een chronologische lijst van landingen, die bevestigde dat Dufferin de enige was geweest die er tussen
1818 en 1861 voet aan land had gezet.

Terwijl ik in gedachten verzonken de kaartenmolen rond liet
draaien, viel mijn oog plotseling op een groot en me bekend voorko-
mend lepelvormig eiland. Het was de eerste echte kaart van Jan Mayen
die ik onder ogen kreeg, en toen ik de kustlijn nauwkeurig bekeek,
ontdekte ik op de noordoostelijke kust een vertrouwde naam. *Clandeboye bukta*. Ik was verbijsterd. En jaloers. Dufferin had het dan
toch maar voor elkaar gekregen. Hij wijdt er slechts een terloops commentaar aan: 'We verzamelden wat geologische specimina, en nadat
we de inham "Clandeboye Creek" gedoopt hadden, liepen we terug
naar de sloep.' Vervolgens wordt op een of andere manier geregeld
dat generaties cartografen die naam noteren naast de plek waar je
een halfuurtje hebt rondgesnuffeld.

Met ontzag vervuld kocht ik twee exemplaren van de kaart – een
voor Clandeboye, een voor mezelf – en een exemplaar van de poster
met de ijsberenwaarschuwing, een aankoop waarvan Christian zo
opgewonden raakte dat hij aparte nota's in drievoud uitschreef en
me uitnodigde om in het studentenhuis waar hij en Marte woonden
een diapresentatie bij te wonen.

Het is niet best als iemand die nog niet eens geboren was toen
Marc Bolan overleed, jou verre de baas blijkt te zijn. Hij was niet
alleen langer en fitter dan ik, maar hij overtroefde me ook op alle
mogelijke andere gebieden. Alle opnamen die Christian gemaakt had,
zelfs die waarop alleen maar stomme plantjes te zien waren, over-
troffen qua scherpte, compositie en het ontbreken van gehandschoen-
de vingers mijn eigen amateuristische producten. Bekwaamheid op
het gebied van de fotografie kon nu toegevoegd worden aan zijn steeds
langer wordende lijst talenten: een natuurlijke vertrouwdheid met
groot kaliber vuurwapens; het zwierig en onbevreesd beoefenen van
de bergsport; de kunst om tegelijkertijd twee bierdopjes te verwijderen door de kartelranden onder elkaar te haken en dan te trekken. Met
mij was het alleen nog maar bergafwaarts gegaan sinds ik 8.200.000
punten scoorde met Missile Command. In 1986. Toen hij acht was.

Uit zijn dia's bleek ook, zoals ik al vermoed had, dat Spitsbergen
er in de winter – of althans in het voorjaar – heel anders uitzag: niet

langer als een soort open riool. Toen de zon in maart weer was teruggekeerd, hadden Christian en een paar vrienden een expeditie per sneeuwscooter over de bevroren fjorden ondernomen, en zijn fotografisch verslag daarvan toonde een landschap dat een complete gedaanteverandering had ondergaan. Verdwenen was de geologische vuiligheid, bedekt onder een dikke laag ongerepte sneeuw. Spitsbergens geelgetande, kwaadaardige grijns was gemetamorfoseerd tot een stralende filmsterrenglimlach.

Dit moet een van de weinige plekken ter wereld zijn waar men zich in de winter gemakkelijker kan verplaatsen dan in de zomer. Het snelheidsrecord voor sneeuwscooters staat hier op 212 kilometer per uur, en de dia's toonden Christians sneeuwscooterploegje op hellingen die er aanmerkelijk afschrikwekkender uitzagen dan de helling die we de vorige dag beklommen hadden (en die nu door de studenten met loodzware ironie de Timtoppen werd genoemd), waarbij ze af en toe waren gestopt om te poseren bij verlaten pelsjagershutten waar delinquente ijsberen hadden huisgehouden, getuige de klauwsporen op deuren en wanden.

'Er zat een beer op het dak van een hut waarin we sliepen. We horen hem bewegen, en we zijn een beetje bang, want een beer kan een hut vernielen alsof hij van lucifershoutjes is gemaakt. Dus ik ga naar buiten en steek een paar fakkels aan en hij verdwijnt.'

Er waren ook dia's van een trektocht die Christian en Marte ondernomen hadden nadat de sneeuw verdwenen was, over de Isfjord en via een paar ruige pieken naar Grumantbyen, een mijnstadje dat in 1962 door de sovjets verlaten was.

De dia's toonden rijen sleutels voorzien van labels met cyrillisch schrift, tafels met keurig aangeschoven stoelen in grote slaapzalen met afsluitbare kasten langs de wanden, schoenen nog onder de bedden. Het was er allemaal. De geesten van een politiek en economisch fiasco, de ideologische begraafplaats, het koude oorlog-themapark vereeuwigd in de permafrost.

'Laten we daarheen gaan,' flapte ik eruit.

'Over de bergen?'

'Nee... ik dacht meer om de bergen *heen*.'

'Onmogelijk. De klippen lopen tot aan de zee.'

'Tussen de bergen door?'

'Om tussen de bergen door te gaan, moet je er eerst overheen,' zei Christian. Hij klonk als Grasshoppers leermeester in *Kung Fu*.

Er verscheen een volgend beeld op het laken dat over hun Björk-posters was gespannen. Een verwaaide Marte hing aan het lemmet van een vijf meter hoge hamer en sikkel die uit steigerpalen opgetrokken was en die op het strand van Grumantbyen stond weg te roesten, de handvatten van hamer en sikkel ingeklemd tussen bergen assen van mijnkarretjes. Ik maakte een geluid als van een gefrustreerde kleuter.

'Goed. Heb je ooit wel eens in een kleine, snelle boot gezeten?' vroeg Marte op een eigenaardig beschuldigende toon, als een vertwijfelde openbare aanklager tijdens een showproces. 'Het Poolinstituut heeft een zodiac en een paar overlevingspakken. Misschien kunnen we overmorgen gaan.'

Dat zou mijn laatste dag zijn. Ik stemde bijna gretig toe.

'Dus dan kunnen we morgen,' vervolgde ze, 'nog een berg beklimmen.'

De volgende ochtend was er geen water. Geen warm water, geen koud water, helemaal niets. 'Dat gebeurt misschien eens per maand,' zei de receptioniste opgewekt. Om 10.00 uur hadden we weer water, maar het was iets grijsbruiner dan me lief was. Iemand had me verteld dat de bovengrondse riolering vlak naast de bovengrondse hoofdbuis van de waterleiding liep. 'Nee, heus waar,' lachte de receptioniste toen ik weer belde. 'Het is nu absoluut in orde. Het is alleen maar wat gruis.'

Gedurende de volgende paar minuten verdriedubbelde de hoeveelheid gruis. Helaas bracht ik die minuten door onder de douche. Tegen de tijd dat ik erin slaagde de kraan dicht te draaien, was ik onbarmhartig gegeseld door een waterkanon annex zandstraler waar de oproerpolitie jaloers op geweest zou zijn.

Blindelings tastte ik naar de handdoek, en nadat ik mezelf had afgedroogd, deed ik een stap achteruit om de schade in ogenschouw te nemen. De douchebak lag vol zwart gruis. Dezelfde substantie bedekte mijn hele lichaam dat, naar ik me plotseling realiseerde, daaronder helemaal purperbruin geraspt was door de ongevraagde gravelmassage. Mijn ogen prikten. De handdoek zag eruit alsof hij gebruikt was om er een locomotief mee schoon te vegen. En het enige wat ik had om mezelf mee af te spoelen was sinaasappelsap.

Ik was niet de enige. De ontbijtzaal zat vol met gasten die met gruis bespikkeld waren, het wit van hun ogen onnatuurlijk helder. Ze zagen eruit als de overlevenden van een mijnramp. Elke keer als er mensen gingen zitten, vertrok hun gezicht tot een grimas. En ik moest een berg gaan beklimmen.

Wijs geworden door mijn onwaardige gestuntel van de vorige dag, kozen de studenten voor een minder zware beklimming in de buurt van de fjord. We hadden nog altijd een geweer bij ons, we klauterden nog altijd tegen hoge steenmassa's op die bezaaid lagen met de getuigenissen van recente bottenverbrijzelende steenlawines, maar er waren tenminste geen gletsjerspleten of peilloze afgronden. Ik zweette als een otter, waardoor het grootste deel van het gruis op mijn lichaam al spoedig afgevoerd werd naar het wat minder onbehaaglijke gebied van mijn sokken. Na een uur bereikten we een afgeronde top, misschien tweehonderd meter boven Longyearbyen. De zon kwam tevoorschijn en voor de eerste en enige keer bekeek ik het panorama met iets van genegenheid.

Het had de afgelopen nacht gesneeuwd in de bergen, waardoor ik een indruk kreeg van de majestueuze pracht die dit oord in het voorjaar tentoon zou spreiden. Door de zon viel elke oneffenheid te onderscheiden op de oeroude flanken van de pieken aan de horizon. Toch, zei Marte, lagen die op meer dan 100 kilometer afstand. De gletsjers blonken oogverblindend.

Rondom ons heen op het plateau bevonden zich blikopeners en oude sardineblikjes naast stukken kabel en ijzeren wielen. Ik vroeg me af hoeveel Engelse, Nederlandse en Noorse mijnwerkers hier gezeten hadden, neerkijkend op hun eenzame tijdelijke thuisland. 'Weet je, Lars, op een dag als vandaag kan ik me bijna voorstellen dat ik me niet elke avond hoef te bezatten, terwijl ik me afvraag wat ik in jezusnaam misdaan heb om veroordeeld te zijn tot dit oord.' Waarop Lars zou mompelen: '*Tre man i en båt.*'

Ik keek weer naar de pieken in de verte. In het zonlicht vertoonden ze een merkwaardig dieproze, bijna purperachtige tint. Mauve? Nee, lichter. Toen besefte ik plotseling dat ze ontegenzeggelijk lila waren, en ik slikte toen ik me de laatste bladzijden van *Helen's Tower* herinnerde die ik de vorige avond gelezen had.

Januari 1901 was geen geweldige maand voor Dufferin. Twee weken na zijn confrontatie met de aandeelhouders van het failliete London & Globe overleed zijn koningin; nadat hij haar begrafenis had bijgewoond schreef hij aan zijn echtgenote over 'die arme lieve Dame die vijftig jaar lang zo'n goedgezinde vriendin voor me was.' En ten slotte vernam hij eind januari per telegram dat zijn oudste zoon, de Graaf van Ava, gesneuveld was tijdens de Boerenoorlog.

Uitgeput, bijna blind en lijdend aan 'gastrische ontsteking' keerde hij terug naar Clandeboye. Op 18 januari 1902 wierpen de artsen de handdoek in de ring en Dufferins nog in leven zijnde kinderen werden naar Clandeboye ontboden; daar brachten ze hun dagen door met het terugsnoeien van bomen om hem uitzicht te bieden op Helen's Tower. Hij overleed in de vroege ochtend van 12 februari, op zesenzeventigjarige leeftijd.

Drie dagen eerder had hij een brief gedicteerd aan de premier, Lord Salisbury. Nadat ik die gelezen had, besefte ik dat ik, niettegenstaande al die aanmatigende onvermoeibaarheid, al dat hypocriete leedvermaak ten koste van Wilson, al die Latijnse oraties, Dufferin nooit zou kunnen haten.

Nu ik, zoals de artsen schijnen te geloven, op mijn sterfbed lig, wens ik u, nu ik nog helder van geest ben, mijn ontslag aan te bieden als Kanselier van de Royal University of Ireland, en als Gouverneur van het Graafschap. Ik veronderstel dat onder de gegeven omstandigheden, gezondheidsproblemen als een geldig excuus zullen worden beschouwd.

Terwijl ik een brok ter grootte van een tennisbal in mijn keel voelde, wierp ik een blik op de roestende industriële overblijfselen uit de tijd van Koning Edward en bracht in stilte een heildronk uit op Frederick Temple Hamilton Temple Blackwood, Baron Dufferin, Baron Dufferin en Clandeboye, Graaf van Dufferin en Burggraaf Clandeboye, Markies van Dufferin en Ava, Graaf van Ava, Privy Councillor, Knight of St. Patrick, Grand Cross of the Bath, Knight Grand Commander of the Order of the Star of India, Knight Grand Cross of the Order of St. Michael & St. George, Knight Grand Commander of the Order of the Indian Empire, Doctor of Civil Law, Doctor of Laws, Fellow of the Royal Society, Gouverneur-Generaal van Canada, Ambassadeur aan de Hoven van Rusland, Turkije en Italië, Ambassadeur in Frankrijk, Onderkoning van India, Gouverneur van de Cinque Ports, Vice-Admiraal van Ulster, Commissaris der Koningin en Custos Rotulorum van het Graafschap Down, Vrederechter.

Het was afschuwelijk om te bedenken welke vernederingen deze wijze en eerzame oude man te verduren had gekregen, geslachtofferd op het altaar van de handelsgeest, een eminent Victoriaan voor wie in een nieuw tijdperk, een nieuwe eeuw, geen plaats meer was. Hij had zijn fortuin verloren aan de nieuwe aristocratie, de geldadel met zijn stinkende fabrieken die hij door zijn reizen naar het noordpoolgebied en India trachtte te ontvluchten. Maar uiteindelijk hadden ze hem toch te pakken gekregen, hem hun wereld binnengelokt, hem een rad voor ogen gedraaid, hem al zijn geld afhandig gemaakt. Ik bedacht dat hij net zozeer slachtoffer was als de mijnwerkers die zich hierheen hadden laten verschepen – allen, uit welke maatschappelijke klasse dan ook afkomstig, hadden zich laten bezwendelen door de gladde praatjes van het nieuwe geld.

En hij had zijn eigen zoon verloren aan het Imperium dat hij mee had helpen opbouwen, maar dat inmiddels aan het begin stond van een vernederende honderdjarige aftocht. Zijn eigen imperium, de Dufferindynastie, zou langzaam mee ten onder gaan. Tegen het jaar 1930 hadden oorlog en ziekte een einde gemaakt aan het leven van allevier zijn zoons; Clandeboye raakte in verval en werd een muf en schimmelig mausoleum met in elk vertrek emmers om de waterdruppels op te vangen. Lindy, de echtgenote van de achterkleinzoon van mijn Dufferin, had het landgoed en het financiële beheer ervan weer op orde gekregen, maar toen haar echtgenoot overleed zonder een erfgenaam te verwekken, stierf de naam Dufferin samen met hem uit.

We daalden via een steile helling af naar een vallei, waarbij de anderen om de paar minuten even op me bleven wachten terwijl ik me voorzichtig in hun kielzog een weg naar beneden baande.

'Zijn Britse mensen niet extreem?' vroeg Marte nadat ze weer een flinke tijd op me hadden staan wachten. Terwijl ik hulpeloos glimlachte, realiseerde ik me dat Wilson gewonnen had. De onverschrokken grandeur van Groot-Brittanniës Dufferins ging samen met het

Britse Rijk ten onder; we heersten nu alleen nog maar over Tristan da Cunha en Rockall, en de enige bijpassende nationale eigenschappen waren een continu gemopper en geklaag en een defaitistisch cynisme. Wilson: the choice of a new generation. Niet bepaald een troostrijke gedachte.

We kwamen uit in de buurt van het Funkenhotell, en vandaar liepen we onder een steeds helder schijnende zon vrolijk zingend terug naar Nybyen, waar we zouden barbecuen. Bij die activiteit bleek weer eens duidelijk de oppervlakkigheid van de zomerse façade van dit oord. Het was zo koud dat de flessen chianti die we een halve meter bij het loeiende vuur vandaan hadden gezet om ze snel op temperatuur te laten komen, glinsterden van de ijzige condens. Zodra de zon achter de gletsjer verdween, leek de vallei honderden meters te verzinken en de bergen doemden weer onheilspellend rond ons op.

Even na middernacht kwam er een eenzame student met een geweer over zijn schouder uit een aangrenzend studentenhuis en ging op weg naar de voet van de gletsjer. 'Hij gaat de berg op,' zei Christian.

'*De* berg? Die op de Matterhorn lijkt?' Hij knikte. 'In zijn eentje? Om middernacht?' Hij haalde onverstoorbaar zijn schouders op. Ik had op het punt gestaan te vragen wat voor soort student er vrijwillig voor zou kiezen hier een jaar lang door te brengen, maar dat leek me nu vrij zinloos. *Dat* soort. *Jouw* soort. Of kettingrokende albino's met hooikoorts.

Dus in plaats daarvan kreeg ik Zweedse moppen te horen en ik werd gedwongen iets terug te doen in de vorm van het meerdere malen uitspreken van het woord 'Hurtigrute', totdat de vallei weergalmde van Noorse vrolijkheid. Er werd nog meer windgekoelde wijn gedronken, en ten slotte besloot ik dat het juiste moment was aangebroken om de 'ijspegels aan mijn snor'-mop maar weer eens uit de kast te halen. En zo kwam het dat de avond eindigde in totale verwarring, en ik beschaamd terugsloop naar het Funken over een recent geasfalteerd voetpad dat schuilging onder het sneeuwslik.

'Ja... het is een buitengewone huwelijksreis geweest,' zei het al wat oudere charmeurstype zalvend tegen de receptioniste. 'Dat kun je wel zeggen, ja,' zei zijn veel te jonge kersverse echtgenote op vlakke toon.

'Zo *anders*.' Zo anders dan een normale, romantische huwelijksreis, zei haar toon. 'We hopen u nog eens te mogen begroeten,' kweelde de receptioniste, maar geen van beiden kon méér opbrengen dan een dapper glimlachje en een beleefd knikje.

Jezus. Ik had niet eens geweten dat er nog andere Engelse gasten waren, wat mijn eigen schuld wel zou zijn omdat ik altijd pas elf seconden voor het verstrijken van de deadline in de ontbijtzaal verscheen. Tegen de tijd dat ik mijn haringpap omroerde, waren die twee er waarschijnlijk al op uit om... wat? Wat zouden ze zich in hun hoofd hebben gehaald? Alsjeblieft, mensen, ga alsjeblieft niet naar Spitsbergen op huwelijksreis. Vooral niet in de zomer. Het uitbaggeren van een containerhaven zou nog romantischer zijn.

Terwijl zij gretig naar hun wachtende taxi holden, begaf ik me naar de receptie om mijn rekening te voldoen, me afvragend welke vriendelijke woorden de receptioniste voor mij in petto zou hebben. Maar voor ze de kans had om te zeggen: 'Hallo, allemaal, die meneer met die stinksokken die ingeblikte troep eet op zijn kamer en denkt dat we alle lege wijnflessen in de klerenkast niet hebben gezien, dondert eindelijk op!', verraste ik mezelf door er alle twijfels en vragen uit te flappen die zich anderhalve week lang aan me opgedrongen hadden. 'Woont u hier? Waarom woont u hier? Waarom woont hier überhaupt iemand? Is het mogelijk dat iemand dit oord ooit als thuis beschouwt?'

Maar ik kwam niet veel dichter bij de waarheid. De antwoorden die ze me gaf waren respectievelijk: 'Nee, ik werk hier alleen maar in de zomer'; 'Ik woon hier dus niet'; 'Dat zou u moeten vragen aan mensen die hier wonen'; en 'Hoe wenst u de rekening te voldoen, Mr Moon?'

Noorwegen was zo ronduit aantrekkelijk; Spitsbergen was zo ronduit afschuwelijk. Bovendien was er niets wat Spitsbergen te bieden had – sneeuw, bergen, een vrijwel totaal isolement, noorderlicht, fjorden – dat niet ook ergens langs de eindeloze kustlijn van het vasteland aangetroffen kon worden. 'Spitsbergen – Rijk van de IJsbeer en de Goedkope Sigaret' zou de enige eerlijke samenvatting zijn van de unieke attracties van de archipel, en ik kon me nauwelijks voorstellen dat potentiële emigranten zich daardoor over de streep zouden laten trekken.

Ik had het de studenten gevraagd. Ze hadden gezegd dat je er in maart moest zijn om het te begrijpen. Na het zien van Christians dia's kon ik me daar wel iets bij voorstellen. Evengoed schenen de eindeloze maanden van sneeuwslik en duisternis me een hoge prijs toe voor de paar korte weken dat dit luisterrijke sneeuwlandschap oplichtte. Nog altijd geen stap dichter bij de oplossing van dit vraagstuk, liet ik mijn bagage achter bij de receptie en ging voor de laatste keer door de sneeuwbrij op weg naar Nybyen, tussen de troosteloze behuizingen van de Wegen 4-9.

Christian arriveerde bij het studentenhuis in een Suzuki stationcar die hij van het Poolinstituut had geleend. 'De vooruitzichten zijn slecht,' zei hij terwijl ik me schaamteloos tegoed deed aan de inhoud van de koelkast. Vreselijk hoe snel ik me weer als student was gaan gedragen, of althans als Engelse student. Het snaaien van andermans levensmiddelen uit een gemeenschappelijke koelkast scheen niet alleen de gewoonste zaak van de wereld maar zelfs verplicht. 'Mmthhmmpluth?' sputterde ik door een mondvol cocktailworst en augurk.

'Er staat een harde wind. Misschien kunnen we er niet op uit met de zodiac.'

Het was over vieren, en de Nordstjernen vertrok om middernacht. Plotseling kwam het idee om niet naar Grumantbyen te gaan in een kleine boot over een stormachtige zee, me buitengewoon verstandig voor.

'Nou ja, daar is het nu toch al te laat voor,' zei ik, terwijl ik mijn mond afveegde aan een theedoek.

'O nee, er is nog tijd genoeg,' zei Christian, en ik realiseerde me te laat dat ik hem een uitdaging had bezorgd.

Een uur later stond ik als een mummie verpakt in een felgekleurd overlevingspak met '*Norsk Polarinstitutt*' op de rug, op een sintelstrand in de buurt van een autokerkhof annex kolensteiger. Christian zag er in zijn pak uit als Action Man; ik had meer weg van het Michelinmannetje. Een met rubber geïmpregneerde monnikskap sloot zich verstikkend rond mijn keel, als een uit een rubberlaars vervaardigde col, en mijn lichaam dreigde door te zakken onder het belachelijke volume en gewicht van het geheel. Toen ik het aantrok, was mijn broek blijven haken achter de binnenrand van de geïntegreerde lieslaarzen, en had zich als een corduroy luier om mijn lendenen geplooid. Ik kon me niet bukken of omdraaien, en als ik liep leverde dat een groteske karikatuur op van een Frankensteinachtig loopje als ik mijn beide rugzakken droeg.

Van de anderen leek alleen Eline zich niet helemaal op haar gemak te voelen toen we de felrode drie meter lange rubberboot schommelend en knarsend en piepend naar de kalme fjord droegen. Christian stapte zonder enige aarzeling het water van de Noordelijke IJszee in en stouwde onze gebruikelijke excursie-uitrusting – volkorenbiscuits, reservesokken, groot kaliber jachtgeweer – onder een rubberzeil dat de boeg bedekte.

'Wel wat krap,' riep ik door de sjaal die in bandietenstijl rond mijn gezicht gebonden was. 'Wat zeg je?' 'Er is niet veel plek om te zitten.' Drie paar ogen keken me aan van boven sjaals. Ik herkende die blik maar al te goed. Het was een blik die zei: 'Jezus, komt er dan nooit een eind aan die stompzinnige opmerkingen van jou, stomme ouwe buitenlander?'

Het werd me gauw genoeg duidelijk. Nadat ik me uiterst onelegant in de boot had laten rollen met een lachwekkend rubberachtige plof en ik met de nodige moeite overeind was gaan zitten, realiseerde ik me dat er uiteraard geen sprake van was dat we in de boot konden zitten. Nee, nee, nee. Het meest geschikte type boot om de Noordelijke IJszee mee op te gaan is overduidelijk een klein rubberbootje waarin je op de rand moet gaan zitten met slechts een touwlus om je aan vast te houden. Natuurlijk. Het leek zo voor de hand liggend nu ik erover nadacht.

Christian en Marte zaten achterin – of liever gezegd achterop – om de buitenboordmotor te bedienen; Eline nam tegenover mij plaats.

'Als je overboord valt, blijf je drijven,' riep Christian. 'Maar val er niet op deze manier in' – hij deed alsof hij met zijn hoofd vooruit naar beneden dook – 'want dan blijf je niet drijven. Dan gaat de lucht in je pak naar je voeten en dan zinkt je hoofd.' Aangezien zijn gezicht grotendeels schuilging achter rubber en wol, was het me niet duidelijk of hij een grapje maakte. Ik wilde niet dat mijn hoofd zou zinken. Toen gaf hij een ruk aan het starttouwtje en even later schoten we met een ruime bocht de Isfjord in. 'Sneller!' schreeuwde Eline enthousiast, en ik besefte dat ik nu alleen was met mijn angst.

De wind had op de loer gelegen achter de eerste bergrug, en zodra we daar voorbij waren, striemde hij met volle kracht in ons gezicht. Op de zojuist nog vlakke, roestkleurige zee verschenen eerst kakikleurige kopjes en vervolgens golven met schuimkoppen die de boot met de boeg omhoog los van het water deden komen. Zodra we het contact met het water verloren, bleef het heel even stil, dan gierde de schroef het uit in zijn plotseling verworven, kortstondige vrijheid, en even later smakten we met een enorme, de ingewanden door elkaar schuddende klap weer terug op het water.

Met mijn winddichte goretex-wanten klampte ik me uit alle macht aan de touwlus vast. Ik wierp een tersluikse blik op Eline, en zag dat ze haar betraande ogen tot spleetjes kneep van de inspanning die het haar kostte om zich aan haar lus vast te klampen. Ik zou me voldaan moeten voelen dat ik niet de enige was, maar in plaats daarvan bevestigde dit beeld alleen maar mijn bangste vermoedens. Als ik mijn greep op de touwlus verloor, lag ik in het water.

Toen we de hoge antennes van de verkeerstoren van de luchthaven passeerden, nam de wind nog wat in kracht toe. De golven waren nu zeker zo'n drie meter hoog, en de enige manier om ze veilig te nemen, was de boeg recht op de golven te houden. Snot droop vrijelijk uit mijn neus op mijn sjaal, die al spoedig bedekt was met een ondoordringbaar web van dikke herfstdraden. Eline staarde me aan, en het zichtbare gedeelte van haar gezicht vertrok van weerzin. Gelijk had ze. Het was haar sjaal.

Marte sloeg Christian op zijn arm – zelfs geschreeuwde conversatie was al een tijdlang onmogelijk – en hij minderde vaart. Ik heb me nog nooit zo verlaten gevoeld. We waren kilometers verwijderd van wat voor de beschaafde wereld doorging in een van de eenzaamste oorden ter wereld, op een zee die zo koud was dat je het zelfs in een overlevingspak hooguit een uur zou uithouden. En als een van die golven ons van opzij zou raken, zouden we met zijn allen in zee terechtkomen. Een maand later zou ik gevonden worden, drijvend met mijn voeten omhoog, mijn gezicht weggevreten door zeehonden, mijn tors het speeltuig van wellustige walrussen.

Marte en Christian hielden een kort maar hevig handgebaar-en-wenkbrauw-debat over de raadzaamheid onze tocht te vervolgen. Hij wilde doorgaan; zij niet. Het enige waaraan ik me had vastgeklampt – een rotsvast vertrouwen in hun ijzersterke gezonde verstand – verdween als sneeuw voor de zon. Ze waren niet zeker van hun zaak. Ze wisten het zelf ook niet meer. Ze zouden niet de eersten zijn die Spitsbergen eenmaal te vaak hadden uitgedaagd, niet de eersten die vergaten dat dit oord je geen herkansing biedt. Maar Christian won. Hij haalde zijn schouders op, draaide de gashendel open en stuurde ons recht een half brekende golf in waarvan het ijskoude water Eline en mij in het gezicht sloeg.

We bleven dicht langs de kust, met zijn hoge klippen waar Martina ons aan boord van de Nordstjernen op gewezen had toen we Spitsbergen naderden. Ergens op die met guano bespikkelde flanken bevonden zich de voetafdrukken van dinosaurussen, maar ik kon mezelf er niet toe brengen om te kijken. Mijn betraande blik was strak recht vooruit gericht, om mijn broze, verkrampte lijf de kans te geven zich voor te bereiden op de volgende klap. Als iemand me stevig op mijn hoofd had getikt, zou ik in stukken zijn gebroken.

Na een halfuur was ik door de krampgrens heen, en nog altijd geen spoor van Grumantbyen. Ik had me nauwelijks bewogen, maar toch was ik volkomen uitgeput. We vlogen nu over de kruinen van golven die ons ongetwijfeld rechtsomkeert hadden doen maken als we ze eerder waren tegengekomen.

Geleidelijk aan voelde ik mijn greep hulpeloos verzwakken, en voor het eerst werd ik me bewust van een snijdende pijn op de plek waar mijn zegelring in mijn verkrampte handpalm kerfde. Maar al spoedig werd zelfs die gewaarwording naar een verre uithoek van mijn brein verbannen. Na een uur was ik nergens meer, helemaal nergens meer, ik had me volledig overgegeven aan wat er ook in het verschiet mocht liggen terwijl ik heen en weer gesmeten werd als zo'n pop die ze bij botsproeven gebruiken.

Ik herinner me nog wat ik dacht: het heeft weliswaar lang geduurd, maar nu ben ik dan toch eindelijk als een echte Dufferin in de weer. Misschien niet in de geest – hij zou rechtop hebben gestaan met één voet op de boeg, kin vooruitgestoken, handen op de heupen – maar dan toch in elk geval in de daad. Dit was precies het soort zinloze, levensgevaarlijke onderneming waaraan hij zich in een dwaze opwelling gewaagd zou hebben. Die gedachte bracht een vaag gevoel van koloniale trots bij me teweeg dat helaas mijn lichaam van zijn laatste reserves beroofde. Toen, terwijl mijn oogleden dicht begonnen te vallen, voelde ik hoe we naar de kust afbogen waar zich ergens op een verlaten strand een vijf meter hoge hamer en sikkel bevond.

Grumantbyen was een verbazingwekkend oord, zo verbazingwekkend dat binnen enkele minuten mijn allesoverheersende lichamelijke ellende verschrompeld was tot niet meer dan het gevoel dat ik in het recente verleden herhaaldelijk met een in zeewater gedrenkte handdoek in het gezicht geslagen was. Nadat ik met beverige handen mijn overlevingspak had uitgetrokken terwijl de anderen de zodiac op het met machineonderdelen bezaaide kiezelstrand trokken, ging ik op weg naar het drietal troosteloze gebouwen die het restant vormden van wat ooit Spitsbergens grootste stad was geweest.

Eerst liep ik naar het grootste gebouw, een betonnen barak van drie verdiepingen waarvan de koningsblauwe verf getuigde van een dappere maar eenzijdige strijd tegen vijftig jaar arctische wind. Met 850 kilometer woeste zee voor de deur, genoot Grumantbyen geen enkele bescherming tegen de elementen; aangezien het laden van grote kolenschepen een volstrekte onmogelijkheid was, hadden de Russen met behulp van explosieven een tunnel van anderhalve kilometer dwars door de bergen aangelegd om de kolen naar de beschutte aanlegsteiger van Colesbukta te transporteren. Het was plotseling volkomen duidelijk waarom de Russen Grumantbyen verlaten hadden – zonder haven was het van geen enkel strategisch belang in de subplot van de koude oorlog die Spitsbergen in zijn greep had gehouden vanaf de oorlog tot aan het moment dat Jeltsin aan de macht kwam.

De gewapende studenten voegden zich bij me en Christian, Eline en ik klommen naar binnen door een raam waar geen glas meer in zat. Marte bleef buiten met het geweer. Toen ze hier in maart waren, hadden ze een ijsbeer in de buurt gezien.

Het antieke (circa 1895) ontwerp van het woonblok viel moeilijk te rijmen met hetzij het werkelijke bouwjaar (1962) hetzij het ogenschijnlijke bouwjaar, gebaseerd op het over het algemeen nauwelijks verweerde uiterlijk (1990). Boven zaten de meeste ruiten nog in de sponningen. Eindeloze rijen grijsmetalen afsluitbare kasten stonden langs de muur opgesteld, sommige lagen voorover op de vloer als soldaten die tijdens een parade van hun stokje waren gegaan. 'Ik weet niet precies wat de Russen dachten toen ze vertrokken,' zei Christian terwijl we door een grote doucheruimte liepen waar de sporen van afgespoeld steenkoolgruis nog aan de randen van de emaille douchebakken kleefden. 'Ze hebben bepaalde dingen kapotgemaakt – zoals deze waterleidingbuizen – zodat het moeilijk zou zijn om hier te wonen. Maar waarom hebben ze deze gebouwen niet gewoon opgeblazen? Ik denk dat ze een mogelijkheid wilden openhouden om hier terug te komen.'

We liepen een gelambriseerd kantoor binnen, kennelijk dat van een hoge functionaris. Gekleurde draden staken uit een kapotgeslagen telefooncentrale. De ramen boden uitzicht op de zee, en toen ik naar buiten keek zag ik, hoog op een klip aan mijn linkerkant, een bakstenen toren die alleen maar een uitkijkpost kon zijn. Dat zou vast het werkelijke belang van Grumantbyen zijn geweest. Het kan voor de sovjets nauwelijks de moeite waard zijn geweest om zo dicht bij de noordpool tunnels aan te leggen door eenzame bergen, alleen maar voor een paar bootladingen steenkool. Ik haalde me het beeld voor de geest van een of andere 'marineattaché' die met de pest in zijn lijf dicht tegen de gietijzeren radiator de horizon afzocht naar slaafse handlangers van het imperialisme. In gedachten verzonken daalden we de trap af en liepen naar het volgende gebouw, langs met mos bedekte bergen flessen en zwarte laarzen. Het leek wel een tafereel uit een of andere recent ontdekte gruweldaad uit de holocaust. De deprimerende, klamme atmosfeer was doortrokken van het lijden van de grote massa dat door de staat was gedecreteerd en door een elite van slaafse volgelingen mogelijk was gemaakt. Iemand had een rendierschedel een stofbril opgezet, wat me wel zo ongeveer het geëigende niveau van humor toescheen.

Het tweede gebouw was de plek waar Christian en Marte in maart een nacht hadden doorgebracht, waarbij ze de ingang gebarricadeerd hadden met een van glaspanelen voorziene deur bij wijze van ijsbeeralarm. Er waren Franse hurk-wc's, klerenkasten waarvan de koperen handgrepen nog glommen van de aanrakingen van een generatie communisten en, misschien nog wel het meest aangrijpend van alles, een cel voor ondeugende of ideologisch suspecte mijnwerkers onder de ruim 1000 die hier gewoond en gewerkt hadden. In de cel stond een paar schoenen met opgekrulde neuzen keurig onder een gietijzeren ledikant. Een gedetineerde had 'Dimitri' in de vensterbank gekerfd.

We liepen naar buiten, waar Marte zat te wachten op een merkwaardige, dik met mos begroeide promenade, compleet met bankjes en afgezaagde stompjes van lantaarnpalen. Het was alsof je er kon genieten van het uitzicht op een zoele zonsondergang in een drukbezochte badplaats aan de Zwarte Zee of van een stadspanorama met uivormige koepels en cultuurpaleizen die aan bruidstaarten deden denken. Niemand zei iets. Het was in elk geval redelijk interessant, bedacht ik, dat Dufferin met de Foam naar de Krim was gevaren en door de Russen gebombardeerd was, en dat ik me nu vlak bij het front van het meest recente Anglo-Russische conflict bevond.

We daalden via de duinen af naar de zee door een chaos van kromgetrokken dwarsbalken, mijnkarretjes en telegraafpalen. En toen, voorbij een gebutste brandstofopslagtank, was daar ineens de vijf meter hoge hamer en sikkel, roestig, ten dode opgeschreven, maar nog altijd uitdagend uitkijkend over zee.

Voor een bouwsel dat 35 nauwelijks voorstelbaar vijandige winters had doorstaan, had het zich opmerkelijk goed gehouden, maar toch was er iets hartverscheurend pathetisch aan dit uit steigerpalen opgebouwde monument. Het was duidelijk achtergelaten als een symbolisch opgestoken middelvinger naar het Westen in het algemeen, maar in combinatie met de door de wind gestriemde spookstad, dit Heldorado, was het duidelijk dat het gebaar volkomen averechts was uitgepakt. Hier, in een compact scenario, zag je de geschiedenis van een ideologie die in 1962 al in verval begon te raken en die nu volledig had afgedaan, net zo morsdood als Grumantbyen zelf.

Op de terugweg hadden we de wind in de rug, en dat maakte alles voor mij een stuk minder traumatisch. De studenten brulden volksliedjes terwijl we over de golven surften, en ik deed pogingen om mijn in snotterige wol verpakte gezicht in een glimlach te trekken. Binnen een uur scheerden we door de fjord met een nonchalance alsof het een episode uit *Baywatch* betrof, toen draaide Christian de gashendel dicht en we gleden naar het strand. Ik kon de schoorsteen

van de Nordstjernen zien uitsteken boven de huizen bij de aanlegsteiger voor cruiseschepen. Plotseling raakte mijn hart, waarin door
mijn recente extreme ervaringen nauwelijks meer plaats was geweest
voor de meer alledaagse emoties, vervuld van een zwaarmoedig gevoel van verlies en droefheid. Ik wist dat mijn schip er lag, maar belachelijk genoeg was het pas zojuist bij me opgekomen dat het met
mij aan boord zou vertrekken. Ik zou vertrekken. Al heel gauw.

Natuurlijk was ik in meerdere opzichten dolblij dat ik dit afschuwelijke oord zou verlaten, dat ik op weg zou gaan naar huis en mijn
gezin en wat er dan ook nog meer mocht zijn dat me in Londen
aantrok. Ik had verdomme al in geen twee maanden de maan meer
gezien.

Ik probeerde te bedenken wat de oorzaak van mijn melancholie
zou kunnen zijn, en vond er twee. De eerste was een enorme dankbaarheid ten opzichte van de volslagen onbekenden die een deel van
hun eigen vakantie hadden aangepast aan mij en mijn talrijke tekortkomingen. Ze hadden me gewoon als een der hunnen behandeld en me aangenaam beziggehouden. Net als eerder aan boord van
de Fridtjofen had ik er nog steeds moeite mee te geloven dat mensen
die geen evangelische christenen of berekenende seriemoordenaars
waren, iemand zomaar in hun eigen kring zouden opnemen, in het
bijzonder een hopeloos geval als ik. Ikzelf zou dat beslist niet doen.
Dufferin, daarentegen, zou het beslist weer wel doen, wat een van de
redenen was waarom ik me zo neerslachtig voelde. Maar al te vaak
had ik ze als reactie op hun onbaatzuchtigheid met scheldwoorden
overladen en hun sjaals met snot.

En de tweede reden was het besef dat mijn hoop om Spitsbergen
te kunnen verlaten met het gevoel dat ik het laatste stukje van de
puzzel 'Dufferin: Reiziger en Mens' op zijn plaats had gelegd, in rook
was opgegaan. Het enige wat ik gedaan had, was losse stukjes naast
elkaar leggen – land bij land, stad bij stad, fjord bij fjord – en zelfs
dan nog waren er open plekken. Jan Mayen was een grandioos fiasco
geweest, en het was slechts mijn eigen langdurige onbekwaamheid
ten gevolge van zeeziekte geweest die me ertoe gebracht had Dufferins Noorse aanlegplaatsen aan te willen doen. Het was me nog altijd
niet precies duidelijk waarom hij hiernaartoe gegaan was, of naar
Jan Mayen, of naar IJsland. Nadat hij teruggekeerd was naar Groot-

Brittannië en zijn diplomatieke carrière een aanvang had genomen, was hij nooit meer terug geweest naar het noordpoolgebied. Van de twee standplaatsen waar hij zijn naam vestigde, wekte Canada misschien vage associaties met het verre Scandinavië, maar dat gold uiteraard niet voor India. Hij was hier duidelijk niet heen gedreven door een hongerige obsessie voor het oord en zijn bewoners, en mocht dat wel het geval zijn geweest, dan was het een honger die na twee maanden wel gestild was.

Telkens als ik naar zijn ondoorgrondelijke gezicht keek op het titelblad van *Helen's Tower*, scheen ik minder van hem te begrijpen. Het was moeilijker geweest dan ik gedacht had om door dat charmante diplomatieke masker, als het inderdaad een masker was, heen te kijken. Ik was begonnen met een vaag idee over een vertegenwoordiger van een inmiddels uitgestorven ras van drieste, erudiete avonturiers, wiens goedmoedigheid en zelfspot hem onderscheidden van de snoevende bullebakken die vanouds met dat genre geassocieerd worden. Bezield door het verlangen zijn daden, of althans een daarvan, te evenaren, maakte ik de domme fout te proberen de geest te imiteren waarin ze verricht waren; en nadat die poging al snel op een mislukking was uitgelopen, vormde mijn voorspelbare instorting tot een verbitterd en defaitistisch hoopje mens waarschijnlijk de meest voor de hand liggende verklaring voor het feit dat ik mijn genegenheid voor Dufferin steeds meer begon te projecteren op de ogenschijnlijk afschuwelijke Wilson, bij wie ik minder kans liep ontmaskerd te worden. Wilson ontpopte zich als mijn talisman en de stoïcijnse mascotte van de reis; Dufferin werd een pompeus moederskindje met wat nare trekjes.

Maar hier op Spitsbergen, met zijn haast bijbelse atmosfeer van pathos en ontbering, was de triestheid van Dufferins laatste jaren onweerstaanbaar gebleken. Hij was een rechtschapen man die zijn lot met ere droeg, na door een kleine maar cruciale beoordelingsfout uiteindelijk een echte zwakheid getoond te hebben die het des te moeilijker maakte om een blijvende wrok jegens hem te koesteren. Ik zou hem waarschijnlijk nooit op zijn eigen terrein kunnen evenaren – daarvoor waren de regels in de loop der jaren te zeer veranderd – maar in elk geval had ik het op hetzelfde terrein tegen hem opgenomen.

Ten prooi aan deze mengeling van melancholie en teleurstelling, zei ik geen woord terwijl we naar de stad terugreden. 'Alles in orde?' vroeg Marte. 'Alleen maar moe,' zei ik. Dat was waarschijnlijk alles. Gedurende de afgelopen acht weken (waren het er werkelijk niet meer geweest?) was ik onderworpen geweest aan meer vermoeiende, angstaanjagende en braakneigingen opwekkende activiteiten dan in al mijn in een beschermde omgeving doorgebrachte volwassen jaren daarvoor. Ik mocht dan misschien niet helemaal gebroken zijn, maar ik was wel kapot.

'Hé!' riep Eline met een blos van enthousiasme op haar wangen. 'Je moet de rendieren nog zien voordat je vertrekt!'

'O ja?' zei ik.

'Natuurlijk!' Ze zweeg even terwijl ze bedacht hoe ze die excursie het beste kon aanprijzen. 'Ze hebben korte poten en witte konten!'

We reden de stad door en verlieten die weer aan de andere kant, voorbij het enige verkeersbord in Europa met het symbool voor 'Pas op voor IJsberen', over een savanne-achtige vlakte in de richting van Mijn 7. 'Daar zijn er een paar!' Er waren er een paar. Ik strompelde de auto uit en deed alsof ik foto's maakte terwijl ze wegholden onder het tonen van beide eerder genoemde fysieke eigenaardigheden. 'Kunnen we nu gaan?' Ik wilde alleen nog maar terug. Ik had genoeg gehad. Mijn brein was vol.

Ze reden me naar het Funkenhotell om mijn bezittingen op te halen, inmiddels aangevuld met een zak vol fossielen die ik uiteindelijk in de haven van Oslo zou dumpen, en twee negentig centimeter lange kokers met landkaarten en posters, waarvan er een zich nu ergens buiten bij een museum van gedroogde vis op de Lofoten bevindt.

Er was geen tijd meer om cadeautjes te kopen voor mijn gidsen en mentors, en dus gaf ik hun tamelijk krenterig honderd kronen voor benzine en snotverwijderende reinigingsmiddelen toen we afscheid namen op de steiger. De nieuwe lading passagiers van de Nordstjernen scheen identiek aan de vorige. Passagiers in veel te veel kleren slenterden over de dekken en vergeleken fotolijstjes van robbenvel en certificaten ten bewijze dat ze de 80ste breedtecirkel gepasseerd waren; na een week als in een Pepsi Max-advertentie geleefd te hebben, zou het niet meevallen om me weer aan te passen

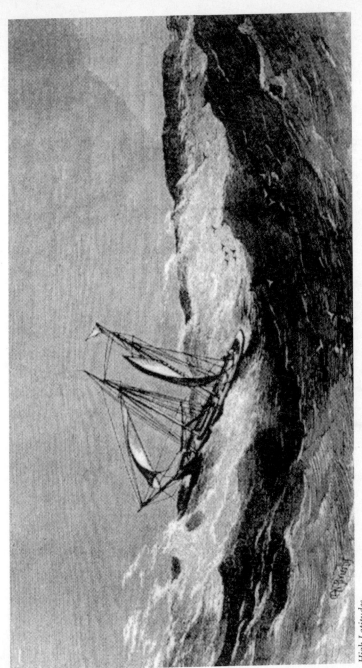

High Latitudes

DE MEISJES THUIS HEBBEN HET SLEEPTOUW GEGREPEN.

aan de banaliteit van een toeristencruise. Ik ervoer weer hetzelfde gevoel van arrogante almacht dat Dilli en mij bekropen had na ons fietsavontuur. Dit waren verwende toeristen, onbeduidende mensjes, idioten, tuig. Ik, en ik alleen, was de Ontdekkingsreiziger.

Ik sjouwde mijn bagage de loopplank op en werd begroet, of liever gezegd te woord gestaan, door Martina. Ze keek me strak aan met haar *Englischer Schweinhund*-blik. 'U kunt 277 krijgen, of u kunt een hut delen.' Ik dacht aan een man met een baard die zijn hart uitstortte aan de andere kant van een badkamerdeur. '277,' zei ik, ook al wist ik door mijn kennis van de boot, en meer in het bijzonder van de goedkopere hutten, nog voordat ik de deur opende dat een eerlijke samenvatting van de attracties van hut 277 niet de woorden 'daglicht' of 'zeeën van ruimte' zou bevatten.

Ik zocht troost aan dek. We zouden pas over een kwartier vertrekken, en die tijd bracht ik door met staren. Staren naar deze doelloze, betonnen arctische buitenpost, waarvan de barakkenkampachtige onbestendigheid des te meer benadrukt werd door het tijdloze bergmassief dat het geheel vanaf de overkant van de fjord overheerste. Staren naar de Timtoppen, die er zelfs hiervandaan nog altijd indrukwekkend onbegaanbaar uitzagen.

Ik vroeg me af hoe Dufferin zich gevoeld moest hebben toen hij de oorverdovende stilte van de Magdalenabaai uitvoer. Hij had op het strand weer een soort tijdcapsule-achtig kistje achtergelaten, en het stuk drijfhout dat we op Clandeboye boven een trappenhuis hadden zien hangen aan boord gesleept (of dat door Wilson laten doen), en vervolgens was hij vertrokken. Een dag of wat later kreeg de Foam een harde wind in de zeilen, en ze zakten in snel tempo de kust van Noorwegen af. 'De meisjes thuis hebben het sleeptouw gegrepen,' zei Mr Wyse. Twee weken later was hij in Portsmouth, na in iets meer dan twaalf weken 9.000 kilometer te hebben afgelegd. Het was een vreugdevolle terugkomst. De ontknoping van het Gifford-schandaal zou nog vijf jaar op zich laten wachten; er lag bijna een halve eeuw ononderbroken diplomatieke glorie voor hem in het verschiet voordat hij zijn Bakerloo zou vinden.

Hij was blij hiervandaan te kunnen vertrekken, en ik kon hem geen ongelijk geven. Het Spitsbergen dat ik nu achter me zou laten, omvatte tenminste nog een soort kleine gemeenschap, waar mensen woonden en werkten en zichzelf elke avond in slaap dronken. Hij verliet een ijzige, verlaten woestenij van zwarte bergpieken en rivieren van ijs, beheerst door gevaarlijke, bijna mythische dieren als ijsberen en walrussen, een plek die wel heel erg ver verwijderd was van een gezelschapsspelletje 'Oorzaak en gevolg' op Windsor Castle. 'We namen voor eeuwig afscheid van de zwijgende bergen om ons heen, lichtten het anker en kozen zee,' meldt hij beknopt. Een paar bladzijden eerder had hij het ook al gehad over het 'voorgoed verlaten van de kust van Spitsbergen'. Hij wist gewoon niet hoe snel hij moest vertrekken. En ik, denkend aan de meisjes thuis die mijn sleeptouw grepen, plotseling ook niet meer.

Epiloog

Twee weken na mijn thuiskomst raapte ik met stijve vingers, waarvan de toppen nog altijd tintelden door de vergeten ontberingen in het barre klimaat van IJslands binnenland, een brief van de deurmat. Hij was afkomstig van Lola Armstrong op Clandeboye, en bevatte een bundeltje fotokopieën en een begeleidend krabbeltje met de simpele tekst: 'Welkom terug. Heb dit in de derde bibliotheek gevonden.'

Het was Dufferins eigen inleiding van de Canadese editie van *High Latitudes*, gepubliceerd in 1873 toen hij daar de hooglijk gewaardeerde Gouverneur-Generaal was. Ik begon te lezen.

'Ik moet bekennen dat gevoelens van gêne me bekropen toen ik na zovele jaren plotseling weer geconfronteerd werd met het mij inmiddels vreemde personage dat op de volgende bladzijden zijn opwachting maakt... Ooit, door de "ondernemingszin" van een transatlantische redacteur, verwierf een verminkte uitgave van deze *Letters* kortstondige publiciteit in een provinciaal tijdschrift, doordat mijn bevlogen impresario zijn pirateneditie voorzien had van een voorwoord waarin hij beweerde dat hij "een Britse Lord een royaal honorarium geboden had om de noordpool te ontdekken".'

Ik dacht aan de drinkgelagen, en realiseerde me dat een steunpilaar van het Britse Rijk wiens vijftigste verjaardag naderde, zich ongemakkelijk moest hebben gevoeld bij die wellustige beschrijvingen van jeugdige losbandigheid. Toch vormden de niet geautoriseerde herdrukken en het feit dat er zeventien jaar na dato nog altijd vraag naar was, een getuigenis van de blijvende aantrekkingskracht van zijn boek. Maar dat was nog niet alles.

'Hier zou ik mijn korte apologie voor deze Editie moeten beëindigen, ware het niet dat ik in de verleiding kom deze gelegenheid te baat te nemen om een vraag te beantwoorden die me dikwijls gesteld is: "Hoe is het Wilson verder vergaan?"'

Wat? Ik zette grote ogen op. Wilson!

'Tijdens de anderhalfjaar durende expeditie naar Syrië... spreidde hij in de hem op het lijf geschreven atmosfeer van de begraafplaatsen van Egypte zowaar een tijdelijke opgewektheid tentoon die, als we af en toe eens een mummie opgroeven, overging in opwellingen van uitbundige vrolijkheid.' Zo kende ik Wilson weer. Goed om hem weer in topvorm te zien. 'Als ik aan die expeditie terugdenk, zie ik Wilson schrijlings op een ezel gezeten, met een gele tulband op zijn hoofd en een gestreepte Arabische mantel om zijn lijf, en onder beide armen een schedel, zijn zelfgekozen souvenirs... '

Toe maar. Lach hem maar uit. Weer het oude liedje van Wilson-op-een-paard-is-geen-gezicht.

'In Libanon ontmoetten we in een hotel een reiziger die ten prooi was gevallen aan de Syrische koorts, een ziekte die dikwijls een dodelijke afloop kent... Wilson schuifelde naar het hoofdeinde van het bed van zijn slachtoffer en fluisterde: "Ach, meneer, wat ziet u er toch slecht uit! De Syrische koorts, heb ik begrepen, meneer? Ah! Ze zeggen dat men niet geneest van de Syrische koorts... Ik ben Wilson, meneer... *de* Wilson!" met welke spookachtige onthulling van zijn identiteit hij zijn sinistere bezwering beëindigde, waarvan de zieke de bijzonderheden gelukkig nog kon navertellen.'

De Wilson? Hij was een beroemdheid geworden. Aan zijn rusteloze zoektocht naar de zin van zijn leven was eindelijk een einde gekomen. Hij had het geluk gevonden, nu hij van Belfast tot Beiroet bekendheid genoot als 's werelds beroemdste zwartkijker.

'Het zou moeilijker zijn om een adequate indruk te geven van Wilsons vriendelijkheid en toegewijde dienstvaardigheid, zijn vastberadenheid in tijden van gevaar, zijn veelzijdige vindingrijkheid... ' Dufferin die Wilsons nobele deugden prees? Dat klonk niet best. 'Als ik nu en dan getracht heb mijn verhaal te verlevendigen met een vluchtige blik op de rol die mijn arme bediende speelde in ons dagelijks leven, zal het de lezer duidelijk zijn dat het een toegenegen hand was die de schrijfstift hanteerde. Tot op de dag van vandaag kan ik me nog steeds niet op een reis voorbereiden zonder met een zucht van weemoed terug te denken aan mijn voormalige reisgenoot. Enige tijd na onze terugkeer naar Engeland raakte Wilsons gezondheid aangetast door een onbekende ziekte die vergezeld ging van zeer onrustbarende symptomen, en na een geduldig gedragen lijdensweg stierf hij in het Hospitaal voor Ongeneeslijk Zieken in Wimbledon.'

Ach, Wilson. Waarom vond ik dit zo triest? In zekere zin was het overlijden in het groene voorstadje Wimbledon een passend einde voor de tuinmanszoon uit Chiswick. Misschien was het de vermelding van het Hospitaal voor Ongeneeslijk Zieken in Wimbledon – 'Wel, Mr Wilson, het slechte nieuws is dat we u naar het Hospitaal voor Ongeneeslijk Zieken in Wimbledon sturen.' 'Ik begrijp het, dokter. En het goede nieuws?' 'Een van de verpleegsters daar is bereid uw retourkaartje over te nemen.' Het was ook de implicatie dat Wilson zijn 'onbekende ziekte' opgelopen had in Syrië, ongetwijfeld terwijl hij met een lading besmette mummies liep te sjouwen voor de collectie van zijn meester. Maar het was voornamelijk omdat ik gewoon het idee niet kon accepteren dat Wilson, mijn Wilson, iets, en in het bijzonder 'zeer onrustbarende symptomen', geduldig gedragen zou hebben. Hij niet. Geen sprake van. Hij zou, net als ik, niets anders hebben gedaan dan klagen. Tot aan zijn laatste ademtocht.

NIEUWENDAM